IK MIS MEZELF

LISA GENOVA

Ik mis mezelf

Vertaald uit het Engels door
Mariëtte van Gelder

MISTRAL
uitgevers

Oorspronkelijke titel: *Still Alice*
Oorspronkelijke uitgave: Pocket Books, a division of
Simon&Schuster Inc., New York
Vertaling door: Mariëtte van Gelder

Omslagontwerp: Wil Immink
Omslagillustratie: Getty Images/Julio Lopez Saguar
Auteursfoto: © Christopher Seufert
Typografie en zetwerk: ZetProducties, Amsterdam

www.stillalice.com
www.mistraluitgevers.nl
www.fmbuitgevers.nl

Mistral uitgevers is een imprint van Foreign Media Books bv,
onderdeel van Foreign Media Group.

ISBN 978 90 499 5106 1
NUR 302

Zelfs toen, bijna een jaar eerder, waren er al neuronen in haar hoofd, niet ver van haar oren, die werden verstikt tot de dood erop volgde, zo stilletjes dat zij het niet kon horen. Er werd wel gezegd dat alles zo bedrieglijk verkeerd ging dat de neuronen zelf dingen in gang zetten die tot hun eigen vernietiging leidden. Of het nu moleculaire moord was of cellulaire zelfmoord, de neuronen konden haar niet waarschuwen voordat ze afstierven.

september 2003

Alice zat aan het bureau in haar slaapkamer. Ze werd afgeleid door de geluiden van John, die door de kamers beneden stormde. Ze moest voor haar vlucht de collegiale toetsing afmaken van een artikel voor het *Journal of Cognitive Psychology* en ze had net drie keer dezelfde zin gelezen zonder er iets van te begrijpen. De wekker, die naar haar idee tien minuten voorliep, gaf aan dat het halfacht was. Het vermoedelijke tijdstip en het toenemende lawaai wezen erop dat John weg wilde, maar iets was vergeten en het niet kon vinden. Ze tikte met de rode pen tegen haar onderlip, keek naar de digitale cijfers van de wekker en wachtte op wat ze wist dat er zou komen.

'Ali?'

Ze legde de pen op het bureau en zuchtte. Beneden aangekomen zag ze hem op zijn knieën in de woonkamer zitten, wroetend onder de kussens van de bank.

'Je sleutels?' vroeg ze.

'Mijn bril. Geen preek alsjeblieft, ik ben al te laat.'

Ze volgde zijn panische blik naar de schoorsteenmantel,

waarop de antieke Waltham-pendule, die werd geprezen om zijn precisie, acht uur aangaf. Hij zou er niet op moeten vertrouwen. Alice was zo vaak het slachtoffer geworden van de schijnbaar oprechte wijzerplaten dat ze lang geleden al had geleerd alleen haar horloge te geloven. En ja hoor, ze maakte een sprong terug in de tijd toen ze de keuken binnenkwam, waar de magnetron met klem beweerde dat het pas acht voor zeven was.

Ze keek naar het gladde, opgeruimde granieten aanrecht en daar lag hij, naast de met paddenstoelen gedecoreerde kom die uitpuilde van de ongeopende post. Niet ergens onder, niet ergens achter, op geen enkele wijze aan het oog onttrokken. Hoe kon iemand die zo slim was, een wetenschappelijk onderzoeker, niet zien wat er vlak voor zijn neus lag?

Veel van haar eigen spulletjes hadden natuurlijk ook de gewoonte aangenomen zich op geniepige plekjes te verstoppen, maar dat vertelde ze hem niet, en ze vroeg hem niet mee te zoeken. Pas nog had ze een hele ochtend verwoed naar de oplader van haar BlackBerry gezocht, eerst thuis en toen op haar werk, maar ze had John in zalige onwetendheid gelaten. Ze stond voor een raadsel en uiteindelijk had ze zich gewonnen gegeven, was naar de winkel gegaan en had een nieuwe gekocht. 's Avonds had ze hem teruggevonden, aangesloten op het stopcontact bij haar bed, waar ze had moeten kijken. Waarschijnlijk kon ze het zowel in zijn als in haar geval toeschrijven aan de vele dingen die ze tegelijk moesten doen doordat ze het veel te druk hadden. En ze werden een dagje ouder.

Hij keek vanuit de deuropening naar de bril in haar hand, maar niet naar haar.

'Probeer de volgende keer dat je iets zoekt te doen alsof je een vrouw bent,' zei Alice met een glimlach.

'Ik zal een van je rokken aantrekken. Ali, alsjeblieft, ik ben echt veel te laat.'

'Volgens de magnetron heb je nog zeeën van tijd,' zei ze. Ze reikte hem de bril aan.

'Dank je.'

Hij pakte de bril aan alsof het een estafettestokje was en liep naar de voordeur.

Ze liep achter hem aan de gang in. 'Ben je thuis als ik zaterdag terugkom?' vroeg ze aan zijn rug.

'Weet ik niet, het wordt een lange dag in het lab zaterdag.'

Hij pakte zijn koffertje, telefoon en sleutels van de haltafel.

'Goede reis, geef Lydia een knuffel van me en probeer geen ruzie met haar te maken,' zei hij.

Ze ving hun spiegelbeeld op in de gangspiegel: een gedistingeerd ogende, lange man met peper-en-zoutkleurig haar en een bril, en een tengere vrouw met krullen en over elkaar geslagen armen, allebei op het punt zich in dezelfde, bodemloze ruzieput te storten. Ze klemde haar kiezen op elkaar en slikte om niet te springen.

'We hebben elkaar een tijd niet gezien, wil je proberen op tijd thuis te zijn, alsjeblieft?' vroeg ze.

'Ik weet het, ik zal mijn best doen.'

Hij gaf haar een kus en hoewel hij dringend weg moest, rekte hij de kus een bijna onmerkbaar moment. Als ze hem niet beter kende, had ze zijn kus kunnen romantiseren. Ze had hoopvol kunnen denken dat die kus zei: *Ik hou van je, ik zal je missen,* maar toen ze hem in zijn eentje de straat uit zag hollen, was ze er vrij zeker van dat hij had bedoeld: *Ik hou van je, maar krijg alsjeblieft niet de pest in als ik er zaterdag niet ben.*

Vroeger liepen ze 's ochtends altijd samen naar Harvard Yard. Van de vele dingen die ze leuk vond aan het vlak bij huis en aan dezelfde universiteit werken, was die gezamenlijke wandeling haar het dierbaarst. Ze maakten altijd een tussenstop bij Jerri's – een zwarte koffie voor hem, thee met citroen voor haar, ijskoud of gloeiend heet, afhankelijk van het seizoen – en liepen dan door naar Harvard Square, pratend over hun onderzoek en colleges, kwesties die binnen hun respectievelijke instituut speelden, hun kinderen of hun plannen voor die avond. Toen ze pas getrouwd waren, hadden ze zelfs hand in hand gelopen. Ze koesterde de ongedwongen intimiteit van die ochtendwandelingen met hem, voordat de dagelijkse verplichtingen van hun werk en ambities hen beiden gestrest en uitgeput hadden gemaakt.

Ze liepen nu echter al een tijdje ieder afzonderlijk naar Harvard. Alice had de hele zomer uit haar koffer geleefd: ze had deelgenomen aan psychologiecongressen in Rome, New Orleans en Miami en ze had in een promotiecommissie van Princeton gezeten. In het voorjaar hadden Johns celweekjes elke ochtend op een heidens uur een soort spoeling moeten ondergaan, maar hij vertrouwde er niet op dat een van zijn studenten consequent zou komen opdagen, dus had hij het zelf gedaan. Ze herinnerde zich niet meer wat de redenen daarvóór waren geweest, maar ze wist wel dat ze altijd redelijk en van tijdelijke aard hadden geleken.

Ze keerde terug naar het artikel op haar bureau, nog steeds afgeleid, nu door frustratie om de ruzie die ze niet met John had gemaakt over Lydia, hun jongste dochter. Was het nou echt zoveel gevraagd om eens één keer haar kant te kiezen? Ze nam de rest van het artikel vluchtig door, niet volgens haar gebruikelijke standaard van uitmuntendheid, maar het moest maar, gezien haar verstrooide toestand en het tijdgebrek. Toen ze klaar was met haar opmerkingen en aanbevelingen stopte ze het artikel in een envelop en maakte hem dicht in het schuldige besef dat ze een fout in de opzet of interpretatie van het onderzoek over het hoofd zou kunnen hebben gezien, en ze vervloekte John omdat hij de integriteit van haar werk in gevaar had gebracht.

Ze pakte haar koffer, die nog niet eens leeg was na de laatste reis, opnieuw in. Ze was blij dat ze de komende maanden minder vaak hoefde te reizen. Er stond maar een handjevol gastcolleges in haar agenda voor het najaarssemester en ze had het zo geregeld dat ze de meeste op vrijdag gaf, wanneer ze geen lessen had. Zoals morgen. Morgen zou ze als eerste gastspreker de serie lezingen van het instituut Cognitieve Psychologie van Stanford inluiden. En daarna zou ze Lydia zien. Ze zou proberen geen ruzie met haar te maken, maar ze kon niets beloven.

Alice vond Cordura Hall van Stanford op de hoek van Campus Drive West en Panama Drive zonder moeite. De betonnen, witgepleisterde buitenkant, het terracottakleurige dak en de weelderige tuin deden iemand van de Oostkust zoals zij eerder aan een Caribisch vakantieparadijs denken dan aan een academisch gebouw. Ze was er vrij vroeg, maar waagde zich toch maar binnen met het idee dat ze de extra tijd kon gebruiken om in de lege zaal haar lezing nog eens door te nemen.

Tot haar grote verbazing zat het al bomvol. Een geestdriftige drom mensen rond een buffettafel dook agressief op het eten af, als meeuwen op een stadsstrand. Voordat ze ongezien naar binnen kon glippen, kreeg ze Josh in het oog, een voormalig studiegenoot van Harvard en gerenommeerd egomaan, die haar de pas afsneed en zijn benen stevig en iets te wijd neerzette, alsof hij op haar wilde duiken.

'Is dat allemaal voor mij?' vroeg Alice met een speelse glimlach.

'Hoezo? Zo eten we elke dag. Het is voor een van onze ontwikkelingspsychologen die gisteren zijn aanstelling heeft gekregen. En, hoe is het op Harvard?'

'Goed.'

'Ik vind het ongelooflijk dat je daar nog steeds zit, na al die jaren. Als het je ooit gaat vervelen, moet je je eens afvragen of je niet beter hier kunt komen.'

'Ik zal het je laten weten. Hoe gaat het met je?'

'Fantastisch. Je zou na je lezing bij me langs moeten komen, dan laat ik je onze nieuwste datamodellen zien. Je zult steil achteroverslaan.'

'Sorry, maar ik moet meteen hierna het vliegtuig naar Los Angeles halen,' zei ze, blij dat ze een smoes had.

'O, jammer. Ik geloof dat ik je vorig jaar voor het laatst heb gezien, bij het psychonomiecongres. Toen heb ik je presentatie helaas gemist.'

'Nou, je krijgt er vandaag een groot deel van te horen.'

'O, herhaal je je praatjes tegenwoordig?'

Voordat ze iets terug kon zeggen, kwam Gordon Miller, het hoofd van het instituut en op slag haar nieuwe superheld, haar redden door Josh te vragen of hij wilde helpen champagne te serveren. Net als op Harvard was het ook op Stanford een traditie binnen het psychologisch instituut om met champagne te toosten op degenen die de begeerde mijlpaal van de vaste aanstelling bereikten. De vorderingen op de carrièreladder van universitair medewerkers kregen niet bij elke tree een klaroenstoot, maar de vaste aanstelling wel, luid en duidelijk.

Toen iedereen was voorzien, ging Gordon op het podium staan en tikte tegen de microfoon.

'Mag ik even de aandacht, alstublieft?'

Alleen Josh' overdreven luide, blaffende lach schalde nog door de zaal voordat Gordon vervolgde: 'Vandaag feliciteren we Mark met zijn vaste aanstelling. Hij zal wel dolblij zijn dat hij het zo ver heeft geschopt. Op de vele opwindende prestaties die nog zullen volgen. Op Mark!'

'Op Mark!'

Alice klonk met degenen die naast haar stonden en al snel was iedereen weer druk aan het drinken, eten en discussiëren. Toen alle hapjes van de dienbladen waren verdwenen en de laatste druppels champagne uit de laatste fles waren geperst, nam Gordon het woord weer.

'Als iedereen wil gaan zitten, kunnen we met de lezing van vandaag beginnen.'

Hij wachtte even tot de ongeveer vijfenzeventig mensen zaten en het geroezemoes was verstomd.

'Vandaag heb ik de eer u voor te stellen aan onze eerste gastspreker van het jaar. Doctor Alice Howland bekleedt als eminent professor in de psychologie de William James-leerstoel aan Harvard University. In de vijfentwintig jaar van haar gerenommeerde loopbaan heeft ze een groot deel van de paradepaardjes onder de toetsstenen van de psycholinguïstiek op haar naam geschreven. Ze was een pionier en loopt nog steeds voorop in de interdisciplinaire, geïntegreerde benadering van de studie van de mechanismen achter de taal. Het is een voorrecht dat ze hier vandaag wilde komen om over de conceptuele en neurale organisatie van taal te praten.'

Alice nam Gordons plaats in en keek naar haar publiek, dat naar haar keek. Terwijl ze wachtte tot het applaus was geluwd, dacht ze aan het statistische gegeven dat mensen banger waren om in het openbaar te spreken dan voor de dood. Zij was er gek op. Ze genoot van al die samengebalde elementen van de presentatie voor een luisterend publiek: doceren, optreden, een verhaal vertellen, een verhit debat beslechten. Ze was ook gek op de adrenalinekick. Hoe hoger de inzet, hoe slimmer of vijandiger de toehoorders, hoe opwindender ze het allemaal vond. John was een uitstekend spreker, maar hij vond het vaak moeilijk en beangstigend en hij had bewondering voor Alice' zwier. Waarschijnlijk had hij niet liever de dood, maar beslist wel liever spinnen en slangen.

'Dank je, Gordon. Ik wil het vandaag hebben over een paar van de processen die ten grondslag liggen aan taalverwerving, -structurering en -gebruik.'

Alice had de kern van deze lezing ontelbare malen afgedraaid, maar een herhaling wilde ze het niet noemen. Die kern had inderdaad betrekking op de belangrijkste beginselen van de linguïstiek, waarvan zij er veel had ontdekt, en ze gebruikte al jaren dezelfde dia's, maar ze was er juist trots op dat dit deel van haar lezing, die ontdekkingen van haar, nog steeds geldig waren, de tand des tijds doorstonden. Daar kon ze zich niet voor schamen, en lui voelde ze zich evenmin. Haar bijdragen waren belangrijk, en een aanzet tot nieuwe ontdekkingen. Bovendien verwerkte ze die nieuwe ontdekkingen ook.

Ze praatte ontspannen en geanimeerd, zonder naar haar aantekeningen te hoeven kijken. De woorden vloeiden moeiteloos tot ze, ongeveer tien minuten voor het eind van haar lezing van vijftig minuten, opeens bleef steken.

'Uit de data blijkt dat je voor het verbuigen van onregelmatige werkwoorden toegang moet hebben tot het mentale…'

Ze kon domweg niet op het woord komen. Ze wist min of meer wat ze wilde zeggen, maar het woord zelf was haar ontschoten. Weg. Ze wist niet wat de eerste letter was, hoe het klonk of hoeveel lettergrepen het had. Het lag niet op het puntje van haar tong.

Misschien kwam het door de champagne. Ze dronk anders nooit voordat ze moest spreken. Ook al kende ze haar lezing uit haar hoofd, en al was het nog zo'n informele gelegenheid, ze wilde geestelijk altijd zo scherp mogelijk zijn, vooral voor de vraag- en antwoordsessie aan het eind, die confrontaties en waardevolle, onvoorbereide discussies kon opleveren. Ze wilde echter niemand voor het hoofd stoten, en ze had waarschijnlijk iets meer gedronken dan goed voor haar was toen ze weer in het nauw werd gedreven door zo'n passief-agressief gesprek met Josh.

Het kon ook de jetlag zijn. Terwijl ze haar hersenen pijnigde op zoek naar het woord en een rationele verklaring voor het feit dat ze het kwijt was, begon haar hart te bonzen en haar gezicht te gloeien. Ze had nog nooit voor een volle zaal met haar mond vol tanden gestaan, maar ze was ook nog nooit voor een volle zaal in paniek geraakt, en haar publiek was vaak veel groter en imposanter geweest dan nu. Ze hield zichzelf voor dat ze moest blijven ademen, het uit haar hoofd zetten en doorgaan.

Ze verving het nog steeds geblokkeerde woord door een vaag, weinig toepasselijk 'ding', brak haar redenatie halverwege af en ging door met de volgende dia. De stilte had voor haar gevoel een opvallende, onbehaaglijke eeuwigheid geduurd, maar toen ze de zaal in keek om te zien of iemand haar mentale hik had gezien, zag ze niemand die een verbouwereerde, gegeneerde of verontwaardigde indruk maakte. Toen zag ze Josh, die met zijn buurvrouw zat te fluisteren, met gefronst voorhoofd en een flauwe glimlach op zijn gezicht.

Toen haar vliegtuig boven Los Angeles aan de afdaling begon, schoot het haar eindelijk weer te binnen. *Lexicon.*

Lydia woonde inmiddels drie jaar in Los Angeles. Als ze meteen na de middelbare school naar de universiteit was gegaan, zou ze nu net afgestudeerd zijn. Het zou Alice heel trots hebben gemaakt. Lydia was waarschijnlijk intelligenter dan de twee kinderen die boven haar kwamen, en die hadden wel gestudeerd. Rechten. En medicijnen.

In plaats van te gaan studeren was Lydia eerst naar Europa gegaan. Alice had gehoopt dat ze daarna een beter beeld zou hebben van wat ze wilde studeren en waar, maar in plaats daarvan vertelde ze haar ouders bij terugkeer dat ze in Dublin had geacteerd en er verliefd op was geworden. Ze wilde op stel en sprong naar Los Angeles verhuizen.

Alice ergerde zich er mateloos aan. Tot haar niet geringe frustratie was ze zich bewust van haar eigen aandeel in het probleem. Lydia was de jongste van drie, de dochter van ouders die hard werkten en vaak op reis waren, en aangezien ze het altijd goed had gedaan op school, hadden Alice en John weinig aandacht aan haar besteed. Ze gunden haar alle ruimte om haar eigen wereld te verkennen en zelf te denken, niet gehinderd door het strikte regime waar veel kinderen van haar leeftijd aan werden onderworpen. De carrière van haar ouders diende als lichtend voorbeeld van wat je kon bereiken wanneer je jezelf hoge, individueel unieke doelen stelde en die gedreven en met noeste arbeid trachtte te verwezenlijken. Lydia begreep wel waarom haar moeder haar aanraadde te gaan studeren, maar had het zelfvertrouwen en de moed om het advies naast zich neer te leggen.

Daar kwam nog bij dat ze niet helemaal alleen stond. De heftigste ruzie die Alice ooit met John had gehad, was het gevolg van zijn mening over het onderwerp: Ik vind het fantastisch, ze kan later altijd nog gaan studeren, mocht ze daar ooit zin in krijgen.

Alice zocht het huisnummer in haar BlackBerry op, belde aan bij appartement 7 en wachtte. Net toen ze nog eens wilde bellen, deed Lydia open.

'Mam, wat ben je vroeg,' zei ze.

Alice keek op haar horloge. 'Ik ben precies op tijd.'

'Je had gezegd dat je vlucht om acht uur aankwam.'

'Vijf uur, heb ik gezegd.'

'Ik heb acht uur in mijn agenda staan.'

'Lydia, het is kwart voor zes en ik ben er.'

Lydia keek besluiteloos en panisch uit haar ogen, als een konijn dat gevangen is in de lichtbundels van een naderende auto. 'Sorry, kom binnen.'

Ze aarzelden allebei even voordat ze elkaar omhelsden, alsof ze op het punt stonden een net geleerde dans in te zetten en niet helemaal zeker waren van de eerste pas of wie er moest leiden. Of misschien was het een oude dans, maar hadden ze hem zo lang niet samen gedaan dat ze zich allebei onzeker voelden over de choreografie.

Alice voelde Lydia's wervels en ribben door haar shirtje heen. Ze zag er te dun uit, een kilo of vijf lichter dan Alice zich herinnerde. Ze hoopte dat het een gevolg was van drukke bezigheden, niet van gewetensvol diëten. Lydia, die blond was en een meter achtenzestig lang, acht centimeter langer dan Alice, sprong eruit tussen de voornamelijk kleine Italiaanse en Aziatische vrouwen in Cambridge, maar in Los Angeles schenen de wachtkamers bij elke auditie vol te zitten met vrouwen die er net zo uitzagen als zij.

'Ik heb om negen uur gereserveerd. Wacht even, ik ben zo terug.'

Alice strekte haar nek om de keuken en de woonkamer vanuit de gang te inspecteren. De meubelen, waarschijnlijk op rommelmarkten gevonden en van ouders overgenomen, leken samen best hip: oranje zitelementen, een salontafel in retrostijl en een keukentafel met stoelen à la *The Brady Bunch*. De witte wanden waren kaal, op een poster van Marlon Brando boven de bank na. Het rook er naar allesreiniger, alsof Lydia op het laatste moment voordat Alice kwam nog even had geprobeerd de boel schoon te maken.

Het was trouwens iets té schoon. Geen rondslingerende cd's of dvd's, geen boeken of tijdschriften op de salontafel, geen foto's op de koelkast, nergens ook maar iets wat op Lydia's interesses of smaak duidde. Het was een anonieme plek. Toen viel haar oog op de berg mannenschoenen op de vloer links van de deur achter haar.

'Vertel eens over je huisgenoten,' zei Alice toen Lydia met haar mobieltje in haar hand terugkwam uit haar kamer.

'Ze zijn op hun werk.'

'Wat voor werk?'

'De een is barkeeper en de ander bezorgt eten.'

'Ik dacht dat ze allebei acteerden.'

'Dat doen ze ook.'

'Aha. En hoe heetten ze ook alweer?'

'Doug en Malcolm.'

Het was maar een flits, maar Alice zag het en Lydia zag dat ze het zag. Lydia's gezicht werd rood toen ze Malcolms naam noemde, en haar ogen schichtten nerveus weg van die van haar moeder.

'Zullen we gaan? Ze zeiden dat we nu ook wel mochten komen,' zei Lydia.

'Goed. Nog even naar de wc.'

Terwijl Alice haar handen waste, keek ze naar de toiletartikelen naast de wastafel: gezichtsreiniger en vochtinbrengende crème van Neutrogena, Tom's of Maine-tandpasta met mintsmaak, mannendeodorant, een doos Playtex-tampons. Ze dacht even na. Ze was de hele zomer niet ongesteld geworden. Had ze in mei nog gemenstrueerd? Ze zou over een maand vijftig worden, dus ze hoefde niet bang te zijn. Ze had nog geen last van opvliegers of nachtzweten gehad, maar niet alle vrouwen in de overgang kregen die symptomen. Zij wilde ze best missen.

Toen ze haar handen afdroogde, viel haar oog op de doos Trojan-condooms achter Lydia's haarverzorgingsproducten. Ze zou meer over die huisgenoten aan de weet moeten zien te komen. Vooral over Malcolm.

Ze zaten aan een tafel op het terras van Ivy, een trendy restaurant in het centrum van Los Angeles, en bestelden iets te drinken; een espresso martini voor Lydia en een merlot voor Alice.

'Zo, hoe gaat het met paps artikel voor *Science*?' vroeg Lydia.

Ze moest haar vader onlangs nog hebben gesproken. Alice had na het telefoontje op Moederdag niets meer van haar gehoord.

'Het is af. Hij is er apetrots op.'

'Hoe gaat het met Anna en Tom?'

'Goed, druk, hard aan het werk. Hoe heb je Doug en Malcolm leren kennen?'

'Ze kwamen op een avond in Starbucks binnen toen ik er werkte.'

De ober kwam en ze bestelden allebei iets te eten en nog een drankje. Alice hoopte dat de alcohol de spanning tussen hen, die zwaar en dicht vlak onder het vliesdunne gesprek loerde, zou verlichten. 'Hoe heb je Doug en Malcolm leren kennen?' vroeg ze.

'Dat heb ik net gezegd. Waarom luister je nooit naar me? Ze kwamen op een avond in Starbucks binnen toen ik er werkte en ze hadden het erover dat ze een huisgenoot zochten.'

'Ik dacht dat je als serveerster in een restaurant werkte.'

'Dat doe ik ook. Ik werk doordeweeks bij Starbucks en op zaterdagavond heb ik een baantje als serveerster.'

'Dat klinkt niet alsof er veel tijd overblijft om te acteren.'

'Ik heb momenteel geen rol, maar ik volg een workshop en ik ga vaak op auditie.'

'Wat is dat voor workshop?'

'De Meisner-techniek.'

'En waar doe je auditie voor?'

'Televisie en drukwerk.'

Alice liet de wijn in haar glas walsen, nam een laatste, grote teug en likte langs haar lippen. 'Lydia, wat is je plan hier nu precies?'

'Ik ben niet van plan het op te geven, als je dat soms vraagt.'

De alcohol werkte, maar niet in de richting die Alice had gehoopt. Het was eerder het vuur dat het laatste beetje vloeipapier verzengde, zodat de spanning tussen hen volledig zichtbaar was, op de rand van een gevaarlijk vertrouwde discussie.

'Je kunt niet eeuwig zo doorgaan. Wil je op je dertigste ook nog bij Starbucks werken?'

'Dat duurt nog acht jaar! Weet jíj wat je over acht jaar doet?'

'Ja, ik wel. Je moet op een gegeven moment je verantwoordelijkheid nemen, je moet dingen kunnen betalen als een ziektekostenverzekering, een hypotheek, pensioenvoorzieningen...'

'Ik heb een ziektekostenverzekering. En ik zou kunnen doorbreken als actrice. Dat gebeurt soms, hoor. En die mensen verdienen een stuk meer dan pap en jij bij elkaar.'

'Het gaat niet alleen om geld.'

'Waarom dan? Dat ik niet net zo ben geworden als jij?'

'Praat niet zo hard.'

'Commandeer me niet.'

'Ik wil niet dat je net zo wordt als ik, Lydia, ik wil alleen niet dat je je keuzes beperkt.'

'Jij wilt mijn keuzes voor me maken.'

'Niet waar.'

'Dit is wie ik ben, dit is wat ik wil doen.'

'Wat, *venti lattes* serveren? Je zou moeten studeren. Je zou deze levensfase moeten gebruiken om iets te leren.'

'Ik léér iets! Ik zit me alleen niet in een collegezaal op Harvard af te beulen om een tien voor politicologie te halen. Ik volg vijftien uur per week een serieuze cursus acteren. Hoeveel uur volgen jouw studenten college per week, twaalf?'

'Dat is niet hetzelfde.'

'Nou, pap vindt van wel. Hij betaalt het.'

Alice kneep in de stof van haar rok en perste haar lippen op elkaar. Wat ze eigenlijk wilde zeggen, was niet voor Lydia bedoeld.

'Je hebt me zelfs nooit zien acteren.'

John wel. Hij was de afgelopen winter alleen overgevlogen

om Lydia in een stuk te zien spelen. Alice, die was bedolven onder te veel dringende dingen, kon geen tijd vrijmaken om mee te gaan. Nu ze de gekwetste blik in Lydia's ogen zag, wist ze eigenlijk niet meer wat er zo dringend was geweest. Ze had niets tegen een acteercarrière op zich, maar ze vond dat Lydia's monomane streven ernaar, zonder opleiding, aan het roekeloze grensde. Als ze nu niet ging studeren, een academische basis legde of een vak leerde, als ze geen diploma haalde, wat moest ze dan beginnen als het acteren niets werd?

Ze dacht aan de condooms in de badkamer. Stel dat Lydia zwanger werd? Alice was bang dat Lydia op een dag zou merken dat ze gevangenzat in een onbevredigend leven, met alleen maar spijt. Ze keek naar haar dochter en zag een overvloed aan verspilde kansen, verspilde tijd.

'Je wordt er niet jonger op, Lydia. Het leven gaat maar al te snel voorbij.'

'Inderdaad.'

Het eten werd gebracht, maar ze pakten geen van beiden een vork. Lydia bette haar ogen met haar handgeborduurde linnen servet. Het werd altijd dezelfde strijd, en voor Alice voelde het alsof ze allebei met hun kop tegen een betonnen muur bonkten. Het zou nooit iets opleveren, behalve dan dat ze allebei gekwetst raakten en blijvende schade opliepen. Kon Lydia de wijsheid maar inzien van wat ze voor haar wilde, en de liefde die erachter zat. Kon ze maar gewoon over de tafel leunen en haar dochter knuffelen, maar ze werden van elkaar gescheiden door te veel borden, glazen en jaren van afstandelijkheid.

De plotselinge commotie een paar tafels verderop leidde ze af. Flitslichten gingen af en er verzamelde zich een groepje gasten en personeel. Ze keken allemaal naar een vrouw die wel iets van Lydia weg had.

'Wie is dat?' vroeg Alice.

'Mam,' zei Lydia op de zowel gegeneerde als minachtende

toon die ze op haar dertiende had geperfectioneerd, 'dat is Jennifer Aniston.'

Onder het eten praatten ze alleen over dingen die geen kwaad konden, zoals de gerechten en het weer. Alice wilde meer te weten komen over Lydia's relatie met Malcolm, maar de sintels van Lydia's emoties waren nog roodgloeiend en Alice was bang dat er weer een ruzie zou oplaaien. Ze betaalde de rekening en ze verlieten het restaurant, wel vol, maar niet voldaan.

'Pardon, mevrouw!' riep hun ober, die achter hen aan was gelopen. 'U bent iets vergeten.'

Alice bleef staan en probeerde te begrijpen hoe hun ober aan haar BlackBerry was gekomen. Ze had niet naar haar e-mail of agenda gekeken in het restaurant. Ze voelde in haar tas. Geen BlackBerry. Ze moest hem eruit hebben gehaald toen ze haar portemonnee pakte om te betalen.

'Dank u.'

Lydia keek haar vragend aan, alsof ze iets wilde zeggen wat niet over eten of het weer ging, maar ze bedacht zich. Ze liepen zwijgend terug naar haar appartement.

'John?'

Alice bleef in de gang staan, met het handvat van haar koffer in haar hand. Boven op de berg onbekeken post op de vloer voor haar lag *Harvard Magazine*. De pendule in de woonkamer tikte en de koelkast gonsde. Met de warme, zonnige namiddag in haar rug voelde het binnen kil, schemerig en muf. Onbewoond.

Ze raapte de post op en liep naar de keuken. De koffer op wieltjes vergezelde haar als een trouw huisdier. Haar vlucht had vertraging opgelopen en ze was laat thuis, zelfs volgens de magnetron. John had een hele dag, een hele zaterdag, de tijd gehad om te werken.

Het rode lichtje van het antwoordapparaat staarde haar

strak aan, zonder te knipperen. Ze keek naar de koelkast. Geen briefje op de deur. Niets.

Nog steeds het handvat van haar koffer omklemmend bleef ze in de donkere keuken staan en zag de klok van de magnetron een paar keer een minuut verspringen. Het teleurgestelde, maar vergevingsgezinde stemmetje in haar hoofd zakte tot een fluistering terwijl een oerkracht aan volume en bereik won. Ze overwoog hem te bellen, maar de aanzwellende stem wees het plan vierkant af en weigerde elk excuus. Ze kon besluiten het niet belangrijk te vinden, maar de stem, die nu in haar lichaam trok, in haar buik weergalmde en tot in haar vingertoppen vibreerde, was te krachtig en alomtegenwoordig om te negeren.

Waarom trok ze het zich zo aan? Hij zat midden in een experiment dat hij niet in de steek kon laten om even naar huis te gaan. Ze had onmiskenbaar de nodige keren in zijn schoenen gestaan. Het was hun werk. Het was wie ze waren. De stem noemde haar een stomme idioot.

Ze zag haar hardloopschoenen op de vloer bij de achterdeur. Een eind lopen zou haar goeddoen. Dat was wat ze nodig had.

Ze ging het liefst elke dag hardlopen. Ze zag het al jaren als een dagelijkse, onmisbare noodzaak, net als eten en slapen, en ze had weleens rond middernacht of midden in een oogverblindende sneeuwstorm gelopen, maar de afgelopen maanden had ze die primaire behoefte verwaarloosd, zo druk had ze het gehad. Terwijl ze de veters van de schoenen strikte, maakte ze zichzelf wijs dat ze ze niet had meegenomen naar Californië omdat ze had geweten dat ze toch geen tijd zou hebben om te lopen, maar eigenlijk was ze gewoon vergeten ze in te pakken.

Vanuit haar huis in Poplar Street volgde ze altijd dezelfde route: door Massachusetts Avenue, over Harvard Square naar Memorial Drive, langs de rivier de Charles naar de

Harvardbrug bij het MIT en weer terug – iets meer dan acht kilometer, drie kwartier heen en terug. Het idee een keer mee te lopen in de marathon van Boston sprak haar al heel lang aan, maar elk jaar stelde ze vast dat ze realistisch gezien geen tijd had om voor zo'n afstand te trainen. Misschien kwam het er nog eens van. Ze had een uitstekende conditie voor een vrouw van haar leeftijd en stelde zich voor dat ze tot diep in de zestig een sterke hardloopster zou blijven.

Het eerste deel van haar route langs Massachusetts Avenue en over Harvard Square werd ze gehinderd door het drukke voetgangersverkeer op de stoep en af en toe wachten om over te steken. Op dit uur van de zaterdag was het druk en hing er een verwachtingsvolle sfeer in de straten. Drommen mensen verzamelden zich bij voetgangerslichten, wachtend op groen licht, bij terrassen, wachtend op een tafel, in rijen voor de bioscoop, wachtend op een kaartje, en in foutgeparkeerde auto's, wachtend op een plekje bij een parkeermeter dat er waarschijnlijk niet zou komen. Die eerste tien minuten moest ze zich dus bewust op de buitenwereld concentreren om overal tussendoor te manoeuvreren, maar toen ze Memorial Drive eenmaal was overgestoken en langs de rivier liep, kon ze zo hard lopen als ze wilde en er helemaal in opgaan.

De warme, wolkeloze avond trok veel mensen naar de Charles, maar het voelde er minder verstopt dan in de straten van Cambridge. Ondanks de gestage stroom joggers, mensen met honden, wandelaars, skeeleraars, fietsers en vrouwen met wandelwagens, had Alice nog maar een vaag besef van wat er om haar heen gebeurde, als een ervaren chauffeur op een stuk weg waar hij regelmatig rijdt. Terwijl ze langs de rivier liep, verstomden alle geluiden, tot ze uiteindelijk alleen nog haar Nikes op het wegdek hoorde, in een gesyncopeerd ritme met haar ademhaling. Ze liet de ruzie met Lydia niet meer door haar hoofd spelen. Ze luisterde niet naar haar knorrende maag. Ze dacht niet meer aan John. Ze liep alleen nog maar.

Zoals haar gewoonte was, hield ze haar pas in toen ze terug was bij John Fitzgerald Kennedy Park, een hofje met gemanicuurde gazons opzij van Memorial Drive. Met een helder hoofd en een ontspannen, verkwikt lichaam wandelde ze naar huis. Het park leidde via een aangenaam pad met banken tussen het Charles Hotel en de Kentucky School of Government terug naar Harvard Square.

Toen ze aan het eind van het pad het kruispunt van Eliot Street en Brattle Street wilde oversteken, pakte een vrouw haar met een verbijsterende kracht bij haar onderarm en zei: 'Hebt u vandaag al aan de hemel gedacht?'

De vrouw keek Alice met een indringende, strakke blik aan. Ze had lang haar dat de kleur had van een getoupeerd Brillo-sponsje – en dat ook net zo moest voelen – en ze droeg een zelfgemaakt sandwichbord met op haar borst de tekst: AMERIKA TOON BEROUW, WEND U VAN DE ZONDE TOT JEZUS. Er was altijd wel iemand op Harvard Square die God aan de man bracht, maar Alice was nog nooit zo rechtstreeks en persoonlijk uitverkoren.

'Sorry,' zei ze. Ze zag een opening in het gestaag stromende verkeer en vluchtte naar de andere kant van de straat.

Ze wilde doorlopen, maar bleef als aan de grond genageld staan: ze wist niet waar ze was. Ze keek achterom en zag dat de vrouw met het Brillo-haar een nieuwe zondaar op het pad aanklampte. Het pad, het hotel, de winkels, de onlogisch kronkelende straten. Ze wist dat ze op Harvard Square was, maar ze wist de weg naar huis niet.

Ze probeerde het nog eens, nu gerichter. Het Harvard Hotel, Eastern Mountain Sports, Dickson Brothers Hardware, Mount Auburn Street. Ze kende ze allemaal – het plein was al meer dan vijfentwintig jaar haar territorium – maar op de een of andere manier pasten ze niet in een mentale plattegrond die haar vertelde waar haar huis zich bevond ten opzichte van die oriëntatiepunten. Een wit bord met een zwarte T erin recht voor haar gaf de ingang aan naar de ondergrondse treinen en bussen van de Red Line, maar Harvard Square telde vier van die ingangen en ze kon niet uitknobbelen welke van de vier het was.

Haar hart begon te bonzen. Het zweet brak haar uit. Ze hield zichzelf voor dat een versnelde hartslag en transpiratie deel uitmaakten van de gecombineerde, noodzakelijke reacties op hardlopen, maar nu, stilstaand op de stoep, voelde het meer als een paniekaanval.

Ze dwong zichzelf een straat uit te lopen en toen nog een, op rubberachtig aanvoelende benen die het bij elke verbijsterde stap leken te begeven. De Coop, Cardullo's, de kiosk op de hoek, het Cambridge Visitor Center aan de overkant en Harvard Yard daarachter. Ze suste zich met het idee dat ze nog kon lezen en herkennen. Het hielp niets. Alles was uit zijn verband gerukt.

Mensen, auto's, bussen en allerlei soorten ondraaglijk geluid zoefden om en langs haar heen. Ze deed haar ogen dicht en luisterde naar het suizen en kloppen van haar eigen bloed in haar oren.

'Laat het alsjeblieft ophouden,' fluisterde ze.

Ze deed haar ogen weer open. Zo onverwacht als de omgeving haar in de steek had gelaten, zo plotseling viel alles weer op zijn plaats. De Coop, Cardullo's, Nini's Corner, Harvard Yard. Ze wist als vanzelf dat ze op de hoek links af moest slaan, Massachusetts Avenue in. Haar ademhaling werd rustiger nu ze niet langer vlak bij huis het bizarre gevoel had verdwaald te zijn, maar ze had wel daarnet vlak bij huis het bizarre gevoel gehad dat ze verdwaald was. Ze liep zo snel ze kon zonder het op een rennen te zetten.

Ze liep haar straat in, een stille, met bomen afgezette weg met huizen een paar straten achter Massachusetts Avenue.

Met beide benen op de grond en haar huis in zicht voelde ze zich een stuk veiliger, maar nog niet echt veilig. Ze keek naar de voordeur en haar bewegende benen en beloofde zichzelf dat de zee van spanning die in haar raasde zou wegebben wanneer ze de gang in liep en John zag. Als hij thuis was.

'John?'

Hij dook op de drempel van de keuken op, ongeschoren, met zijn bril in zijn warrige verstrooide-professorhaar, in zijn grijze geluks-T-shirt en sabbelend op een rode lolly. Hij was de hele nacht opgebleven. Haar spanning zakte, zoals ze zichzelf had beloofd, maar haar energie en moed leken mee te zakken, zodat ze zich broos voelde en zich alleen nog maar in zijn armen wilde storten.

'Hé, ik vroeg me al af waar je bleef, ik wilde net een briefje op de koelkast plakken. Hoe ging het?' vroeg hij.

'Wat?'

'Stanford.'

'O, goed.'

'En hoe was het met Lydia?'

Het verraad en het gekwetste gevoel om Lydia, omdat hij er niet was geweest toen ze thuiskwam, uitgebannen door het lopen en vervangen door haar verschrikkelijke angst omdat ze op onverklaarbare wijze verdwaald was, namen hun eerste plek in de pikorde weer in.

'Dat kun jij mij beter vertellen,' zei ze.

'Jullie hebben ruziegemaakt.'

'Betaal jij haar acteerlessen?' zei ze verwijtend.

'O,' zei hij, en hij zoog het laatste beetje lolly in zijn roodgekleurde mond. 'Hé, kunnen we dat een andere keer bespreken? Ik heb nu geen tijd om erop in te gaan.'

'Dan maak je maar tijd, John. Je houdt haar drijvend zonder iets tegen mij te zeggen, en je bent er niet als ik thuiskom, en...'

'En jij was er niet toen ik thuiskwam. Heb je lekker gelopen?'

Ze hoorde de simpele logica achter de verhulde vraag. Als ze op hem had gewacht, als ze hem had gebeld, als ze niet gewoon had gedaan waar ze zin in had en was gaan rennen, had ze het afgelopen uur bij hem kunnen zijn. Ze moest hem wel gelijk geven.

'Ja hoor.'

'Het spijt me, ik heb zo lang mogelijk gewacht, maar ik moet nu echt terug naar het lab. Het is tot nog toe een ongelooflijke dag, schitterende resultaten, maar we zijn er nog niet en ik moet de cijfers analyseren voordat we morgen weer beginnen. Ik ben alleen even naar huis gekomen om jou te zien.'

'Ik moet dit nu met je bespreken.'

'Het is niet echt iets nieuws, Ali. We zijn het niet eens over Lydia. Kan het niet wachten tot ik terug ben?'

'Nee.'

'Heb je zin om met me mee te lopen, om het onderweg te bespreken?'

'Ik ga niet naar mijn werk, ik heb er nu behoefte aan om thuis te zijn.'

'Je moet nu praten, je hebt er nu behoefte aan om thuis te zijn, je bent wel erg behoeftig zo opeens. Is er iets anders aan de hand?'

Het woord 'behoeftig' raakte een gevoelige zenuw. 'Behoeftig' stond gelijk aan zwak, afhankelijk, ziekelijk. Haar vader. Ze had zich voor het leven voorgenomen nooit zo te worden, nooit te worden zoals hij.

'Ik ben gewoon bekaf.'

'Zo zie je er ook uit, je moet het wat kalmer aan doen.'

'Dat is niet wat ik nodig heb.'

Hij wachtte op uitleg, maar ze dacht te lang na. 'Hoor eens, hoe eerder ik ga, hoe eerder ik weer terug ben. Rust een beetje uit. Ik kom vanavond terug.'

Hij kuste haar op haar bezwete kruin en liep de deur uit.

Ze stond in de gang waar hij haar had achtergelaten, zonder biechtvader of vertrouweling, en toen drong het in volle, overweldigende omvang tot haar door wat ze zojuist op Harvard Square had meegemaakt. Ze zakte op de vloer, leunde tegen de koele muur en keek naar haar bevende handen op haar schoot alsof ze niet van haar konden zijn. Ze probeerde zich op haar ademhaling te concentreren, net als wanneer ze hardliep.

Na een paar minuten in- en uitademen was ze eindelijk kalm genoeg om te kunnen proberen een logische verklaring voor het gebeurde te vinden. Ze dacht aan het woord waar ze niet op had kunnen komen tijdens haar lezing aan Stanford en aan haar uitblijvende ongesteldheid. Ze stond op, zette haar laptop aan en googelde 'menopauze symptomen'.

Een gruwelijke lijst vulde het scherm: opvliegers, nachtzweten, slapeloosheid, verpletterende moeheid, spanning, duizeligheid, onregelmatige hartslag, depressie, prikkelbaarheid, stemmingswisselingen, desoriëntatie, verwarring, vergeetachtigheid.

Desoriëntatie, verwarring en vergeetachtigheid. Klopt, klopt, klopt. Ze leunde achterover in haar stoel en harkte met haar vingers door haar zwarte krullen. Ze keek naar de foto's op de planken van de plafondhoge boekenkast: haar afstuderen aan Harvard, John en zij dansend op hun bruiloft, kiekjes van de kinderen toen ze nog klein waren, een familieportret, genomen toen Anna trouwde. Ze keek weer naar de lijst op het scherm. Dit was gewoon de natuurlijke, volgende fase in haar leven als vrouw. Miljoenen vrouwen sloegen zich er elke dag doorheen. Niets levensbedreigends. Niets abnormaals.

Ze noteerde dat ze een afspraak met haar arts moest maken voor een controle. Misschien moest ze aan de oestrogeenvervangers. Ze nam de lijst met symptomen nog een laatste keer door. Prikkelbaarheid. Stemmingswisselingen. Haar korte lontje ten opzichte van John. Het klopte allemaal als een bus. Ze zette tevreden de computer uit.

Ze bleef nog een poosje in de schemerige werkkamer zitten luisteren naar haar stille huis en de geluiden van barbecues in de buurt. Ze snoof de geur van hamburger op de grill op. Om de een of andere reden had ze geen honger meer. Ze nam een multivitaminepil met water, pakte haar koffer uit, las nog een paar artikelen in *The Journal of Cognition* en ging naar bed.

Het was na middernacht toen John eindelijk thuiskwam. Ze werd enigszins wakker van zijn gewicht toen hij in hun bed stapte, maar bleef stil liggen en deed alsof ze sliep. Hij moest uitgeput zijn na een hele nacht en een dag werken. Ze konden de volgende ochtend ook wel over Lydia praten. En ze zou haar excuses aanbieden voor haar overgevoelige, humeurige gedrag van de laatste tijd. Zijn warme hand op haar heup trok haar in de kromming van zijn lichaam. Met zijn adem in haar nek viel ze in een diepe slaap, ervan overtuigd dat ze veilig was.

oktober 2003

'Dat was nogal wat om te verhapstukken,' zei Alice terwijl ze de deur van haar kantoor openmaakte.

'Ja, die enchilada's waren gigantisch,' zei Dan grinnikend achter haar.

Alice gaf hem een tikje met haar schrijfblok op zijn arm. Ze hadden net een lunchbespreking van een uur gehouden. Dan, een vierdejaars promovendus, zag eruit als een echte sportieve kakker: gespierd en slank met kortgeknipt blond haar en een brutale glimlach met veel tanden. Uiterlijk had hij niets van John, maar zijn zelfbewustzijn en gevoel voor humor deden Alice vaak denken aan John op die leeftijd.

Na een paar valse starts kwam Dans proefschrift nu eindelijk van de grond, en hij zat in die roes waar Alice met genegenheid aan terugdacht. Ze hoopte dat die roes zich tot een blijvende passie zou ontwikkelen. Iedereen kon zich door onderzoek laten verleiden wanneer de resultaten binnenstroomden, maar het was de kunst er ook van te houden wanneer de resultaten om ongrijpbare redenen uitbleven.

'Wanneer ga je naar Atlanta?' vroeg ze terwijl ze in de

papieren op haar bureau naar de door haar geredigeerde eerste versie van zijn proefschrift zocht.

'Volgende week.'

'Dan heb je je proefschrift waarschijnlijk al ingediend, het ziet er goed uit.'

'Ik kan maar niet geloven dat ik ga trouwen. God, ik word oud.'

Ze vond het proefschrift en reikte het hem aan. 'Kom op zeg, je bent verre van oud. Je staat nog helemaal aan het begin.'

Dan ging zitten, bladerde in zijn proefschrift en keek met gefronste wenkbrauwen naar de rode krabbels in de kantlijn. Alice, met haar grondige en parate kennis, had vooral veel bijgedragen aan de invulling van de inleiding en de discussiehoofdstukken in het werk; ze had de gaten in zijn betoog opgevuld en een logischer beeld gegeven van waar en hoe dit nieuwe werk precies in de historische en lopende linguïstische puzzel als geheel viel.

'Wat staat hier?' vroeg Dan. Hij wees naar een reeks rode hanenpoten.

'"Differentiële effecten van geconcentreerde versus verdeelde aandacht".'

'Van wie is dat?' vroeg hij.

'O, o, van wie?' vroeg ze zich hardop af. Ze kneep haar ogen dicht en wachtte tot de naam van de eerste auteur en het jaar van het werk naar de oppervlakte kwamen borrelen. 'Zie je nou, zo gaat het als je echt oud bent.'

'Hou op, jij bent ook niet bepaald oud. Het geeft niet, ik zoek het wel op.'

Als je je met wetenschappelijk onderzoek bezighield, werd je geheugen altijd zwaar op de proef gesteld: je moest het jaar van gepubliceerde studies, de details van de beschreven experimenten en degene die ze had gedaan onthouden. Alice liet haar studenten en postdocs vaak paf staan door voor de vuist weg de publicaties af te raffelen die relevant waren voor een bepaald fenomeen, compleet met auteurs en verschijningsdatum. De meeste onderzoekers van haar instituut hadden zich die kunst eigen gemaakt. Ze wedijverden stilzwijgend zelfs met elkaar om wie het makkelijkst kon beschikken over de meest complete mentale catalogus van de bibliotheek van hun vakgebied. Alice kreeg de denkbeeldige eerste prijs vaker dan wie ook.

'Nye, *MBB*, 2000!' riep ze uit.

'Ik sta er altijd weer versteld van dat je dat kunt. Nee, echt, hoe hou je al die informatie vast in je hoofd?'

Ze liet zijn bewondering glimlachend over zich heen komen. 'Je komt er nog wel achter, je staat pas aan het begin, zoals ik al zei.'

Dan nam de rest van de bladzijden door zonder zijn wenkbrauwen te fronsen. 'Oké, ik zie het helemaal zitten, het ziet er goed uit. Heel erg bedankt. Je krijgt het morgen van me terug!'

Hij liep met verende tred haar kamer uit. Nu die taak erop zat, keek Alice naar haar Te Doen-lijst, die op een gele Post-it op de hangkast boven haar computerscherm hing.

College cognitie ✓
Lunchbespreking ✓
Dans proefschrift
Eric
Verjaardagsdiner

Ze zette een voldoening schenkend vinkje achter 'Dans proefschrift'.

Eric. Wat betekent dat?

Eric Wellman was het hoofd van het psychologisch instituut van Harvard. Moest ze hem iets vertellen, laten zien of vragen? Had ze een afspraak met hem? Ze keek in haar agenda. Het was 11 oktober, haar verjaardag. Er stond niets over Eric. *Eric*. Het was te cryptisch. Ze keek in haar mailbox. Geen e-mail van Eric. Ze hoopte maar dat ze niet aan een tijd gebonden was. Geïrriteerd, maar vol vertrouwen dat het haar wel weer te binnen zou schieten wat er met Eric was, gooide ze het lijstje, haar vierde van die dag, in de prullenbak en pakte een nieuwe Post-it.

Eric?
Dokter bellen

Dit soort irritante tekortkomingen van haar geheugen stak de kop op met een regelmaat die haar woest maakte. Ze had de huisarts nog steeds niet gebeld omdat ze ervan uitging dat die vlagen van vergeetachtigheid op den duur vanzelf over zouden gaan. Ze hoopte iets geruststellends van een bekende op te vangen over het natuurlijke verloop van deze fase, zodat ze misschien helemaal niet meer naar de dokter hoefde, maar het zou er waarschijnlijk niet van komen, want al haar vrienden en collega's in de overgangsleeftijd waren mannen. Ze gaf toe dat het vermoedelijk tijd was om echt, medisch advies in te winnen.

Alice en John liepen samen van de campus naar Epulae aan Inman Square. Binnen zag Alice hun oudste dochter, Anna, al aan de roodkoperen bar zitten met haar man, Charlie. Ze droegen allebei een indrukwekkend blauw pak, het zijne getooid met een effen goudkleurige stropdas en het hare met een parelsnoer. Ze werkten al een paar jaar bij de op twee na grootste juridische firma van Massachusetts, Anna op het gebied van intellectueel eigendom en Charlie als strafpleiter. Alice zag aan het martiniglas in Anna's hand en haar onveranderde borstomvang, een cup B, dat haar dochter niet in verwachting was. Ze probeerde nu een halfjaar openlijk en zonder succes zwanger te raken. Hoe moeilijker iets te krijgen was, hoe liever Anna het wilde; dat was haar hele leven al zo geweest. Alice had haar aangeraden te wachten, niet zo'n haast te maken met het afvinken van die volgende grote mijlpaal op haar Te Doen-lijst voor het leven. Anna was pas zevenentwintig, ze was nog maar een jaar met Charlie getrouwd en ze werkte tachtig tot negentig uur per week. Anna had haar raad echter gepareerd met het argument dat uiteindelijk doordringt tot iedere carrièrevrouw die aan kinderen denkt: er komt nooit een geschikte tijd om een kind te krijgen.

Alice maakte zich zorgen om de gevolgen die het stichten van een gezin voor Anna's carrière zou hebben. Haar eigen weg naar een volledige aanstelling als hoogleraar was zwaar geweest, niet omdat ze de verantwoordelijkheid niet aankon of omdat ze geen uitstekend werk op het gebied van de linguïstiek had geleverd, maar in wezen omdat ze een vrouw met kinderen was. De ochtendmisselijkheid, bloedarmoede en pre-eclampsie waarmee ze alles bij elkaar gedurende twee-enhalf jaar zwangerschap te kampen had gehad, hadden haar onmiskenbaar afgeleid en opgehouden. En de drie wezentjes die uit die zwangerschappen waren voortgekomen, stelden aanhoudend eisen die meer beslag op haar tijd legden dan alle lastige instituutshoofden of ambitieuze studenten die ze ooit had gekend bij elkaar.

Telkens weer had ze met angst en beven gezien hoe de veelbelovende carrières van haar zich voortplantende vrouwelijke collega's in de versukkeling raakten of helemaal werden afgebroken. Het was moeilijk voor haar geweest dat John, haar mannelijke tegenhanger en intellectuele gelijke, haar voorbij was gesneld. Ze vroeg zich vaak af of zijn loopbaan bestand was geweest tegen drie keer inknippen, borstvoeding, zindelijkheidstraining, geestvernauwende, eindeloze dagen lang 'De wielen van de bus' zingen en nog meer nachten met maar twee of drie uur ononderbroken slaap. Ze betwijfelde het ernstig.

Terwijl ze omhelzingen, zoenen, complimentjes en verjaardagscadeaus uitwisselden, kwam er een helemaal in het zwart geklede vrouw met onnatuurlijk geblondeerd haar naar hen toe.

'Is uw gezelschap compleet?' vroeg ze. Haar glimlach was vriendelijk, maar duurde net iets te lang om gemeend te kunnen zijn.

'Nee, we wachten nog op iemand,' zei Anna.

'Ik ben er al!' zei Tom, die achter hen binnenkwam. 'Hartelijk gefeliciteerd, mam.'

Alice gaf hem een knuffel en besefte toen dat hij alleen was. 'Wachten we nog op…?'

'Jill? Nee, mam, we zijn vorige maand uit elkaar gegaan.'

'Jij werkt zoveel vriendinnen af dat we de namen niet meer kunnen bijhouden,' zei Anna. 'Moeten we een plekje voor een nieuwe vlam vrijhouden?'

'Nog niet,' zei Tom. Hij richtte zich tot de vrouw in het zwart. 'We zijn compleet.'

Toms relaties duurden doorgaans maar een halfjaar of een paar maanden langer, maar hij zat nooit lang zonder. Hij was slim en gedreven, het evenbeeld van zijn vader. Hij zat in zijn derde jaar op Harvard Medical School, wilde cardiothoracaal chirurg worden en kon zo te zien wel een fatsoenlijke maaltijd gebruiken. Hij gaf met de nodige ironie toe dat alle medische studenten en chirurgen die hij kende beroerd aten en alleen wanneer het zo uitkwam: donuts, chips en voer uit de automaat en de ziekenhuiskantine. Ze hadden geen van allen tijd voor lichaamsbeweging, of je moest het nemen van de trap in plaats van de lift meetellen. Hij zei schertsend dat ze over een paar jaar in elk geval bevoegd waren om elkaars hartaandoeningen te behandelen.

Toen ze met hapjes en drankjes aan een halfronde tafel

zaten, kwam het gesprek op het afwezige gezinslid.

'Wanneer is Lydia voor het laatst bij een verjaardagsetentje geweest?' vroeg Anna.

'Ze is nog geweest toen ik eenentwintig werd,' zei Tom.

'Maar dat is bijna vijf jaar geleden! Was dat echt de laatste keer?' zei Anna verbaasd.

'Nee, dat kan niet,' zei John zonder enige toelichting.

'Ik weet het zo goed als zeker,' hield Tom vol.

'Nee. Ze is ook overgekomen voor de vijftigste verjaardag van je vader op Cape Cod, drie jaar geleden,' zei Alice.

'Hoe gaat het met haar, mam?' vroeg Anna.

Anna kon niet verhullen dat ze het prettig vond dat Lydia niet studeerde; op de een of andere manier stelde het haar positie als de slimste, succesvolste dochter Howland veilig. Als de oudste was Anna de eerste geweest die haar intelligentie aan haar verrukte ouders kon tonen, de eerste met de status van briljante dochter. Tom was ook heel intelligent, maar van hem trok Anna zich niet veel aan, misschien omdat hij een jongen was. Toen was Lydia gekomen. De meisjes waren allebei slim, maar terwijl Anna moest zwoegen voor haar hoge cijfers, leek Lydia weinig moeite te hoeven doen voor haar uitstekende rapporten. Het ontging Anna niet. De meisjes waren allebei strebers die op hun onafhankelijkheid stonden, maar Anna was geen waaghals. Zij stelde zich doelen die veilig en conventioneel waren en die een garantie boden voor tastbaar eerbetoon.

'Goed,' zei Alice.

'Ongelooflijk dat ze daar nog steeds zit. Heeft ze al ergens in gespeeld?' vroeg Anna.

'Ze was fantastisch in dat stuk vorig jaar,' zei John.

'Ze zit op acteerles,' zei Alice.

Pas toen ze het had gezegd, herinnerde zich weer dat John Lydia's niet-academische studieprogramma achter haar rug om financierde. Hoe had ze kunnen vergeten dat met hem te bespreken? Ze wierp hem een verontwaardigde blik toe, een voltreffer, en hij voelde hem aankomen. Hij schudde subtiel zijn hoofd en wreef even over haar rug. Dit was niet de plek of het moment. Ze zou het later met hem bespreken. Als ze het niet vergat.

'Nou, ze doet tenminste iets,' zei Anna, kennelijk voldaan dat iedereen weer wist hoe de stand tussen de dochters Howland was.

'En, pap, hoe ging je *tagging*-experiment?' vroeg Tom.

John leunde naar hem over en begon een verhandeling over de bijzonderheden van zijn laatste onderzoek. Alice keek naar haar man en haar zoon, allebei bioloog, die opgingen in hun analytische gesprek en probeerden elkaar te imponeren met hun kennis. De lachrimpeltjes die zich vanuit Johns ooghoeken vertakten en zelfs zichtbaar waren wanneer hij ernstig was, werden diep en levendig wanneer hij over zijn onderzoek vertelde, en zijn handen deden mee als marionetten op een podium.

Ze vond het heerlijk om hem zo te zien. Haar vertelde hij niet zo gedetailleerd en met zoveel enthousiasme over zijn onderzoek. Niet meer. Ze wist altijd nog genoeg van zijn bezigheden om een fatsoenlijke samenvatting te kunnen geven op feestjes, maar niet meer dan de kaalste feiten. Wanneer ze in het gezelschap waren van Tom of Johns collega's, herkende ze de uitgebreide gesprekken die hij vroeger met haar voerde. Hij vertelde haar alles, en zij hing aan zijn lippen. Ze vroeg zich af wanneer daar verandering in was gekomen en wie het eerst zijn belangstelling had verloren – hij voor het vertellen of zij voor het luisteren.

Er was niets aan te merken op de calamari, de in krab gebakken oesters, de salade met rucola, biet en appel en de pompoenravioli. Na het eten zongen ze luid en vals 'Lang zal ze leven', waarvoor ze een gul en vrolijk applaus van de gasten aan de andere tafels kregen. Alice blies de ene kaars op haar warme chocoladetaart uit. Toen iedereen zijn flûte Veuve Cliquot hief, hief John de zijne nog iets hoger.

'Hartelijk gefeliciteerd, beeldschone, briljante vrouw van me. Op de volgende vijftig jaar!'

Ze klonken met elkaar en dronken.

Alice stond in de wc-ruimte naar haar spiegelbeeld te kijken. Het gezicht van de oudere vrouw in de spiegel paste niet helemaal bij het beeld dat ze van zichzelf had. Hoewel ze volkomen uitgerust was, stonden haar goudbruine ogen vermoeid en haar huid leek doffer en slapper. Ze was duidelijk boven de veertig, maar ze vond niet dat ze er oud uitzag. Ze voelde zich niet oud, al wist ze dat de jaren verstreken. Haar recente intrede in een oudere bevolkingsgroep maakte zich regelmatig kenbaar door de ongewenste vergeetachtigheid die bij de menopauze hoort, maar verder voelde ze zich jong, sterk en gezond.

Ze dacht aan haar moeder. Ze leken op elkaar. Het gezicht van haar moeder, ernstig en aandachtig, met een sproetenwaasje op haar neus en jukbeenderen, was in haar herinnering nergens verslapt of gerimpeld. Haar moeder had niet lang genoeg geleefd om haar rimpels te verdienen; ze was op haar eenenveertigste overleden. Alice' zusje Anne zou nu achtenveertig geweest zijn. Ze probeerde zich voor te stellen hoe Anne er nu uit zou zien, bij hen aan tafel met haar eigen man en kinderen, maar ze zag niets.

Toen ze ging zitten om te plassen, zag ze het bloed. Ze was ongesteld geworden. Ze wist natuurlijk wel dat de menstruatie in het begin van de overgang vaak onregelmatig was en niet op slag voorgoed verdween, maar de mogelijkheid dat ze níét in de overgang was, sloop haar hoofd in, klampte zich vast en liet niet meer los.

Haar vastberadenheid, die al was verzwakt door de champagne en het bloed, viel aan scherven. Ze barstte in huilen uit, met luid gesnik. Ze kreeg niet genoeg lucht. Ze was vijf-tig jaar oud en ze had het gevoel dat ze gek aan het worden was.

Er werd op de deur geklopt.

'Mam?' zei Anna. 'Gaat het wel?'

november 2003

Dokter Tamara Moyer hield praktijk op de tweede verdieping van een vier verdiepingen tellend kantoorgebouw op een paar straten van Harvard Square, niet ver van de plek waar Alice zichzelf even kwijt was geweest. De wachtkamer en de praktijkruimte met hun schoolkluisjesgrijze wanden, die nog steeds waren versierd met ingelijste Ansel Adams-foto's en reclameposters van medicijnfabrikanten, hadden geen negatieve associaties voor haar. In de tweeëntwintig jaar dat dokter Moyer Alice' huisarts was, was Alice er alleen geweest voor preventieve controles: lichamelijk onderzoek, herhaalinjecties en, sinds kort, borstonderzoek.

'Zo, Alice, wat brengt jou hier vandaag?' vroeg dokter Moyer.

'Ik heb de laatste tijd veel problemen met mijn geheugen die ik steeds heb toegeschreven aan de overgang. Ik ben ongeveer een halfjaar geleden voor het laatst ongesteld geweest, maar vorige maand werd ik het toch weer, dus misschien zit ik niet in de overgang en dus, nou ja, ik vond dat ik naar jou toe moest.'

'Wat vergeet je precies?' vroeg dokter Moyer, die niet opkeek van de aantekeningen die ze maakte.

'Ik kan niet op woorden en namen komen, ik vergeet waar ik mijn BlackBerry heb gelaten, ik weet niet waarom iemand op mijn Te Doen-lijstje staat...'

'Goed.'

Alice nam haar huisarts aandachtig op. Ze leek de bekentenis onaangedaan aan te horen, als een priester die een tienerjongen hoorde opbiechten dat hij onreine gedachten over een meisje had. Waarschijnlijk hoorde ze dit soort klachten talloze malen per dag, van kerngezonde mensen. Alice verontschuldigde zich er bijna voor dat ze zo paniekerig was, aanstellerig zelfs, en dat ze de tijd van haar arts verspilde. Iedereen vergat zulke dingen weleens, zeker bij het ouder worden. Tel de menopauze daarbij op, plus het feit dat ze altijd drie dingen tegelijk deed en aan twaalf dingen tegelijk dacht, en die paar vergeten dingetjes leken opeens nietig, gewoon, onschuldig en zelfs redelijkerwijs te verwachten. Iedereen is gestrest. Iedereen is moe. *Iederéén vergeet dingen.*

'Ik ben ook een keer de weg kwijt geweest op Harvard Square. Ik wist zeker een paar minuten niet waar ik was voordat het allemaal weer terugkwam.'

Dokter Moyer hield op met het noteren van symptomen op haar evaluatieformulier en keek Alice recht aan. Nu lette ze wel op.

'Had je een beklemd gevoel op je borst?'

'Nee.'

'Had je slapende of tintelende handen of voeten?'

'Nee.'

'Had je hoofdpijn, was je duizelig?'

'Nee.'

'Had je hartkloppingen?'

'Mijn hart bonsde, maar dat was pas toen ik al in de war was, meer een adrenalinestoot in reactie op de angst. Ik herinner me dat ik me zelfs prima voelde vlak voordat het gebeurde.'

'Was er verder die dag iets bijzonders gebeurd?'

'Nee, ik was net terug uit Los Angeles.'

'Heb je opvliegers?'

'Nee. Hoewel, ik zou zoiets kunnen hebben gevoeld toen ik verdwaald was, maar ik hou het erop dat dat ook door de angst kwam.'

'Oké. Slaap je goed?'

'Ja.'

'Hoeveel uur per nacht?'

'Vijf of zes.'

'Is dat anders dan in het verleden?'

'Nee.'

'Heb je moeite om in slaap te komen?'

'Nee.'

'Hoe vaak word je 's nachts wakker, gemiddeld?'

'Volgens mij word ik helemaal niet wakker.'

'Ga je elke avond op dezelfde tijd naar bed?'

'Meestal wel, behalve wanneer ik op reis ben, en ik heb de laatste tijd veel gereisd.'

'Waar ben je allemaal geweest?'

'De afgelopen maanden in Californië, Italië, New Orleans, Florida en New Jersey.'

'Ben je ziek geweest na een reis? Koorts?'

'Nee.'

'Gebruik je medicijnen, iets tegen allergie, supplementen, iets wat je normaal niet als medicijn zou zien?'

'Alleen multivitamines.'

'Heb je last van brandend maagzuur?'

'Nee.'

'Schommelingen in je gewicht?'

'Nee.'

'Bloed in je urine of ontlasting?'

'Nee.'

Het was een spervuur van vragen, en de onderwerpen wisselden zo snel dat Alice geen tijd had de redenatie erachter te volgen. Ze kon niet voorspellen welke kant ze nu weer op gestuurd zou worden, alsof ze met haar ogen dicht in de achtbaan zat.

'Voel je je vaker gespannen of gestrest dan anders?'

'Alleen omdat ik dingen vergeet. Verder niet.'

'Hoe gaat het met je man?'

'Goed.'

'Vind je dat je een vrij goed humeur hebt?'

'Ja.'

'Denk je dat je depressief zou kunnen zijn?'

'Nee.'

Alice wist wat een depressie was. Na de dood van haar moeder en haar zusje, toen ze negentien was, had ze geen eetlust meer gehad, niet langer dan een paar uur achter elkaar kunnen slapen, hoewel ze bekaf was, nergens meer zin in gehad en nergens meer van kunnen genieten. Het had iets langer dan een jaar geduurd, en sindsdien had ze nooit meer zoiets meegemaakt. Dit was iets heel anders. Dit was niet met Prozac op te lossen.

'Gebruik je alcohol?'

'Alleen voor de gezelligheid.'

'Hoeveel?'

'Een of twee glazen wijn bij het eten, misschien iets meer bij speciale gelegenheden.'

'Gebruik je drugs?'

'Nee.'

Dokter Moyer keek haar peinzend aan. Ze nam haar aantekeningen door en tikte er met haar pen op. Alice betwijfelde of het antwoord op dat vel papier te vinden was.

'En, ben ik in de overgang?' vroeg Alice. Ze omklemde de met papier bedekte onderzoektafel met beide handen.

'Ja. We kunnen een test doen, maar alles wat je zegt duidt op de menopauze. De gemiddelde leeftijd waarop die begint, ligt tussen de achtenveertig en tweeënvijftig, dus je zit precies in het midden. Je kunt nog een tijd een paar keer per jaar menstrueren. Dat is volkomen normaal.'

'Kan oestrogeenvervanging helpen bij het geheugenverlies?'

'We geven tegenwoordig geen oestrogeenvervangers meer, tenzij een patiënt slaapstoornissen heeft, afschuwelijke opvliegers of symptomen van osteoporose. Ik geloof niet dat jouw geheugenproblemen aan de menopauze te wijten zijn.'

Het bloed trok uit Alice' gezicht. Precies de woorden die ze vreesde en pas sinds kort in overweging durfde te nemen. Die ene, beroepsmatige mening verbrijzelde haar sluitende, veilige verklaring. Er was iets met haar, en ze wist niet of ze al wilde horen wát. Ze verzette zich tegen de sterker wordende aanvechting om óf te gaan liggen, óf de onderzoekkamer uit te vluchten.

'Waarom niet?'

'De symptomen van geheugenverlies en desoriëntatie die bij de menopauze horen, zijn een gevolg van slecht slapen. Die vrouwen krijgen cognitieve problemen doordat ze niet slapen. Het is mogelijk dat jij niet zo goed slaapt als je denkt. Misschien eisen je werkschema en jetlag hun tol, misschien lig je 's nachts te piekeren.'

Alice dacht aan de keren dat ze wazig had gedacht doordat ze een tijd te weinig had geslapen. In de laatste weken van haar zwangerschappen, na de geboorte van een kind en wanneer ze een deadline voor een onderzoeksvoorstel moest halen, was ze geestelijk niet op haar scherpst geweest, maar ze was nog nooit midden op Harvard Square verdwaald.

'Misschien. Zou ik opeens meer slaap nodig hebben omdat ik ouder ben, of omdat ik in de overgang zit?'

'Nee, dat komt zelden voor.'

'Als het geen slaapgebrek is, wat denk je dan?' vroeg ze met een onvaste stem waaruit het laatste restje zelfvertrouwen geweken was.

'Tja, vooral die desoriëntatie baart me zorgen. Ik geloof niet dat er een vasculaire oorzaak is. Ik vind dat we onderzoek moeten doen. Ik wil bloedonderzoek doen, een mammogram laten maken en je botdichtheid meten, want dat wordt tijd, en een hersenscan laten doen.'

Een hérsentumor. Daar had ze nog niet eens aan gedacht. Een nieuw monster doemde op in haar verbeelding, en ze voelde de ingrediënten van een paniekaanval weer in haar maag borrelen.

'Als je niet denkt dat het een beroerte is geweest, wat wil je dan zien op een hersenscan?'

'Het is altijd goed om zulke dingen met zekerheid uit te sluiten. Maak de afspraak voor de MRI, kom daarna bij mij terug en dan nemen we alle uitslagen door.'

Dokter Moyer had geen rechtstreeks antwoord op de vraag gegeven, maar Alice drong er niet op aan dat ze haar vermoedens uitsprak. En ze zei niets over haar eigen tumortheorie. Ze zouden allebei moeten afwachten.

De instituten psychologie, sociologie en sociale antropologie zaten in William James Hall, vlak achter de poorten van Harvard Yard aan Kirkland Street, in een gebied dat door de studenten 'Siberië' werd genoemd. De locatie was echter niet het enige waarin het gebouw afweek van de rest van de campus. William James Hall zou nooit worden aangezien voor een van de statige, classicistische academiegebouwen die de prestigieuze Yard sierden en waar de eerstejaars waren ondergebracht en de colleges wiskunde, geschiedenis en Engels werden gegeven. Je zou het daarentegen wel kunnen aanzien voor een parkeergarage. Het had geen Dorische of Korinthische zuilen, geen rode baksteen, geen Tiffany-glas-in-loodramen, geen torens, geen voornaam atrium, geen enkel kenmerk dat het op opvallende of subtiele wijze verbond aan het moederinstituut. Het was een fantasieloos, vijfenzestig meter breed beige blok dat heel goed de inspiratie had kunnen zijn voor de Skinner-box. Het was dan ook nooit onderdeel geweest van de rondleiding voor studenten en had nooit de lente, zomer, herfst of winter van de Harvard-kalender geïllustreerd.

Hoewel het uitzicht op William James Hall troosteloos genoemd kon worden, was het uitzicht naar buiten, vooral vanuit de vele werkkamers en vergaderruimtes op de hogere verdieping, ronduit magnifiek. Terwijl Alice aan haar bureau in haar kamer op de negende verdieping van William James Hall thee zat te drinken, kwam ze tot rust door de schoonheid van de rivier de Charles en de Back Bay van Boston die ze in de lijst van het enorme raam op het zuidoosten zag. Het was een tafereel dat door menig kunstenaar en fotograaf was vastgelegd op schilderijen, aquarellen en foto's, en overal ingelijst en achter glas aan de wanden van kantoren in Boston en omgeving hing.

Alice had waardering voor het grandioze voorrecht dat ze het landschap regelmatig in het echt kon aanschouwen. Afhankelijk van het tijdstip van de dag of het jaar veranderden de kenmerken en bewegingen van het schilderij in haar raam op eindeloos boeiende manieren. Op deze zonnige ochtend in november zag Alice in haar *Gezicht op Boston vanuit William James Hall: herfst* het zonlicht sprankelend als champagne op het lichtblauwe glas van het John Hancockgebouw dansen, terwijl de roeiboten al gestaag over de gladde, zilverige Charles naar het Museum of Science gleden alsof ze in een bewegingsexperiment aan een touwtje werden voortgetrokken.

Het uitzicht bood haar ook een gezond besef van een leven buiten Harvard. Een glimp van het rood met witte neonbord van Citgo dat tegen de betrekkende lucht boven Fenway Park flitste, zette haar zenuwstelsel in beweging als een plotseling afgaande wekker, zodat ze opschrok uit haar dagelijkse gemijmer over haar ambities en verplichtingen en op het idee kwam eens naar huis te gaan. Jaren geleden, voordat ze een vaste aanstelling had gekregen, had ze het met een kleine kamer zonder ramen in William James Hall moeten doen. Doordat ze de wereld achter de effen beige muren niet kon zien, had ze vaak zonder het te beseffen tot 's avonds laat doorgewerkt. Meer dan eens had ze aan het eind van de dag tot haar verbijstering ontdekt dat een noordooster Cambridge met meer dan dertig centimeter sneeuw had bedekt en dat de minder geconcentreerd werkende en/of raambezittende stafleden allemaal zo verstandig waren geweest William James Hall te verlaten om op zoek te gaan naar brood, melk, wc-papier en hun huis.

Nu moest ze echt ophouden met naar buiten kijken. Ze ging later die middag op weg naar de jaarlijkse bijeenkomst van de Psychonomic Society in Chicago, en ze moest eerst nog van alles doen. Ze keek naar haar Te Doen-lijstje.

Beoordelen paper voor Nature Neuroscience ✓
Instituutsoverleg ✓
Overleg onderwijsassistenten ✓
College cognitie
Congresposter en reisplan afmaken
Rennen
Vliegveld

Ze dronk de laatste waterige slok thee met ijs en keek naar haar collegeaantekeningen. Vandaag ging ze het over semantiek hebben, de betekenisleer. Het was het derde van zes colleges over linguïstiek, haar favoriete reeks colleges voor dit vak. Ook na vijfentwintig jaar doceren nam Alice nog steeds een uur de tijd om een college voor te bereiden. Op dit punt in haar carrière kon ze natuurlijk vijfenzeventig procent van elk college foutloos afdraaien zonder erbij na te hoeven denken, maar die andere vijfentwintig procent bestond uit inzichten, vernieuwende technieken of discussiepunten naar aanleiding van nieuwe bevindingen in het vak, en ze gebruikte de tijd vlak voor het college om de volgorde en presentatie van dat nieuwere materiaal bij te schaven. Doordat ze de nieuwe ontwikkelingen in haar colleges betrok, bleef ze enthousiast voor de onderwerpen en geestelijk scherp tijdens het doceren.

Op Harvard werd iedereen vooral op zijn onderzoeksresultaten beoordeeld, dus zowel de studenten als het bestuur gedoogden het als een college niet bepaald onberispelijk was. Dat Alice zelf veel waarde hechtte aan het doceren, kwam deels door haar overtuiging dat ze zowel de plicht als de kans had de nieuwe generatie in het vakgebied te inspireren, of dat ze in elk geval niet de reden mocht zijn dat de volgende toonaangevende denker binnen de cognitieve wetenschap de psychologie verruilde voor een studie politicologie. Bovendien vond ze het heerlijk om les te geven.

Toen ze klaar was voor het college, keek ze of ze e-mail had.

Alice,

We wachten nog steeds op de 3 dia's voor Michaels praatje: 1 schema woordherinnering, 1 taalmodellencartoon en 1 tekstdia. Het praatje is pas donderdagmiddag om 13.00 uur, maar het zou goed zijn als hij jouw dia's zo snel mogelijk in zijn presentatie kon verwerken, zodat hij er zeker van kan zijn dat hij zich er prettig bij voelt en dat hij binnen de tijd blijft. Je mag ze naar mij of naar Michael mailen.

We zitten in het Hyatt. Tot ziens in Chicago,

Vriendelijke groet,
Eric Greenberg

Een koud, stoffig lampje knipperde aan in Alice' hoofd. Dus dát had dat raadselachtige 'Eric' op een van haar Te Doen-lijstjes van de vorige week betekend. Het ging helemaal niet over Eric Wellman. Ze had zichzelf eraan willen herinneren dat ze die dia's naar Eric Greenberg moest mailen, een voormalig collega van Harvard die nu professor in de psychologie was op Princeton. Alice en Dan hadden drie dia's gemaakt ter illustratie van een *quick & dirty* experiment dat Dan had uitgevoerd in het kader van de samenwerking met Michael, Erics postdoc, dat besproken zou worden in Michaels praatje op de bijeenkomst van de Psychonomic Society. Alice mailde de dia's, met haar oprechte excuses, snel aan Eric, voordat ze door iets anders afgeleid kon worden. Gelukkig zou hij ze nog ruim op tijd krijgen. Er was geen man overboord.

Zoals bijna alles aan Harvard was ook de zaal waar Alice haar colleges cognitie gaf imposanter dan nodig. Er stonden een paar honderd meer blauwe gestoffeerde stoelen in tribuneopstelling dan er studenten waren. Achter in de zaal stond een indrukwekkend, hypermodern audiovisueel centrum, en voorin hing een projectiescherm dat in een bioscoop niet zou hebben misstaan. Terwijl drie mannen druk bezig waren kabels op Alice' computer aan te sluiten en de belichting en het geluid te inspecteren, druppelden de studenten de zaal in, en Alice opende de map Colleges Linguïstiek op haar laptop.

Er zaten zes documenten in: Taalverwerving, Syntaxis, Semantiek, Taalbegrip, Modellen en Pathologie. Alice keek ernaar. Ze wist niet meer welk college ze die dag moest geven. Ze had net een uur besteed aan een van de onderwerpen, maar ze wist niet meer welk. Was het syntaxis? Het kwam haar allemaal even bekend voor, maar er zat niets tussen dat eruit sprong.

Sinds haar bezoek aan dokter Moyer kreeg Alice telkens wanneer ze iets vergat een sterker gevoel van naderend onheil. Dit was iets anders dan vergeten waar ze de oplader van haar BlackBerry had gelaten of waar Johns bril lag. Dit was niet normaal. Ze had zichzelf met een gekwelde, paranoïde stem verteld dat ze waarschijnlijk een hersentumor had. Ze had zichzelf ook verteld dat ze niet moest flippen en John niet bang moest maken voordat ze de deskundiger stem van dokter Moyer had gehoord, wat jammer genoeg pas volgende week het geval zou zijn, na het psychonomisch congres.

Vastbesloten het komende uur door te komen haalde ze diep en wanhopig adem. Hoewel ze zich het onderwerp van het college niet herinnerde, wist ze nog wel wie haar toehoorders waren.

'Kan iemand me alsjeblieft vertellen wat er voor vandaag op jullie programma staat?' vroeg Alice.

Een aantal verspreide studenten riep als uit één mond: 'Semantiek.'

Alice had er terecht op gegokt dat althans een paar van haar studenten de kans om zichtbaar behulpzaam en op de hoogte te lijken met beide handen zouden aangrijpen. Ze vroeg zich geen seconde af of ze het niet kwetsend of vreemd zouden vinden dat ze het onderwerp van het college niet wist. Er bestond een enorme, subtiele afstand in leeftijd, kennis en macht tussen studenten en docenten.

Bovendien waren haar studenten in de loop van het semester al getuige geweest van concrete demonstraties van haar competentie en waren ze diep onder de indruk van haar overheersende aanwezigheid in de opgegeven literatuur. Als er toch iemand bij stilstond, zou hij waarschijnlijk denken dat ze zo werd afgeleid door verplichtingen die belangrijker waren dan tweedejaars psychologie dat ze geen tijd had om zelfs maar naar het programma te kijken voordat het college begon. Hoe konden ze weten dat ze zich het afgelopen uur vrijwel volledig op semantiek had geconcentreerd?

De zonnige dag werd tegen de avond bewolkt en guur, de eerste echte flirt met de winter. De harde regen van de afgelopen nacht had bijna alle bladeren die er nog waren van hun takken gezwiept, zodat de bomen vrijwel kaal waren, niet gekleed op de komende winter. Alice, die het lekker warm had in haar fleecejas, liep op haar gemak naar huis, genietend van de geur van de frisse herfstlucht en het knerpende, ritselende geluid waarmee haar voeten door de bergen gevallen bladeren liepen.

Er brandde licht binnen, en Johns tas en schoenen stonden naast de tafel bij de voordeur.

'Hallo? Ik ben thuis,' riep Alice.

John kwam uit de studeerkamer en keek haar verwonderd aan, alsof hij sprakeloos stond. Alice keek terug en wachtte met het nerveuze gevoel dat er iets verschrikkelijk mis was. Haar gedachten snelden regelrecht naar haar kinderen. Ze stond als verlamd in de deuropening, zich schrap zettend voor het vreselijke nieuws.

'Hoor jij niet in Chicago te zijn?'

'Zo, Alice, je bloed is normaal en op je MRI is niets te zien,' zei dokter Moyer. 'Nu kunnen we twee dingen doen. Afwachten, zien hoe het gaat, hoe je slaapt en hoe het over drie maanden met je is, of...'

'Ik wil naar een neuroloog.'

december 2003

Op de avond van Eric Wellmans kerstfeestje leek er sneeuw in de lucht te hangen. Alice hoopte dat het echt ging sneeuwen. Zoals de meeste New Englanders was ze zich altijd kinderlijk op de eerste sneeuw van het seizoen blijven verheugen. Zoals de meeste New Englanders vervloekte ze in februari natuurlijk waar ze in december op had gehoopt. Dan had ze genoeg van de sneeuwschep en laarzen en wilde niets liever dan de ijskoude, monochrome eentonigheid van de winter verruilen voor het zachtere roze en geelgroen van de lente, maar die avond zou sneeuw nog heerlijk zijn.

Eric en zijn vrouw Marjorie gaven elk jaar een feest bij hen thuis voor het hele instituut psychologie om de kerstvakantie in te luiden. Er gebeurde nooit iets bijzonders op die feestjes, maar er waren altijd kleine momenten die Alice voor geen goud wilde missen: Eric die op zijn gemak op de vloer zat in een woonkamer vol studenten en jongere stafleden op banken en stoelen, Kevin en Glen die worstelden om een als geintje geschonken Grinch-pop, de wedloop om een punt van Marty's legendarische kwarktaart.

Haar collega's waren allemaal briljant en vreemd, altijd bereid te helpen of te debatteren, ambitieus en bescheiden. Ze waren haar familie. Misschien voelde ze het zo omdat ze geen levende broers en zussen of ouders meer had. Misschien maakte de tijd van het jaar haar sentimenteel en had ze daarom behoefte aan zingeving en het gevoel ergens bij te horen. Het kon deels waar zijn, maar er was veel meer.

Ze waren meer dan collega's. Niet alleen triomfen als een ontdekking, promotie of publicatie werden gevierd, maar ook huwelijken, geboortes en de prestaties van kinderen en kleinkinderen. Ze reisden samen naar congressen over de hele wereld, die vaak aansloten op familievakanties. En zoals in elke familie was het niet altijd plezier en lekkere kwarktaart. Ze sleepten elkaar door inzinkingen die volgden op mislukte onderzoeken en de afwijzing van een onderzoeksvoorstel, door golven verlammende twijfel aan eigen kunnen, door ziektes en scheidingen.

Maar bovenal deelden ze de vurige zoektocht naar inzicht in de menselijke geest, het mechanisme achter menselijk gedrag en taal, emoties en voorkeuren. De heilige graal van die queeste ging gepaard met de individuele zucht naar macht en prestige, maar in de kern was het een gezamenlijke inspanning om waardevolle kennis op te doen en die aan de wereld door te geven. Het was socialisme, mogelijk gemaakt door kapitalisme. Het was een vreemd, competitief, cerebraal en bevoorrecht bestaan. En daar zaten ze samen in.

Nu de kwarktaart op was, griste Alice de laatste van warme karamelsaus doordrenkte roomsoes van een schaal en ging op zoek naar John. Ze vond hem in de woonkamer, waar hij met Eric en Marjorie zat te praten. Toen kwam Dan binnen.

Dan stelde hen voor aan Beth, zijn kersverse bruid, en de anderen feliciteerden hen van harte en maakten kennis met Beth. Marjorie nam hun jassen aan. Dan droeg een pak met een stropdas, Beth een lange rode jurk. Aangezien ze laat waren gekomen en veel te vormelijk gekleed gingen, nam Alice aan dat ze eerst op een ander feest waren geweest. Eric bood aan een drankje voor hen te halen.

'Geef mij er ook nog maar een,' zei Alice, die nog een half-vol glas wijn in haar hand had.

John vroeg Beth hoe het getrouwde leven haar beviel. Alice had haar nog nooit gezien, maar wist het een en ander over haar via Dan. Dan en Beth hadden samen in Atlanta gewoond toen Dan de aanstelling aan Harvard had geaccepteerd. Beth was daar gebleven; ze had zich aanvankelijk tevredengesteld met een relatie op afstand en de belofte van een huwelijk na de promotie. Drie jaar later had Dan zich achteloos laten ontvallen dat het nog wel vijf of zes, misschien zelfs zeven jaar kon duren voordat hij klaar was. Een maand geleden waren ze getrouwd.

Alice verontschuldigde zich en ging naar de wc. Onderweg treuzelde ze in de lange gang die de nieuwe voorkant van het huis verbond met het oudere achterdeel. Terwijl ze haar wijn en roomsoes opmaakte, bewonderde ze de blije gezichtjes van Erics kleinkinderen aan de muren. Toen ze terugkwam van de wc, drentelde ze naar de keuken, schonk zichzelf nog een glas wijn in en raakte in de ban van een rumoerig gesprek tussen een aantal vrouwen van collega's.

Ze bewogen zich door de keuken, elkaars ellebogen en schouders aanrakend, ze kenden de personages uit elkaars verhalen, ze complimenteerden en plaagden elkaar en waren goedlachs. Dit waren vrouwen die allemaal samen winkelden, lunchten en op een leesclub zaten. Ze hadden een hechte band. Alice had alleen een band met hun echtgenoten, en dat maakte haar een buitenbeentje. Ze luisterde voornamelijk, dronk haar wijn, knikte en glimlachte om wat ze hoorde, niet helemaal bij het gesprek betrokken, alsof ze op een band liep in plaats van op een echte weg.

Ze vulde haar glas nog eens bij, glipte ongezien de keuken uit en trof John in de woonkamer aan, waar hij in gesprek was met Eric, Dan en een jonge vrouw in een rode avondjurk. Alice ging naast Erics piano staan en tikte met haar vingers op de klep terwijl ze naar de anderen luisterde. Ze hoopte elk jaar dat iemand zou aanbieden iets te spelen, maar het gebeurde nooit. Anne en zij hadden als kind een aantal jaren les gehad, maar het enige dat ze nog zonder bladmuziek kon spelen, was 'De vlooienmars' en 'Vader Jacob', en alleen met haar rechterhand. Misschien kon die vrouw in die chique rode jurk wel spelen.

Toen er een stilte viel, maakten Alice en de vrouw in het rood oogcontact.

'Neem me niet kwalijk, ik ben Alice Howland. Ik geloof niet dat we elkaar kennen.'

De vrouw keek schichtig naar Dan voordat ze zei: 'Ik ben Beth.'

Ze leek jong genoeg om nog te studeren, maar tegen december kende Alice zelfs de eerstejaars van gezicht. Ze herinnerde zich dat Marty had verteld dat hij een nieuwe postdoc had aangenomen, een vrouw.

'Ben jij Marty's nieuwe postdoc?' vroeg ze.

De vrouw keek weer naar Dan. 'Ik ben Dans vrouw.'

'O, wat leuk je eindelijk te zien, gefeliciteerd!'

Niemand zei iets. Erics blik stuiterde veelzeggend van Johns ogen naar Alice' wijnglas en weer terug. Alice begreep niet wat hij duidelijk wilde maken.

'Wat is er?' vroeg ze.

'Weet je wat? Het wordt al laat en ik moet vroeg op, is het goed als we gaan?' zei John.

Eenmaal buiten wilde ze John vragen wat die vreemde blik te betekenen had gehad, maar ze werd afgeleid door de zachte schoonheid van de droge suikerspinnensneeuw die was begonnen te vallen toen ze binnen waren, en ze vergat het.

Het was drie dagen voor Kerstmis en Alice zat in de wachtkamer van de afdeling Geheugenstoornissen van het Massachusetts General Hospital in Boston te doen alsof ze een *Health Magazine* las, terwijl ze eigenlijk naar de andere mensen in de wachtkamer keek. Het waren allemaal stellen. Een vrouw die er twintig jaar ouder uitzag dan Alice zat naast een vrouw die er ongelooflijk genoeg nog weer eens twintig jaar ouder uitzag, waarschijnlijk haar moeder. Een vrouw met hoog opgekamd, onnatuurlijk zwart haar en opzichtige gouden sieraden praatte luid en langzaam met een zwaar Bostons accent tegen haar vader, die in een rolstoel zat en niet één keer opkeek van zijn maagdelijk witte schoenen. Een knokige vrouw met zilvergrijs haar die zo snel in een tijd-schrift bladerde dat ze onmogelijk iets kon lezen, zat naast een te dikke man met net zulk haar als zij en een tremor in zijn rechterhand. Vermoedelijk een echtpaar.

Het duurde een eeuwigheid voordat haar naam werd afge-roepen. Dokter Davis had een jong, glad gezicht. Hij droeg een bril met een zwart montuur en een openhangende witte doktersjas. Hij zag eruit alsof hij mager was geweest, maar nu stak zijn buik iets door de open jas, wat Alice deed denken aan Toms opmerkingen over de slechte leefgewoontes van medici. Hij ging achter zijn bureau zitten en bood Alice een stoel aan de andere kant aan.

'Zo, Alice, vertel maar eens.'

'Ik vergeet de hele tijd van alles, en het voelt niet normaal. Tijdens colleges en gesprekken kan ik niet op woorden komen, ik moet "college cognitie" op mijn Te Doen-lijstje zetten omdat ik anders vergeet les te geven, ik ben compleet vergeten dat ik naar een congres in Chicago moest en heb mijn vlucht gemist. Ik wist ook een keer op Harvard Square een paar minuten niet waar ik was, en ik ben professor aan Harvard; ik kom er elke dag.'

'Hoe lang is dat al gaande?'

'Sinds september, misschien al sinds de zomer.'

'Alice, heb je iemand bij je?'

'Nee.'

'Oké, maar in het vervolg moet je een familielid of iemand anders die je regelmatig ziet meebrengen. Je klaagt over geheugenproblemen, dus mogelijk ben jij niet de betrouwbaarste bron om me te vertellen wat er speelt.'

Ze voelde zich kinderlijk beschaamd, en de woorden 'in het vervolg' eisten haar aandacht op en drongen zich hinderlijk op de voorgrond, als het druppelen van een kraan.

'Goed,' zei ze.

'Gebruik je medicijnen?'

'Nee, alleen elke dag een multivitaminetablet.'

'Slaapmiddelen, dieetpillen, drugs?'

'Nee.'

'Hoeveel drink je?'

'Weinig. Een of twee glazen wijn bij het eten.'

'Ben je veganist?'

'Nee.'

'Heb je ooit hoofdletsel gehad?'

'Nee.'

'Hoe slaap je?'

'Prima.'

'Ben je ooit depressief geweest?'

'Sinds mijn negentiende niet meer.'

'Ben je gestrest?'

'Niet meer dan anders, ik gedij op stress.'

'Vertel eens over je ouders. Hoe is het met hun gezondheid?'

'Mijn moeder en zusje zijn verongelukt toen ik negentien was en mijn vader is vorig jaar overleden aan een leverstilstand.'

'Hepatitis?'

'Cirrose. Hij was alcoholist.'

'Hoe oud was hij?'

'Eenenzeventig.'

'Had hij andere gezondheidsproblemen?'

'Voor zover ik weet niet. Ik had hem de laatste jaren niet vaak meer gezien.'

En als ze hem zag, was hij dronken en sloeg hij wartaal uit.

'En de rest van de familie?'

Ze vertelde hem het weinige dat ze wist van de medische geschiedenis van de verre verwanten.

'Goed, ik geef je nu een naam en adres op, en ik wil dat je het herhaalt. Daarna gaan we wat andere dingen doen en dan ga ik je vragen de naam en het adres te herhalen. Klaar? Daar gaan we. John Black, West Street 42, Brighton. Wil je het voor me herhalen?'

Ze deed het.

'Hoe oud ben je?'

'Vijftig.'

'Welke datum hebben we vandaag?'

'22 december 2003.'

'Wat voor seizoen is het?'

'Winter.'

'Waar zijn we nu?'

'Op de zevende verdieping van het MGH.'

'Kun je een paar straten hier in de buurt opnoemen?'

'Cambridge Street, Fruit Street, Storrow Drive.'

'Goed, hoe laat is het ongeveer?'

'Laat in de ochtend.'

'Noem de maanden vanaf december in omgekeerde volgorde.'

Ze deed het.

'Tel vanaf honderd terug in stappen van zeven.'

Toen ze bij tweeënzeventig was, liet hij haar stoppen.

'Wat zie je?' Hij liet haar zes kaarten met tekeningen zien.

'Hangmat, veer, sleutel, stoel, cactus, handschoen.'

'Goed. Leg je linkerhand op je rechterwang en wijs dan naar het raam.'

Ze deed het.

'Kun je een zin over het weer van vandaag op dit vel papier schrijven?'

Ze schreef: *Het is een zonnige, maar koude winterochtend.*

'Kun je nu een klok tekenen die op tien over halfvier staat?'

Ze deed het.

'Kun je dit natekenen?'

Hij liet haar een tekening van twee in elkaar grijpende vijfhoeken zien. Ze tekende ze na.

'Oké, Alice, spring maar op de tafel, dan gaan we een neurologisch onderzoek doen.'

Ze volgde zijn penlichtje met haar ogen, tikte snel met haar duimen en wijsvingers tegen elkaar en liep hiel aan teen in een rechte lijn door de kamer. Het ging allemaal makkelijk en snel.

'Oké, noem de naam en het adres die ik je heb opgegeven.'

'John Black...'

Ze zweeg en keek vragend naar dokter Davis. Ze wist het adres niet meer. Wat hield dat in? Misschien had ze gewoon niet goed opgelet.

'Het is in Brighton, maar ik ben de straat en het nummer vergeten.'

'Goed, was het huisnummer 24, 28, 42 of 48?'

Ze wist het niet.

'Raad eens?'

'48.'

'Was het North Street, South Street, East Street of West Street?'

'South Street?'

Uit zijn gezicht en lichaamstaal bleek niet of ze het goed had geraden, maar als ze daar ook naar mocht raden, zou ze zeggen dat ze het fout had.

'Oké, Alice, we hebben een recent bloedonderzoek en een MRI van je. Ik wil je bloed op andere dingen onderzoeken en ik wil een lumbaalpunctie laten doen. Je komt over een week of vier, vijf terug, en dan heb je een afspraak voor een neuro-psychologische test voordat je mij ziet.'

'Wat is er volgens u aan de hand? Ben ik gewoon ver-geetachtig?'

'Ik denk het niet, Alice, maar we moeten meer onderzoek doen.'

Ze keek hem recht in de ogen. Een collega had haar ooit verteld dat meer dan zes seconden oogcontact zonder wegkij-ken of knipperen op seksuele begeerte of moordlust duidt. Ze geloofde het in eerste instantie niet, maar vond het wel zo boeiend dat ze het op verschillende vrienden en onbekenden uitprobeerde. Het was boeiend dat er, met uitzondering van John, altijd iemand wegkeek voordat de zes seconden voorbij waren.

Dokter Davis sloeg na vier seconden zijn ogen neer. Het hoefde niet meer te betekenen dan dat hij niet de neiging had haar te vermoorden of haar de kleren van het lijf te ruk-ken, maar ze was bang dat er meer achter zat. Ze zou zich laten prikken, evalueren, scannen en testen, maar ze ver-moedde dat hij al genoeg wist. Ze had hem haar verhaal ver-teld en ze was het adres van John Black vergeten. Hij wist al haarfijn wat er met haar aan de hand was.

Alice zat in de vroege kerstochtend op de bank thee te drin-ken en fotoalbums te bekijken. In de loop der jaren had ze alle pas ontwikkelde foto's in plastic hoesjes gestoken. Door die ijver was de chronologie bewaard gebleven, maar ze had nergens iets bij geschreven. Het gaf niet. Ze wist het allemaal nog als de dag van gisteren.

Lydia, twee jaar oud, Tom, zes jaar oud, en Anna, zeven, op Hardings Beach in juni van hun eerste zomer in het huis op de Cape. Anna tijdens een partijtje voetbal op Pequosette Field. John en zij op Seven Mile Beach op Grand Cayman Island.

Ze wist niet alleen de leeftijd van iedereen op de foto's en waar ze waren gemaakt; bij de meeste kon ze ook een heel verhaal vertellen. Elke foto riep andere, niet vastgelegde herinneringen op aan de dag waarop hij was genomen, wie er verder bij waren geweest en hoe haar leven er toen had uitgezien.

Lydia in haar jeukende, lichtblauwe kostuum op haar eerste dansuitvoering. Dat was voordat Alice haar vaste aanstelling had gekregen, toen Anna in de brugklas zat, Tom verliefd was op een meisje van zijn honkbalploeg en John een sabbatical had genomen en in Bethesda woonde.

De enige foto's die echt een probleem opleverden, waren de babyfoto's van Anna en Lydia, want hun gave, ronde koppetjes leken vaak als twee druppels water op elkaar, maar meestal was er wel een aanwijzing: John had alleen in de jaren zeventig van die lange bakkebaarden gehad, dus de baby op zijn schoot moest Anna zijn.

'John, wie is dit?' vroeg ze. Ze liet hem een babyfoto zien.

Hij keek op van het wetenschappelijke tijdschrift dat hij zat te lezen, schoof zijn bril naar beneden en tuurde naar de foto. 'Is dat Tom?'

'Lieverd, ze heeft een roze kruippakje aan. Het is Lydia.'

Ze keek voor de zekerheid op de gestempelde Kodakdatum op de achterkant. 29 mei 1982. Lydia.

'O.' Hij schoof zijn bril weer omhoog en las verder.

'John, ik wil met je praten over die acteerlessen van Lydia.'

Hij keek op, maakte een vouwtje in het blad van het tijdschrift, legde het op tafel, legde zijn bril ernaast en ging ervoor zitten. Hij wist dat dit even kon gaan duren. 'Goed.'

'Ik vind niet dat we haar op welke manier dan ook moeten steunen, en ik vind al helemaal niet dat jij achter mijn rug om haar lessen moet betalen.'

'Het spijt me, je hebt gelijk en ik wilde het je ook vertellen, maar er kwam steeds iets tussen en ik ben het vergeten, je weet hoe dat gaat. Maar je weet dat ik het niet met je eens ben. We hebben de andere twee ook geholpen.'

'Dat is iets anders.'

'Nee. Je bent gewoon niet blij met wat ze heeft gekozen.'

'Het gaat niet om het acteren, het gaat erom dat ze niet studeert. De kans dat ze ooit nog naar de universiteit gaat, wordt snel kleiner, John, en jij maakt het haar makkelijker om niet te gaan.'

'Ze wil niet studeren.'

'Ik denk dat ze zich gewoon tegen ons wil afzetten.'

'Ik geloof niet dat het iets te maken heeft met wat wij al of niet willen of wie we zijn.'

'Ik wil meer voor haar.'

'Ze werkt hard, ze is enthousiast over wat ze doet en neemt het serieus op, ze is gelukkig. Dát willen we voor haar.'

'Het is onze taak onze levenswijsheid aan onze kinderen door te geven. Ik ben echt bang dat ze iets wezenlijks mist. De kennismaking met verschillende vakgebieden, verschillende manieren van denken, de uitdagingen, de kansen, de mensen die je leert kennen. Wij hebben elkaar ook op de universiteit ontmoet.'

'Dat heeft zij ook allemaal.'

'Het is niet hetzelfde.'

'Nou, dan is het maar niet hetzelfde. Ik vind het niet meer dan eerlijk dat ik haar lessen betaal. Sorry dat ik het je niet heb verteld, maar het valt niet mee om dit met jou te bespreken. Je wilt geen strobreed toegeven.'

'Jij ook niet.'

Hij keek naar de pendule op de schoorsteenmantel, pakte zijn bril en schoof hem op zijn hoofd. 'Ik moet een uurtje naar het lab en dan haal ik haar van het vliegveld. Moet ik iets voor je meebrengen?' vroeg hij terwijl hij opstond.

'Nee.'

Ze keken elkaar strak aan.

'Ze komt er wel, Ali, wees maar niet bang.'

Ze trok haar wenkbrauwen op en deed er het zwijgen toe. Wat kon ze nog zeggen? Ze hadden dit gesprek vaker gehad en dit was hoe het afliep. John pleitte voor de logische weg van de minste weerstand, handhaafde altijd zijn positie van de meest geliefde ouder en slaagde er nooit in Alice te laten overlopen naar de populaire kant. En niets dat zij zei, kon hem op andere gedachten brengen.

Toen John weg was, ontspande ze zich en richtte haar aandacht weer op de foto's op haar schoot. Haar aanbiddelijke kinderen als baby's, kleuters en tieners. Waar bleef de tijd? Ze pakte de babyfoto van Lydia die John voor Tom had aangezien. Ze voelde een hernieuwd, geruststellend vertrouwen in de kracht van haar geheugen, maar die foto's openden natuurlijk alleen de deuren naar verhalen die in het langetermijngeheugen waren opgeslagen.

Het adres van John Black moest in het kortetermijngeheugen hebben gezeten. Informatie werd alleen overgedragen aan het langetermijngeheugen door concentratie, oefening, context of emotionele relevantie, anders werd de kennis met het verstrijken van de tijd snel en op natuurlijke wijze afgedankt. Doordat ze zich op de vragen en opdrachten van dokter Davis had geconcentreerd, was haar aandacht verdeeld geraakt en had ze het adres niet kunnen oefenen of in een context kunnen plaatsen. En hoewel de naam haar nu een beetje boos en bang maakte, had de fictieve John Black haar in de spreekkamer van dokter Davis niets gezegd. Onder zulke omstandigheden zou het gemiddelde brein de neiging hebben het adres te vergeten. Anderzijds had zij geen gemiddeld brein.

Ze hoorde de brievenbus klepperen en kreeg een idee. Ze pakte de post en bekeek alles één keer: een kaart van een baby met een kerstmuts op van een vroegere promovendus, reclame voor een fitnesscentrum, de telefoonrekening, de energierekening en de zoveelste catalogus van LL Bean. Ze liep terug naar de bank, dronk haar thee op, zette de fotoalbums in de kast terug en bleef toen roerloos zitten. Het tikken van de pendule en het sissen van de radiatoren waren de enige geluiden in huis. Ze keek naar de klok. Er gingen vijf minuten voorbij. Genoeg.

Zonder naar de post te kijken zei ze hardop: 'Kaart van baby met kerstmuts, aanbieding fitnesscentrum, telefoonrekening, energierekening, de zoveelste catalogus van LL Bean.'

Eitje. Al moest ze toegeven dat er veel meer dan vijf minuten hadden gezeten tussen het moment dat ze het adres van John Black te horen kreeg en het moment waarop ze het zich had moeten herinneren. Ze moest een langere tussenpauze nemen.

Ze pakte het woordenboek uit de kast en stelde twee regels op voor het kiezen van een woord. Het moest een woord zijn dat niet vaak voorkwam, dat ze niet elke dag gebruikte, en ze moest het al kennen. Ze wilde geen nieuwe woorden leren, maar haar kortetermijngeheugen testen. Ze sloeg het woordenboek lukraak open en prikte het woord 'gouvernante'. Ze noteerde het op een papiertje, vouwde het op, stopte het in de zak van haar broek en zette de timer van de magnetron op vijftien minuten.

Lydia was als kind dol geweest op de boeken van Mary Poppins. Alice begon met de voorbereidingen voor het kerstdiner. De timer piepte.

'Gouvernante', zonder aarzeling of spieken.

Ze bleef het spelletje de hele dag door spelen, en ze verhoogde het aantal te onthouden woorden tot drie en de tussenpauze tot drie kwartier. Ondanks die hogere moeilijkheidsgraad en de mogelijke afleiding door het koken maakte ze geen enkele fout. 'Stethoscoop', 'millennium', 'arachniden'. Ze maakte de ravioli met ricotta en de tomatensaus.

'Kathode', 'granaatappel', 'verstekbak'. Ze husselde de salade en marineerde de groenten. 'Leeuwenbek', 'documentaire', 'verscheiden'. Ze zette het vlees in de oven en dekte de eettafel.

Anna, Charlie, Tom en John zaten in de woonkamer. Alice hoorde Anna en John discussiëren. Ze kon vanuit de keuken niet horen waar het over ging, maar aan de nadruk en het volume van het gehakketak hoorde ze dat ze het niet eens waren. Het zou wel over politiek gaan. Charlie en Tom hielden zich erbuiten.

Lydia roerde in de bisschopswijn op het fornuis en vertelde over haar acteerlessen. Alice moest zich concentreren op het koken, de woorden die ze moest onthouden en Lydia, dus ze had de fut niet meer om bezwaar te maken of haar afkeur uit te spreken. Lydia kon ongehinderd een vrije, vurige monoloog houden over haar vak, en hoewel Alice er fel op tegen was, moest ze wel geboeid luisteren.

'Na de beeldtaal voeg je de laag van de Elia-vraag toe: Waarom juist deze avond en niet een andere,' zei Lydia.

De timer piepte. Lydia stapte ongevraagd opzij en Alice keek in de oven. Ze wachtte op een verklaring voor het nog lang niet gare braadstuk tot haar gezicht akelig gloeide. *O.* Het was tijd om de drie woorden op het papiertje in haar zak te noemen. 'Tamboerijn', 'serpent'...

'Je speelt nooit het gewone dagelijkse leven, het is altijd een kwestie van leven of dood,' zei Lydia.

'Mam, waar is de kurkentrekker?' gilde Anna vanuit de woonkamer.

Alice deed moeite om niet naar haar dochters te luisteren, al was ze erop getraind die stemmen boven alle andere geluiden op aarde uit te horen, en zich te concentreren op haar eigen innerlijke stem, die de twee woorden als een mantra bleef opdreunen.

Tamboerijn, serpent, tamboerijn, serpent, tamboerijn, serpent...

'Mam?' riep Anna.

'Ik weet het niet, Anna! Ik ben bezig, zoek zelf maar. '

Tamboerijn, serpent, tamboerijn, serpent, tamboerijn, serpent...

'Als puntje bij paaltje komt, gaat het altijd om overleven. Wat heeft mijn personage nodig om te overleven en wat gebeurt er als ik het niet krijg?' zei Lydia.

'Lydia, alsjeblieft, ik wil het nu niet horen,' snauwde Alice met haar handen tegen haar bezwete slapen gedrukt.

'Ook goed,' zei Lydia. Ze keerde Alice de rug toe en roerde met kracht, zichtbaar gekwetst.

Tamboerijn, serpent.

'Ik kan hem nergens vinden!' gilde Anna.

'Ik ga haar helpen,' zei Lydia.

Kompas! Tamboerijn, serpent, kompas.

Alice pakte opgelucht de ingrediënten voor de broodpudding met witte chocola en zette ze op het werkblad: vanille-extract, slagroom, melk, suiker, witte chocola, een brood en twaalf eieren. *Twaalf eieren?* Als het vel papier met het recept van haar moeder nog bestond, wist Alice niet waar. Ze had het in geen jaren nodig gehad. Het was een simpel recept, misschien wel lekkerder dan Marty's kwarktaart, en ze had het sinds ze een jong meisje was elk jaar met Kerstmis gemaakt. Hoeveel eieren? Het moesten er meer dan zes zijn, anders had ze geen twee doosjes van zes gepakt. Waren het er zeven, acht, negen?

Ze probeerde de eieren even over te slaan, maar de andere ingrediënten kwamen haar net zo onbekend voor. Moest ze al die slagroom gebruiken of een deel afmeten? Hoeveel suiker? Moest ze alles bij elkaar gooien of was er een bepaalde volgorde? Welke bakvorm gebruikte ze? Op welke temperatuur bakte ze de pudding, en hoe lang? Er wilde haar niets te binnen schieten. De informatie was domweg niet voorhanden.

Wat mankeert me in godsnaam?

Ze keek weer naar de eieren. Er kwam nog steeds niets. Ze haatte die roteieren. Ze pakte er een en gooide het zo hard mogelijk in de spoelbak. Ze gooide ze allemaal kapot, een voor een. Het gaf wel enige voldoening, maar niet genoeg. Ze moest nog iets kapotmaken, iets waar ze meer kracht voor nodig had, iets waar ze uitgeput van zou raken. Ze keek om zich heen. Haar razende, verwilderde ogen vonden die van Lydia in de deuropening.

'Mam, wat doe je?'

De verwoesting was niet beperkt gebleven tot de spoelbak. De wand en het aanrecht zaten vol eierschaal en dooier, en over de kastjes liepen tranen eiwit.

'De eieren waren voorbij de houdbaarheidsdatum. Geen pudding dit jaar.'

'Ah, we moeten pudding hebben, het is Kerstmis.'

'Nou, er zijn geen eieren meer en ik ben het zat om in die benauwde keuken te staan.'

'Ik ga wel naar de winkel. Ga jij maar lekker in de kamer zitten, ik maak de pudding wel.'

Alice liep de woonkamer in, nog bevend maar niet meer meegesleurd door die enorme golf van woede. Ze vroeg zich af of ze zich door Lydia's aanbod tekortgedaan of dankbaar voelde. John, Tom, Anna en Charlie zaten te praten en rode wijn te drinken. Blijkbaar had iemand de kurkentrekker gevonden. Lydia, die haar jas aanhad en een muts op, keek om de hoek van de deur.

'Mam, hoeveel eieren moet ik hebben?'

januari 2004

Ze had goede redenen om haar afspraak met de neuro-psycholoog en dokter Davis op de ochtend van de negentiende januari af te zeggen. De tentamenweek na het najaarssemester viel in januari, nadat de studenten terug waren van de kerstvakantie, en het eindtentamen van Alice' cursus cognitie viel op die ochtend. Ze hoefde er niet per se bij te zijn, maar ze vond het prettig die afronding te hebben, om haar studenten van begin tot eind te begeleiden. Met enige tegenzin vroeg ze een collega toezicht te houden bij het tentamen. De tweede, nog betere reden was dat haar moeder en haar zusje op negentien januari waren overleden, nu eenendertig jaar geleden. Ze vond niet dat ze bijgelovig was, zoals John, maar die dag had haar nog nooit goed nieuws gebracht. Ze had het secretariaat gevraagd of ze de afspraak kon verzetten, maar het was óf de negentiende, óf vier weken later. Ze had zich er dus maar bij neergelegd, zo onaanlokkelijk was het idee nog eens een maand te moeten wachten.

Ze dacht aan haar studenten op Harvard, die zich angstig afvroegen wat voor vragen ze zouden krijgen, de kennis van een heel semester gehaast in hun blauwe tentamenboekjes noteerden en maar hoopten dat hun overladen kortetermijngeheugen hen niet in de steek zou laten. Ze wist precies hoe ze zich voelden. De meeste neuropsychologische tests die haar die ochtend werden afgenomen, kende ze wel: Stroop, Ravens Coloured Progressive Matrices, Luria's Mentale Rotatie, de Boston Benoemtest, WAIS-R Plaatjes Ordenen, Benton Visueel Geheugen en Verhaal Onthouden van de universiteit van New York. De tests waren bedoeld om elke subtiele tekortkoming aan het licht te brengen in taalvaardigheid, het kortetermijngeheugen en redeneerprocessen. Ze had veel van die tests al eens afgelegd, maar dan als controlepersoon in cognitieve onderzoeken van verschillende promovendi. Vandaag was ze echter geen controlepersoon, maar het subject dat werd getest.

Het overschrijven, onthouden, rangschikken en benoemen duurde bijna twee uur. Net als de studenten in haar verbeelding was ze blij toen het klaar was en dacht ze dat ze het er redelijk van af had gebracht. De neuropsycholoog vergezelde haar naar de kamer van dokter Davis, waar ze op een van de twee stoelen tegenover zijn bureau ging zitten. Hij keek met een teleurgestelde zucht naar de lege stoel naast haar. Nog voor hij iets had gezegd, wist ze dat ze in de nesten zat.

'Alice, hebben we de vorige keer niet afgesproken dat je iemand mee zou brengen?'

'Ja.'

'Goed, op deze afdeling eisen we dat alle patiënten met een bekende komen. Ik kan je niet behandelen zolang ik geen beeld heb van wat er precies aan de hand is, en ik kan er niet op vertrouwen dat ik een compleet beeld heb zonder dat die ander erbij is. De volgende keer geen smoesjes, Alice. Beloofd?'

'Ja.'

De volgende keer. De opluchting en het zelfvertrouwen die ze had opgedaan door de door haarzelf beoordeelde score op de neuropsychologische tests verdwenen als sneeuw voor de zon.

'Ik heb al je testresultaten nu, dus we kunnen alles doornemen. Ik heb niets afwijkends op je MRI gezien. Geen cerebrovasculaire aandoeningen, geen aanwijzingen voor een kleine, onopgemerkte beroerte, geen hydrocefalus of ophopingen. Alles in je hoofd ziet er goed uit. En je bloedonderzoeken en lumbaalpunctie waren ook negatief. Ik ben agressief te werk gegaan en heb naar elke aandoening gezocht die redelijkerwijs verantwoordelijk zou kunnen zijn voor de symptomen die jij hebt beschreven. We weten nu dus dat je niet lijdt aan hiv, kanker, prionziekte, vitaminegebrek, mitochondriale aandoeningen of een aantal andere zeldzame ziektes.'

Zijn verhaal zat goed in elkaar; het was duidelijk niet de eerste keer dat hij iets dergelijks vertelde. Het 'wat is het' zou aan het eind komen. Ze knikte om aan te geven dat ze hem kon volgen en dat hij door mocht gaan.

'Je hebt in het negenennegentigste percentiel gescoord op concentratievermogen en dingen als het toepassen van kennis, abstract redeneren, ruimtelijk inzicht en taalvaardigheid, maar helaas zie ik nog iets: je kortetermijngeheugen is verslechterd in een mate die in geen verhouding staat tot je leeftijd, een significante achteruitgang ten opzichte van hoe je vroeger functioneerde. Dat heb ik afgeleid uit je eigen beschrijving van de problemen en hoeveel last je ervan hebt in je werkende leven. Ik heb het ook zelf geconstateerd, want je kon je de vorige keer dat je hier was het adres niet herinneren dat ik je had gevraagd te onthouden. En hoewel je vandaag op bijna elk cognitief gebied vrijwel alles perfect hebt gedaan, waren er veel schommelingen in twee taken die verband hielden met het kortetermijngeheugen. In een ervan zat je zelfs maar in het zestigste percentiel.

Als ik al die gegevens bij elkaar optel, Alice, leid ik daaruit af dat je voldoet aan de criteria voor waarschijnlijkheid van de ziekte van Alzheimer.'

De ziekte van Alzheimer.

De woorden kwamen als een mokerslag aan. Wat had hij precies tegen haar gezegd? Ze herhaalde de woorden in haar hoofd. *Waarschijnlijkheid.* Dat gaf haar de kracht om te blijven ademen en iets te zeggen.

'"Waarschijnlijkheid" wil zeggen dat ik misschien niet aan de criteria voldoe.'

'Nee, we gebruiken het woord "waarschijnlijkheid" omdat we op dit moment alleen maar een definitieve diagnose van alzheimer kunnen stellen door het hersenweefsel te onderzoeken, wat alleen kan als we een autopsie of biopsie doen, en dat zijn geen van beide goede opties voor jou. Het is een klinische diagnose. Er zit geen dementie-eiwit in je bloed dat ons kan vertellen of je het hebt, en we verwachten pas hersenatrofie op een MRI te zien in veel latere stadia van de ziekte.'

Hersenatrofie.

'Maar dat kan gewoon niet, ik ben pas vijftig.'

'Je hebt vroege alzheimer. Je hebt gelijk, we zien alzheimer meestal als een ziekte voor ouderen, maar tien procent van de mensen met alzheimer heeft de vroege vorm en is onder de vijfenzestig.'

'Wat is het verschil met de latere vorm?'

'Dat is er niet, behalve dan dat de oorzaak meestal genetisch bepaald is en de ziekte zich veel eerder manifesteert.'

Genetisch bepaald. Anna, Tom, Lydia.

'Maar als u alleen maar zeker weet wat ik niet heb, kunt u toch niet met zekerheid zeggen dat dit alzheimer is?'

'Ik heb geluisterd naar je beschrijving van wat er met je gebeurt, ik heb je medische geschiedenis gezien, je oriëntatie- en registratievermogen, je concentratievermogen, taalvaardigheid en geheugen zijn getest, en op grond daarvan wist ik het voor vijfennegentig procent zeker. Je neurologisch onderzoek, je bloed, cerebrospinaal vocht en MRI waren goed, en daarmee is die andere vijf procent van de baan. Ik weet het zeker, Alice.'

Alice.

De klank van haar naam drong binnen in elke cel en leek haar moleculen tot buiten de grenzen van haar eigen huid te verspreiden. Ze keek vanuit de verste hoek van de kamer naar zichzelf.

'En nu?' hoorde ze zichzelf vragen.

'We hebben inmiddels een paar medicijnen voor de behandeling van alzheimer die ik je wil geven. Het eerste is Aricept, dat een stimulerende werking heeft op het zenuwstelsel. Het tweede is Namenda, dat het afgelopen najaar net is goedgekeurd en heel veelbelovend is. Het zijn geen van beide remedies, maar ze kunnen het voortschrijden van de symptomen vertragen en we willen zoveel mogelijk tijd voor je zien te winnen.'

Tijd. Hoeveel tijd?

'Ik wil ook dat je tweemaal daags vitamine E slikt en eenmaal daags vitamine C, kinderaspirine en een cholesterolverlager. Er zijn geen risicofactoren voor cardiovasculaire aandoeningen bij je gevonden, maar alles wat goed is voor het hart, is ook goed voor de hersenen, en we willen alle neuronen en synapsen redden die er te redden zijn.'

Hij schreef het allemaal in een receptenboekje. 'Alice, weet iemand van je familie dat je hier bent?'

'Nee,' hoorde ze zichzelf zeggen.

'Goed, je moet het aan iemand vertellen. We kunnen het tempo van de cognitieve aftakeling die je doormaakt wel verlagen, maar we kunnen het proces niet stoppen of omkeren. Het is van belang voor je veiligheid dat iemand die je regelmatig ziet op de hoogte is van wat er speelt. Kun je het aan je man vertellen?'

Ze zag zichzelf knikken.

'Oké, mooi. Ga met dit recept naar de apotheek, slik alles volgens voorschrift, bel me als je last krijgt van bijwerkingen en maak een afspraak voor over een halfjaar. In de tussentijd mag je me bellen of mailen als je vragen hebt, en ik wil je ook aanraden contact op te nemen met Denise Daddario. Zij is onze maatschappelijk werker hier en ze kan je bijstaan als je hulp of steun nodig hebt. Ik zie je over een halfjaar terug, met je man, en dan kijken we hoe het met je gaat.'

Ze zocht in zijn intelligente ogen naar nog iets. Ze wachtte. Ze werd zich vreemd bewust van haar handen, die de kille metalen armleuningen van haar stoel omklemden. Háár handen. Ze was geen etherische verzameling moleculen geworden die in een hoek van de kamer zweefde. Zij, Alice Howland, zat op een koude, harde stoel naast een lege stoel in de kamer van een neuroloog op de afdeling Geheugenstoornissen op de zevende verdieping van het Massachusetts General Hospital. En ze had zojuist de diagnose alzheimer te horen gekregen. Ze zocht in de intelligente ogen van de arts naar nog iets, maar vond alleen oprechtheid en spijt.

De negentiende januari. Die dag bracht nooit iets goeds.

Ze zat op haar kantoor, met de deur dicht, en nam de vragenlijst Dagelijkse Bezigheden door die dokter Davis haar voor John had gegeven. **In te vullen door een informant, NIET door de patiënt,** stond er in vette letters boven aan de eerste bladzij. Het woord 'informant', de dichte deur en haar bonzende hart droegen allemaal bij aan een sterk schuldgevoel, alsof ze in een Oost-Europese stad was ondergedoken, illegale documenten in haar bezit had en de politie met loeiende sirenes hoorde naderen.

De beoordelingsschaal voor elke bezigheid liep van 0 (geen problemen, onveranderd) tot 3 (ernstig aangetast, volkomen afhankelijk van anderen). Ze keek naar de omschrijvingen naast de drieën en nam aan dat die betrekking hadden op de laatste stadia van de ziekte, het eind van de rechte, korte weg waar ze plotseling op was gezet in een auto zonder stuur of remmen.

Nummer 3 was een vernederende lijst: Moet meestal gevoerd worden, Heeft geen controle over sluitspier of blaas, Moet medicijnen door anderen toegediend krijgen, Verzet zich tegen pogingen verzorger tot wassen of aankleden, Werkt niet meer, Aan huis of ziekenhuis gebonden, Gaat niet meer met geld om, Gaat niet meer zonder begeleiding naar buiten. Vernederend, maar haar analytische geest begon meteen te twijfelen aan het belang van die lijst voor wat er met haar zou gebeuren. Hoeveel op die lijst was te wijten aan voortschrijdende alzheimer en hoeveel aan de overwegend oudere bevolkingsgroep op wie de lijst betrekking had? Was een tachtigjarige incontinent omdat hij of zij alzheimer had of omdat hij of zij een tachtigjarige blaas had? Misschien waren die drieën niet van toepassing op iemand zoals zij, iemand die nog zo jong en zo fit was.

Het ergste viel onder het kopje 'Communicatie': Spraak vrijwel onverstaanbaar, Begrijpt niet wat anderen zeggen, Leest niet meer, Schrijft nooit. *Geen taal meer.* Los van een verkeerde diagnose kon ze geen hypothese opstellen die haar immuun maakte voor deze lijst drieën. Dit kon allemaal van toepassing zijn op iemand zoals zij. Iemand met alzheimer.

Ze keek naar de rijen boeken en tijdschriften, de stapel nog na te kijken tentamens op haar bureau, de e-mails in haar postvak en het rode, knipperende lichtje van haar antwoordapparaat. Ze dacht aan de boeken die ze altijd nog had willen lezen, de boeken die op de bovenste plank in de slaapkamer prijkten, de boeken waarvan ze had gedacht dat ze ze later nog kon lezen. *Moby Dick.* Ze moest experimenten uitvoeren, artikelen schrijven en lezingen geven en bijwonen. Alles wat ze deed en waar ze van hield, alles wat ze was, was afhankelijk van taal.

Op de laatste bladzijden van de vragenlijst werd de informant gevraagd aan te geven in welke mate de patiënt de afgelopen maand last had gehad van de volgende symptomen:

Wanen, Hallucinaties, Agitatie, Depressie, Angst, Euforie, Apathie, Ontremming, Prikkelbaarheid, Herhaalde motorische storingen, Slaapverstoring, Veranderd eetpatroon. Ze kwam in de verleiding de antwoorden zelf in te vullen om te bewijzen dat er niets met haar aan de hand was en dat dokter Davis het mis moest hebben. Toen herinnerde ze zich wat dokter Davis had gezegd. *Jij bent mogelijk niet de betrouwbaarste bron om me te vertellen wat er speelt.* Misschien, maar ze wist nog steeds dat hij het had gezegd. Ze vroeg zich af wanneer het zover zou zijn dat ze het zich niet meer zou herinneren.

Ze moest toegeven dat haar kennis van de ziekte van Alzheimer oppervlakkig was. Ze wist dat de hersenen van alzheimerpatiënten een tekort vertoonden aan acetylcholine, een neurotransmitter die een belangrijke rol speelt bij het leren en onthouden. Ze wist ook dat de hippocampus, een zeepaardvormig deel van de hersenen dat van essentieel belang is voor het aanmaken van nieuwe herinneringen, vol plaques en vezelkluwens kwam te zitten, al wist ze niet precies wat plaques en vezelkluwens waren. En ze wist dat anomie, het pathologische gevoel dat een woord op het puntje van je tong ligt, een van de belangrijkste symptomen was. Dat was het wel zo ongeveer.

Ze moest meer weten. Er moesten lagen verontrustend vuil worden blootgelegd. Ze tikte 'ziekte van Alzheimer' in de zoekbalk van Google. Haar middelvinger hing net boven de entertoets toen twee harde kloppen op de deur haar ertoe aanzetten de bewijslast met de snelheid van een reflex te verbergen. De deur zwaaide zonder enige waarschuwing of wachttijd open.

Ze was bang dat de verbijstering, angst en achterbaksheid van haar gezicht te lezen waren.

'Ben je klaar?' vroeg John.

Nee, dat was ze niet. Als ze John bekende wat dokter Davis

haar had verteld, als ze hem de vragenlijst Dagelijkse Bezigheden gaf, zou het allemaal echt zijn. John zou de informant worden en Alice de stervende, incompetente patiënt. Ze was er nog niet klaar voor om zichzelf aan te geven. Nog niet.

'Kom op, over een uur gaan de poorten dicht,' zei John.

'Oké,' zei Alice, 'ik ben zover.'

Mount Auburn Cemetery, in 1831 opgericht als eerste niet-sektarische begraafplaats van Amerika, was tegenwoordig een historisch monument met een wereldvermaard arboretum en een tuinlandschap, en het was de laatste rustplaats van Alice' zusje, moeder en vader.

Het was de eerste keer dat haar vader aanwezig zou zijn bij de herdenking van het noodlottige auto-ongeluk, dood of niet, en het ergerde haar. Het was altijd een intiem moment tussen haar en haar moeder en zusje geweest, maar nu zou hij er ook bij zijn. Hij verdiende het niet.

Ze liepen over Yew Avenue, een ouder gedeelte van de begraafplaats. Haar ogen en pas talmden toen ze langs de vertrouwde grafstenen van de familie Shelton kwamen. Charles en Elizabeth hadden alle drie hun kinderen begraven: Susie, een baby nog maar, misschien doodgeboren, in 1866, Walter van twee in 1868 en Carolyn van vijf in 1874. Alice waagde het zich Elizabeths verdriet voor te stellen door de namen van haar eigen kinderen op de zerken in te vullen. Ze kon de macabere beelden nooit lang vasthouden: van Anna, blauw en stil bij haar geboorte, van een dode Tom, waarschijnlijk na een ziekte, in zijn gele hansopje, en van Lydia, stram en levenloos na een dag kleuren op de kleuterschool. Er trad altijd een soort kortsluiting op in haar verbeelding bij dit soort gruwelijke gedetailleerdheid, en al snel zag ze haar drie kinderen weer levensecht voor zich.

Elizabeth was achtendertig geweest toen haar laatste kind

stierf. Alice vroeg zich af of ze nog had geprobeerd kinderen te krijgen, maar niet meer vruchtbaar was, of dat Charles en zij apart waren gaan slapen, te getekend om het risico te durven nemen dat ze nog een kindergrafsteen zouden moeten aanschaffen. Ze vroeg zich af of Elizabeth, die twintig jaar langer had geleefd dan Charles, ooit nog troost of rust in haar leven had gevonden.

Ze liepen zwijgend door naar haar familiegraf. De grafstenen waren simpel, als reuzenschoenendozen, en ze stonden in een discrete rij onder de takken van een rode beuk. ANNE LYDIA DALY, 1955-1972, SARAH LOUISE DALY, 1931-1972 en PETER LUCAS DALY, 1932-2003. De beuk met zijn laaghangende takken torende minstens dertig meter boven hen uit en droeg in lente, zomer en herfst schitterende, glanzende, diep paarsgroene bladeren, maar nu, in januari, wierpen de kale, zwarte takken lange, vervormde schaduwen op het familiegraf en zag het er ronduit spookachtig uit. Een regisseur van griezelfilms zou verrukt zijn van die boom in januari.

Ze gingen onder de beuk staan en John pakte haar gehandschoende hand. Ze zeiden geen van beiden iets. In de warmere maanden zouden ze de geluiden van vogels, sprinklers, de voertuigen van onderhoudsmensen en muziek uit autoradio's horen, maar vandaag was het stil, afgezien van het verre verkeersgedruis achter de poorten.

Waar dacht John aan terwijl ze daar stonden? Ze vroeg het hem nooit. Hij had haar zus en moeder nooit gekend, dus hij kon moeilijk lang aan hen denken. Dacht hij aan zijn eigen sterfelijkheid of spiritualiteit? Aan de hare? Dacht hij aan zijn ouders en zussen, die allemaal nog leefden? Of zat hij in gedachten heel ergens anders, nam hij details van zijn onderzoek of colleges door of mijmerde hij over het avondeten?

Hoe kon ze in vredesnaam de ziekte van Alzheimer hebben? *De oorzaak is meestal genetisch bepaald.* Zou haar moeder het ook hebben gekregen als ze de vijftig had gehaald? Of lag het aan haar vader?

Toen hij jonger was, had hij weerzinwekkende hoeveelheden alcohol naar binnen gewerkt zonder ooit echt dronken te lijken. Hij werd wel steeds stiller en meer in zichzelf gekeerd, maar was altijd nog in staat om een volgende whisky te bestellen of vol te houden dat hij nog best kon rijden. Zoals die avond dat hij met de Buick van de weg was geraakt en op een boom was geknald, wat zijn vrouw en jongste dochter het leven had gekost.

Zijn drinkgewoontes waren nooit veranderd, maar zijn gedrag wel, zo'n jaar of vijftien geleden. De onzinnige, op ruzie beluste tirades, een walgelijk gebrek aan hygiëne, haar niet herkennen – Alice had aangenomen dat de alcohol eindelijk zijn tol begon te eisen van zijn gepekelde lever en gemarineerde geest. Was het mogelijk dat hij met alzheimer had geleefd zonder dat het ooit was gediagnosticeerd? Ze had geen behoefte aan een autopsie. Het klopte te precies om niet waar te zijn, en dat bood haar een ideale zondebok.

Zo, pap, ben je nou tevreden? Ik heb jouw beroerde DNA. *Je gaat ons allemáál vermoorden. Hoe voelt het om je hele familie uit te roeien?*

Haar explosieve, gekwelde snikken zouden iedere onbekende die het tafereel gadesloeg gepast hebben geleken: haar dode ouders en zusje onder de grond, de begraafplaats in de avondschemering en de griezelige beuk. Voor John moest de huilbui daarentegen als een complete verrassing komen. Ze had vorig jaar februari geen traan gelaten om de dood van haar vader en het verdriet en gevoel van gemis om haar moeder en zusje waren allang verzacht door de tijd.

Hij hield haar vast zonder haar te sussen of uit ook maar iets te laten blijken dat hij iets anders wilde doen dan haar blijven vasthouden zolang ze huilde. Het drong tot haar door dat de begraafplaats elk moment kon sluiten en dat ze John

waarschijnlijk ongerust maakte. Ze besefte dat geen tranen-
vloed genoeg zou zijn om haar besmette brein te zuiveren. Ze
drukte haar gezicht harder in zijn groene jopper en huilde tot
ze niet meer kon.

Hij omvatte haar gezicht met zijn handen en kuste de natte
buitenhoeken van haar beide ogen. 'Ali, gaat het wel?'

Nee, John. Ik heb de ziekte van Alzheimer.

Ze geloofde bijna dat ze het hardop had gezegd, maar dat
was niet zo. De woorden bleven opgesloten in haar hoofd,
maar niet omdat ze werden geblokkeerd door plaques en
vezelkluwens. Ze kon ze gewoon niet hardop uitspreken.

Ze stelde zich haar eigen naam voor naast die van Anne, op
net zo'n steen. Ze wilde liever dood dan haar geest verliezen.
Ze keek op naar John, die met geduldige ogen op een antwoord wachtte.

Hoe kon ze hem vertellen dat ze alzheimer had? Hij hield
van haar geest. Hoe kon hij zó nog van haar houden? Ze keek
weer naar Annes in steen gebeitelde naam.

'Ik heb gewoon een rotdag.'

Ze wilde liever dood dan het hem te vertellen.

Ze wilde zelfmoord plegen. De gedachte aan zelfmoord drong
zich onverwacht en met kracht aan haar op, was alle andere
ideeën te slim af of duwde ze opzij, en hield haar dagen gevangen in een donker, wanhopig hoekje, maar verschrompelde
door een gebrek aan uithoudingsvermogen tot een oppervlakkige flirt. Ze wilde nog niet dood. Ze was nog steeds een geres-
pecteerd professor in de psychologie aan Harvard. Ze kon nog
lezen en schrijven en ze wist waar een wc toe diende. Ze had
nog tijd. En ze moest het aan John vertellen.

Ze zat op de bank, met een grijze deken op haar schoot en
haar armen om haar knieën, en had het gevoel dat ze moest
overgeven. Hij zat roerloos op het puntje van de oorfauteuil
tegenover haar.

'Wie heeft je dat verteld?' vroeg hij.

'Dokter Davis, een neuroloog van het Massachusetts General.'

'Een neuroloog. Wanneer?'

'Tien dagen geleden.'

Hij wendde zijn gezicht af en draaide aan zijn trouwring terwijl hij de muur leek te bestuderen. Ze wachtte met ingehouden adem tot hij weer naar haar zou kijken. Misschien zou hij nooit meer op dezelfde manier naar haar kijken. Misschien zou ze nooit meer ademhalen. Ze trok haar knieën iets hoger op.

'Hij vergist zich, Ali.'

'Nee.'

'Je mankeert niets.'

'Jawel. Ik ben vergeetachtig.'

'Iedereen vergeet weleens iets. Ik kan mijn bril nooit vinden, moet die specialist mij dan ook maar de diagnose alzheimer geven?'

'De problemen die ik heb, zijn niet normaal. Het gaat niet om een slingerende bril.'

'Goed, je vergeet dingen, maar je zit in de overgang, je bent gestrest en de dood van je vader zal wel allemaal gevoelens rond het verlies van je moeder en Anne hebben losgemaakt. Je bent vast depressief.'

'Ik ben niet depressief.'

'Hoe weet je dat? Ben jij arts? Je zou naar je eigen dokter moeten gaan, niet naar die neuroloog.'

'Daar ben ik geweest.'

'Vertel eens precies wat ze heeft gezegd.'

'Ze dacht niet dat het een depressie of de overgang was. Ze had er eigenlijk geen verklaring voor. Ze dacht dat ik misschien te weinig sliep. Ze wilde het een paar maanden aanzien.'

'Zie je wel? Je zorgt gewoon niet goed voor jezelf.'

'Zij is geen neuroloog, John. Ik krijg genoeg slaap. En dat was in november. We zijn nu een paar maanden verder en het wordt niet beter, maar erger.'

Ze vroeg hem na één gesprek aan te nemen wat ze zelf maanden had ontkend. Ze begon met een voorbeeld dat hij al kende.

'Weet je nog dat ik was vergeten dat ik naar Chicago moest?'

'Dat kan de beste overkomen. We hebben het krankzinnig druk.'

'We hebben het altijd krankzinnig druk gehad, maar ik ben nog nooit vergeten het vliegtuig te nemen. Ik had niet gewoon mijn vlucht gemist, ik was dat hele congres totaal vergeten, terwijl ik me er de hele dag op had voorbereid.'

Hij wachtte. Er waren grote geheimen die hij niet kende.

'Ik vergeet woorden, ik ben een keer terwijl ik van mijn werkkamer naar de collegezaal liep vergeten waarover ik zou gaan praten, ik begrijp 's middags niet meer wat ik 's ochtends bedoelde toen ik dingen op mijn Te Doen-lijstje zette.'

Ze kon zijn sceptische gedachten lezen. *Oververmoeid, stress, spanning. Normaal, normaal, normaal.*

'Ik heb geen pudding voor het kerstdiner gemaakt omdat ik het niet kon. Ik kon me niet één regel van het recept herinneren. Het was gewoon weg, en ik heb dat toetje elk jaar uit mijn hoofd gemaakt sinds ik een jong meisje was.'

Ze bepleitte haar schuld verrassend grondig. Een jury van haar gelijken had misschien al genoeg gehoord, maar John hield van haar.

'Ik stond tegenover Nini's op Harvard Square en had geen flauw idee meer hoe ik thuis moest komen. Ik kon er niet achter komen waar ik was.'

'Wanneer was dat?'

'In september.'

Ze had zijn stilte verbroken, maar niet zijn vaste voornemen haar geestelijke gezondheid te verdedigen.

'En dat is nog maar het topje van de ijsberg. Ik moet er niet aan denken wat ik allemaal vergeet zonder dat ik het zelf merk.'

Zijn gezichtsuitdrukking werd anders, alsof hij iets van mogelijk belang had ontwaard in de Rorschach-achtige vegen op een van zijn RNA-filmpjes.

'De vrouw van Dan.' Hij zei het meer tegen zichzelf dan tegen haar.

'Hè?' zei ze.

Er ontstond een barst. Ze zag het. De mogelijkheid dat het waar was, sijpelde naar binnen en verdunde zijn zekerheid.

'Ik moet me inlezen en dan wil ik je neuroloog spreken.'

Zonder haar aan te kijken stond hij op en beende regelrecht naar zijn werkkamer, haar alleen op de bank achterlatend met haar armen om haar knieën geslagen en het gevoel dat ze moest overgeven.

februari 2004

Vrijdag:
Ochtendmedicatie nemen ✓
Afdelingsoverleg, 09.00, kamer 545 ✓
E-mails beantwoorden ✓
College Motivatie en Emotie, 13.00, Science Center, zaal B
(college 'Zelfregulatie en drang') ✓
Afspraak genetisch consulent (John heeft info)
Avondmedicatie nemen

Stephanie Aaron was de genetisch consulent van de afdeling Geheugenstoornissen van het Massachusetts General Hospital. Ze had zwart haar tot op haar schouders en wenkbrauwbogen die een merkwaardige openhartigheid deden vermoeden. Ze begroette hen met een warme glimlach.

'Vertel maar eens waarom u hier vandaag bent,' zei ze.

'Mijn vrouw heeft me kortgeleden verteld dat ze de ziekte van Alzheimer heeft, en we willen haar laten testen op mutaties in de genen die coderen voor APP, PS1 en PS2.'

John had zijn huiswerk gedaan. Hij had zich de voorgaande weken begraven in de literatuur over de moleculaire etiologie van alzheimer. Eiwitten die door een van de drie gemuteerde genen verkeerd waren afgebroken, waren de bekende boosdoeners in de gevallen van vroege alzheimer.

'Alice, vertel eens, wat hoop je aan zo'n onderzoek te hebben?' vroeg Stephanie.

'Nou, het lijkt me een redelijke manier om mijn diagnose te bevestigen. Redelijker in elk geval dan een hersenbiopsie of autopsie.'

'Denk je dan dat de diagnose niet klopt?'

'Die kans lijkt ons reëel,' zei John.

'Goed, dan zal ik eerst uitleggen wat een positieve of negatieve uitslag van een mutatietest voor jou betekent. Die mutaties zeggen alles. Als je mutaties blijkt te hebben in het APP-, PS1- of PS2-gen, lijkt me dat een afdoende bevestiging van je diagnose. Het wordt pas lastig als de uitslagen negatief zijn. We kunnen niet met zekerheid zeggen wat dat inhoudt. Rond de helft van de mensen met vroege alzheimer heeft geen mutaties in die drie genen. Dat wil niet zeggen dat ze geen alzheimer hebben, of dat de ziekte geen genetische oorzaak heeft, alleen dat we nog niet weten in welk gen de mutatie in hun geval zit.'

'Is het voor iemand van haar leeftijd niet eerder een procent of tien?' vroeg John.

'Voor iemand van die leeftijd liggen de verhoudingen iets anders, dat klopt, maar als Alice' testuitslagen negatief zijn, kunnen we helaas nog niet met zekerheid zeggen dat ze de ziekte niet heeft. Ze zou gewoon in dat lagere percentage mensen van die leeftijd met alzheimer kunnen vallen bij wie het gemuteerde gen nog niet is geïdentificeerd.'

Dat was net zo aannemelijk, zo niet nog aannemelijker wanneer je het koppelde aan dokter Davis' mening als arts. Ze wist dat John dat ook begreep, maar zijn interpretatie paste in de nulhypothese 'Alice heeft geen alzheimer, ons leven is niet geruïneerd', en die van Stephanie niet.

'Alice, kun je het allemaal volgen?' vroeg Stephanie.

Hoewel de context de vraag legitimeerde, was Alice gepikeerd. Ze ving nu een glimp op van wat in de toekomst onuitgesproken zou blijven. Was ze nog competent genoeg om te kunnen volgen wat er werd gezegd? Waren haar hersenen zodanig aangetast dat ze te verward was om ermee in te stemmen? Ze was altijd met veel respect benaderd. Wat zou er voor dat respect in de plaats komen naarmate haar geestelijke vaardigheden werden vervangen door geestesziekte? Medelijden? Neerbuigendheid? Gêne?

'Ja,' zei ze.

'Ik wil ook duidelijk maken dat áls de uitslag voor een van de mutaties positief is, die genetische diagnose niets verandert aan je behandeling of prognose.'

'Ik begrijp het.'

'Mooi. Laat ik dan maar wat gegevens over je familie noteren. Alice, leven je ouders nog?'

'Nee. Mijn moeder is op haar eenenveertigste omgekomen bij een auto-ongeluk en mijn vader is vorig jaar op zijn eenenzeventigste overleden aan leverfalen.'

'Hoe was hun geheugen toen ze nog leefden? Vertoonde een van beiden tekenen van dementie of persoonlijkheidsveranderingen?'

'Met mijn moeder was niets aan de hand. Mijn vader is zijn leven lang alcoholist geweest. Hij was altijd rustig, maar met de jaren werd hij extreem driftig, en het werd onmogelijk een samenhangend gesprek met hem te voeren. Ik geloof niet dat hij me de laatste jaren ook maar één keer herkende.'

'Is hij ooit naar een neuroloog verwezen?'

'Nee, ik dacht dat het door de drank kwam.'

'Wanneer begonnen die veranderingen, schat je?'

'Toen hij begin vijftig was.'

'Hij was elke dag stomdronken. Hij is overleden aan levercirrose, niet aan alzheimer,' zei John.

Alice en Stephanie zwegen even, kwamen stilzwijgend overeen dat hij mocht denken wat hij wilde en gingen verder.

'Heb je broers of zusters?'

'Mijn enige zus is op haar zestiende samen met mijn moeder verongelukt. Ik heb geen broers.'

'Hoe zit het met ooms of tantes, neven en nichten, grootouders?'

Alice gaf haar incomplete kennis van de gezondheid en het overlijden van haar grootouders en andere familieleden door.

'Goed, als je verder geen vragen hebt, laat ik nu een verpleegkundige bloed afnemen. Dat laten we onderzoeken en de uitslag moet over een paar weken binnen zijn.'

Ze reden over Storrow Drive. Alice staarde door de voorruit. Het was ijskoud buiten en al donker, hoewel het pas halfzes was, en ze zag niemand langs de oevers van de Charles de elementen trotseren. Geen enkel teken van leven. John had geen muziek opgezet. Er was niets om haar af te leiden van gedachten aan beschadigd DNA en necrotisch hersenweefsel.

'De uitslag is negatief, Ali.'

'Maar dat verandert niets. Dat wil niet zeggen dat ik het niet heb.'

'Technisch gezien niet, maar het schept wel veel meer ruimte om aan iets anders te denken.'

'Zoals? Je hebt dokter Davis gesproken. Hij heeft me al getest op elke oorzaak van dementie die jij kon bedenken.'

'Hoor eens, ik vind dat je te snel naar de neuroloog bent gegaan. Hij kijkt naar je symptomen en ziet alzheimer, maar hij heeft geleerd dat te zien, dat wil niet zeggen dat hij het bij het rechte eind heeft. Weet je nog dat je je knie vorig jaar had bezeerd? Als je naar een orthopedisch chirurg was gegaan, had hij een gescheurde gewrichtsband of versleten kraakbeen geconstateerd en in je willen snijden. Hij is chirurg, dus hij ziet chirurgie als de oplossing, maar jij hebt gewoon een paar weken niet hardgelopen, je knie rust gegund en ibuprofen genomen en toen was je weer de oude.

Volgens mij ben je oververmoeid en gestrest, en ik denk dat de hormonale veranderingen door de menopauze een ravage aanrichten in je lichaam, en ik denk dat je depressief bent. We kunnen het allemaal overwinnen, Ali, we moeten al die dingen gewoon aanpakken.'

Hij klonk alsof hij gelijk had. Het was niet aannemelijk dat iemand van haar leeftijd de ziekte van Alzheimer kreeg. Ze zat inderdaad in de overgang, en ze was echt oververmoeid. En misschien was ze depressief. Dat zou verklaren waarom ze niet feller tegen de diagnose in opstand kwam, waarom ze zich niet met hand en tand verzette tegen zelfs maar de suggestie van dit noodlot. Het was niets voor haar. Misschien was ze gestrest, moe, in de overgang en depressief. Misschien had ze geen alzheimer.

Donderdag:
Ochtendmedicatie nemen ✓
Artikel voor Psychonomic *beoordelen* ✓
11.00 Dan, mijn kamer ✓
12.00 Lunchseminar, kamer 700 ✓
15.00 Afspraak genetisch consulent (John heeft info)
20.00 Avondmedicatie nemen

Stephanie zat achter haar bureau toen ze binnenkwamen, maar deze keer glimlachte ze niet.

'Voordat we je uitslagen bespreken, willen jullie het nog hebben over de informatie die ik jullie de vorige keer heb gegeven?'

'Nee,' zei Alice.

'Wil je de uitslag nog steeds weten?'

'Ja.'

'Het spijt me voor je, Alice, maar je bent positief voor de psi-mutatie.'

Nou, daar was het dan, het onweerlegbare bewijs, puur

geserveerd, zonder suiker, zout of een glas water om het weg te spoelen. En het brandde tot diep vanbinnen. Ze kon een cocktail van oestrogeenvervangers, Xanax en Prozac slikken en het komende halfjaar twaalf uur per dag slapen in een kuuroord, maar het zou niets uithalen. Ze had de ziekte van Alzheimer. Ze wilde John aankijken, maar kon de moed niet opbrengen haar hoofd te draaien.

'Zoals we al hadden besproken, is deze mutatie autosomaal dominant en wordt er een verband gelegd met de ontwikkeling van alzheimer, dus de uitslag komt overeen met de diagnose die je al hebt gekregen.'

'Hoe vaak krijgt het lab een vals-positieve uitslag? Welk lab is het?' vroeg John.

'Het is Athena Diagnostics, en wat deze mutatie betreft, is minder dan één procent van de uitslagen vals-positief of vals-negatief.'

'John, het is gewoon zo,' zei Alice. Nu keek ze hem wel aan. Zijn anders zo hoekige, vastberaden gezicht kwam haar nu verslapt en onbekend voor.

'Het spijt me, ik weet dat jullie allebei een manier zochten om onder de diagnose uit te komen.'

'Wat houdt dit in voor onze kinderen?' vroeg Alice,

'Ja, dat is een zwaar punt van overweging. Hoe oud zijn ze?'

'Allemaal in de twintig.'

'Dan zouden ze nog geen symptomen moeten hebben. Je kinderen hebben allemaal vijftig procent kans dat ze deze mutatie erven, en de kans dat die de ziekte veroorzaakt, is honderd procent. Presymptomatisch genetisch onderzoek is mogelijk, maar daar moet je goed over nadenken. Willen ze leven met die wetenschap? Hoe zou het hun leven beïnvloeden? Stel dat een van de kinderen positief is en een ander negatief, hoe beïnvloedt dat hun onderlinge relatie dan? Alice, weten ze eigenlijk al van je diagnose?'

'Nee.'

'Je zou kunnen overwegen het binnenkort te vertellen. Ik weet dat het veel is om in één keer te vertellen, temeer daar jullie het zelf nog moeten verwerken, maar als je een progressieve ziekte hebt zoals deze, kun je wel plannen maken om iets later te vertellen, maar dan kun je het misschien niet meer zo doen als je voor ogen stond. Of wil je het liever aan John overlaten?'

'Nee, we vertellen het ze samen,' zei Alice.

'Hebben je kinderen kinderen?'

Anna en Charlie.

'Nog niet,' zei Alice.

'Als ze een kinderwens hebben, zou dit heel belangrijk voor ze kunnen zijn. Ik heb wat gedrukte informatie verzameld die je ze kunt geven als je wilt. En hier is mijn kaartje en dat van een therapeut die heel goed is in het praten met families die de genetische screening en de diagnose hebben doorgemaakt. Heb je verder nog vragen voor me?'

'Nee, ik kan niets bedenken.'

'Het spijt me dat ik je niet de uitslag kon geven waar je op hoopte.'

'Mij ook.'

Ze zeiden geen van beiden een woord. Ze stapten in de auto, John betaalde het parkeergeld bij de uitgang en ze reden zwijgend Storrow Drive in. Het was de tweede week dat de ijzige wind de temperatuur tot onder het vriespunt liet dalen. Hardlopers waren gedwongen op een loopband te trainen of gewoon te wachten tot het weer iets genadiger was. Alice had de pest aan loopbanden. Ze zat naast John te wachten tot hij iets zei, maar dat deed hij niet. Hij huilde de hele weg naar huis.

maart 2004

Alice wipte het maandagse dekseltje van haar plastic week-doos met medicijnen en tikte de zeven tabletten in het kommetje van haar hand. John beende doelbewust de keuken in, maar toen hij zag wat ze deed, draaide hij zich op zijn hakken om en liep weg, alsof hij zijn moeder naakt had betrapt. Hij weigerde toe te kijken terwijl zij haar medicijnen nam. Hij kon midden in een zin zitten, midden in een gesprek, maar wanneer zij haar plastic weekdoos pakte, liep hij de kamer uit. Einde gesprek.

Ze slikte de pillen met drie slokken te hete thee door en brandde haar keel. Het was voor haar ook geen pretje. Ze ging aan de keukentafel zitten, blies in haar thee en luisterde naar John, die boven in de slaapkamer rondstommelde.

'Wat zoek je?' riep ze.

'Niks,' brulde hij terug.

Waarschijnlijk zijn bril. Sinds hun bezoek aan de genetisch consulent, nu een maand geleden, vroeg hij haar niet meer waar zijn bril en sleutels lagen, hoewel ze wist dat hij ze nog steeds continu kwijt was.

Hij kwam met snelle, ongeduldige stappen de keuken in.

'Kan ik iets voor je doen?' vroeg ze.

'Nee, ik red me wel.'

Ze vroeg zich af waar die pas verworven, koppige onafhankelijkheid vandaan kwam. Wilde hij haar de geestelijke belasting van het zoeken naar zijn kwijtgeraakte spullen besparen? Oefende hij voor zijn toekomst zonder haar? Vond hij het gewoon gênant om een alzheimerpatiënt om hulp te vragen? Ze nipte van haar thee, ging op in een schilderij van een appel en een peer dat al minstens tien jaar aan de muur hing en hoorde hem de post en papieren op het werkblad achter haar ziften.

Hij liep langs haar heen de gang in. Ze hoorde de deur van de gangkast opengaan. Ze hoorde de deur weer dichtgaan. Ze hoorde de lades van het haltafeltje open- en dichtgaan.

'Ben je klaar?' riep hij.

Ze dronk haar thee op en liep de gang in. Hij had zijn jas aan, zijn bril was in zijn warrige haar geschoven en hij had zijn sleutels in zijn hand.

'Ja,' zei Alice en ze liep met hem mee naar buiten.

De prille lente in Cambridge was een gemene, onbetrouwbare leugenaar. Er zaten nog geen knoppen in de bomen, geen tulp was zo dapper of zo stom om zijn kopje boven de inmiddels een maand oude laag korstige sneeuw te steken en er was geen achtergrondmuziek van piepende jonge vogeltjes. De straten werden nog steeds versmald door zwart geworden, vervuilde sneeuwhopen. Als er in de betrekkelijke middagwarmte al iets smolt, bevroor het weer in de pijlsnel zakkende middagtemperaturen die de paden van Harvard Yard en de stoepen van de stad in verraderlijke banen zwart ijs veranderden. De datum op de kalender gaf iedereen een gekwetst, bedrogen gevoel, want verder was het overal al voorjaar, en daar liepen de mensen met korte mouwen en werden ze wakker van tjilpende roodborstjes. Hier wilden de kou en de ellende echter nog van geen wijken weten, en de enige vogels die Alice tijdens hun wandeling naar de campus hoorde, waren kraaien.

John had beloofd elke ochtend met haar mee te lopen naar Harvard. Ze had tegen hem gezegd dat ze niet het risico wilde lopen te verdwalen, maar in werkelijkheid wilde ze die tijd met hem gewoon terug, hun vroegere ochtendtraditie nieuw leven inblazen. Helaas hadden ze vastgesteld dat de kans dat ze door een auto werden overreden kleiner was dan die dat ze op de bevroren stoep zouden uitglijden, dus liepen ze achter elkaar en wisselden geen woord.

Er sprong een steentje in haar linkerlaars. Ze vroeg zich af of ze zou stoppen om het eruit te halen of beter kon wachten tot ze bij Jerri's waren. Als ze het eruit wilde halen, moest ze op één voet op straat balanceren en de andere voet blootstellen aan de vrieskou. Ze besloot het ongemak nog twee straten te verdragen.

Jerri's aan Massachusetts Avenue, ongeveer halverwege Porter Square en Harvard Square, was lang voor de Starbucks-invasie al een instituut voor de chronische cafeïnegebruikers in Cambridge geworden. Het menu van koffie, thee, gebak en broodjes dat in hoofdletters op het schoolbord achter de toonbank hing, was niet veranderd sinds Alice' studietijd. Alleen de prijzen naast de consumpties vertoonden sporen van recente wijzigingen: ze stonden in krijt in de rechthoeken die waren achtergelaten door een bordenwisser, in een ander handschrift dan dat van degene die het aangebodene links ervan had opgetekend. Alice keek perplex naar het bord.

'Goedemorgen, Jess, koffie en een scone met kaneel, alsjeblieft,' zei John.

'Ik ook,' zei Alice.

'Je lust geen koffie,' zei John.

'Wel waar.'

'Nee, echt niet. Zij wil thee met citroen.'

'Ik wil koffie met een scone.'

Jess keek naar John om te zien of hij nog zou terugslaan, maar de bal was gevallen.

'Goed, twee koffie en twee scones,' zei Jess.

Buiten nam Alice een slokje. Het smaakte bitter en akelig, heel anders dan de heerlijke geur.

'En, hoe is je koffie?' vroeg John.

'Zalig.'

Terwijl ze naar de campus liepen, dronk Alice de koffie die ze niet lustte om hem te pesten. Ze popelde om alleen op haar kantoor te zijn, waar ze het restje koffie kon weggooien. En ze snakte ernaar om het steentje uit haar schoen te halen.

Toen ze haar laarzen uit had en de koffie in de prullenbak lag, viel ze op haar e-mail aan. Ze maakte een mailtje van Anna open.

> Ha mam,
> We willen graag uit eten, maar deze week komt het slecht uit vanwege Charlies onderzoek. Hoe zitten jullie volgende week? Op welke dagen schikt het pap en jou? Wij kunnen elke avond behalve donderdag en vrijdag.
> Anna

Ze keek naar de treiterend afwachtende, knipperende cursor op haar scherm en probeerde zich de woorden voor de geest te halen waarmee ze wilde antwoorden. Het vertalen van haar gedachten naar stemgeluid, pen of toetsenbord vergde vaak bewuste inspanning en kalme aanmoediging. En ze had weinig vertrouwen in de spelling van woorden waarvoor ze vroeger was beloond met poëzieplaatjes of een complimentje van de juf.

De telefoon ging.

'Ha mam.'

'O, mooi, ik wilde je net terugmailen.'

'Ik heb je niet gemaild.'

Alice las weifelend het bericht op haar scherm nog eens.

'Ik heb het net gelezen. Charlie heeft deze week een onderzoek...'

'Mam, ik ben het, Lydia.'

'O, wat doe jij zo vroeg uit bed?'

'Ik ben tegenwoordig altijd vroeg op. Ik wilde pap en jou gisteravond bellen, maar toen was het al te laat bij jullie. Ik heb net een ongelooflijke rol gekregen in een stuk, *Het geheugen van water*. De regisseur is fenomenaal, en er komen zes voorstellingen in mei. Ik denk dat het echt heel goed wordt, en met die regisseur zou het veel aandacht moeten krijgen. Ik hoopte dat pap en jij misschien naar een voorstelling konden komen kijken?'

Doordat Lydia's stem omhoogging en er een stilte viel, wist Alice dat het haar beurt was om iets te zeggen, maar ze kon alles wat Lydia daarnet had gezegd niet bijbenen. Telefoongesprekken stelden haar vaak voor een raadsel doordat ze het zonder de visuele aanwijzingen van degene met wie ze praatte moest stellen. Woorden vloeiden soms in elkaar over, ze kon een plotselinge verandering van onderwerp moeilijk voorzien, laat staan erop inspelen, en ze volgde veel niet. Het geschreven woord had zijn eigen moeilijkheden, maar dat kon ze verbergen, want ze hoefde niet meteen te reageren.

'Zeg het maar gewoon als je niet wilt,' zei Lydia.

'Nee, ik wil wel, maar...'

'Of als je het te druk hebt of wat dan ook. Ik wist wel dat ik pap had moeten bellen.'

'Lydia...'

'Laat maar, ik moet hangen.'

Ze verbrak de verbinding. Alice had net willen zeggen dat ze met John moest overleggen, dat ze dolgraag wilde komen als hij zich uit het lab kon losmaken, maar als hij niet kon, wilde ze niet zonder hem het hele land doorkruisen, en daar zou ze een smoes voor moeten verzinnen. Omdat ze bang was ver van huis verdwaald of verward te raken, reisde ze liever niet meer. Ze had een aanbod om in april een lezing aan Duke University te houden afgeslagen en de inschrijfformulieren voor een taalcongres dat ze elk jaar sinds haar afstuderen had bezocht in de prullenbak gegooid. Ze wilde Lydia's stuk zien, maar deze keer was ze overgeleverd aan de genade van Johns beschikbaarheid.

Met de telefoon nog in haar hand overwoog ze Lydia terug te bellen. Ze besloot van niet en hing op. Ze sloot het ongeschreven antwoord aan Anna en opende een nieuw venster om Lydia te mailen. Terwijl haar vingers als verlamd op het toetsenbord rustten, keek ze naar de knipperende cursor. De accu in haar brein was vandaag zo goed als leeg.

'Kom op,' spoorde ze zichzelf aan. Kon ze maar een paar startkabels aan haar hoofd vastmaken om zichzelf eens met een lekkere, stevige schok op gang te brengen.

Ze had vandaag geen tijd voor alzheimer. Ze moest e-mails beantwoorden, een onderzoeksvoorstel schrijven, college geven en een seminar bijwonen. En aan het eind van de dag hardlopen. Misschien zou dat haar iets helderder maken.

Alice stopte het papiertje met haar naam, adres en telefoonnummer in haar sok. Als ze zo verward raakte dat ze de weg naar huis niet meer wist, had ze waarschijnlijk ook niet meer de tegenwoordigheid van geest om zich te herinneren dat ze die nuttige informatie bij zich droeg, maar ze nam de voorzorgsmaatregel toch.

Hardlopen werkte steeds minder goed om haar gedachten te ordenen. Ze had de laatste tijd zelfs het idee dat ze fysiek achter de antwoorden op een eindeloze stroom vluchtende vragen aan rende. En hoe hard ze ook liep, ze kreeg ze nooit te pakken.

Wat moet ik doen? Ze nam haar medicijnen, sliep zes à zeven uur per nacht en klampte zich vast aan de routine van het dagelijkse leven op Harvard. Ze voelde zich een bedrieger, alsof ze zich uitgaf voor een professor zonder een voortschrijdende neurodegeneratieve ziekte, die elke dag werkte alsof er geen vuiltje aan de lucht was en het altijd zo zou blijven.

In het leven van een professor werden de prestaties of verantwoordelijkheden zelden beoordeeld. Ze hoefde geen boekhouding sluitend te krijgen, verkoopdoelen te halen of geschreven verslagen in te leveren. Er was een bepaalde marge voor fouten, maar hoe groot was die? Uiteindelijk zou ze zo slecht gaan functioneren dat het opviel en niet langer werd gedoogd. Ze wilde vóór die tijd weggaan, voordat de roddels en het medelijden begonnen, maar ze kon zelfs niet gissen wanneer dat zou zijn.

En hoewel ze bang was te lang te blijven, joeg de gedachte dat ze Harvard achter zich zou laten haar nog veel meer angst aan. Wie was ze nog als ze geen professor in de psychologie aan Harvard meer was?

Moest ze haar best doen om zoveel mogelijk tijd door te brengen met John en de kinderen? Wat zou dat in de praktijk inhouden? Bij Anna zitten terwijl die haar pleitinstructies uittikte, Tom schaduwen als hij de patiëntenronde deed, naar Lydia's acteerlessen kijken? Hoe moest ze haar kinderen vertellen dat ze een kans van vijftig procent hadden dat ze dit ook zouden moeten doormaken? Stel dat ze het haar verweten en een hekel aan haar kregen, zoals zij haar vader verwijten maakte en een hekel aan hem had?

Voor John was het nog te vroeg om te stoppen met werken. Hoe lang kon hij redelijkerwijs vrij nemen zonder zijn eigen carrière om zeep te helpen? Hoeveel tijd had ze zelf nog? Twee jaar? Twintig?

Wanneer alzheimer vroeg begon, had de ziekte doorgaans

een sneller verloop dan bij oudere patiënten, maar mensen met de vroege vorm leefden meestal jaren langer door met hun ziekte, want hun aangetaste geest huisde in een betrekkelijk jong, gezond lichaam. Ze kon besluiten vol te houden tot het bittere eind. Ze zou niet meer zelfstandig kunnen eten, niet meer kunnen praten en John en haar kinderen niet meer herkennen. Ze zou in de foetushouding opgekruld liggen en doordat ze vergat te slikken, zou ze longontsteking krijgen. En John, Anna, Tom en Lydia zouden besluiten haar geen simpele antibioticakuur te geven en diep gebukt gaan onder hun schuldgevoel omdat ze dankbaar waren dat er eindelijk iets gebeurde waaraan haar lichaam dood zou gaan.

Ze stak haar hoofd naar voren en braakte de lasagne uit die ze als lunch had gegeten. Het zou nog een paar weken duren voordat de sneeuw genoeg smolt om het weg te spoelen.

Ze wist exact waar ze was. Ze was op weg naar huis en ze stond voor de anglicaanse Allerheiligenkerk op maar een paar straten van huis. Ze wist exact waar ze was, maar ze had zich nog nooit zo reddeloos verloren gevoeld. De melodie van de kerkklokken deed haar aan de klok van haar grootouders denken. In een opwelling greep ze de ronde metalen knop op de tomaatrode deur en ging naar binnen.

Tot haar opluchting was er niemand, want ze wist niet wat ze moest zeggen als iemand vroeg wat ze kwam doen. Haar moeder was joods geweest, maar haar vader had erop gestaan dat Anne en zij katholiek werden opgevoed. Ze was dus als kind elke zondag naar de mis gegaan, had communie gedaan, gebiecht en het vormsel gekregen, maar doordat haar moeder er nooit bij betrokken was, begon Alice zich al jong af te vragen hoe geldig de katholieke overtuigingen waren. En aangezien noch haar vader, noch de Kerk haar een bevredigend antwoord bood, had ze het ware geloof nooit gevonden.

Het licht van de straatlantaarns stroomde door de gotische glas-in-loodramen naar binnen, zodat ze bijna de hele kerk kon overzien. Jezus was op alle glas-in-loodramen afgebeeld in een rood met wit gewaad, als herder of als wonderbaarlijke genezer. Op een banier rechts van het altaar stond GOD IS ONS EEN TOEVLUCHT EN STERKTE, HIJ IS KRACHTELIJK BEVONDEN EEN HULP IN BENAUWDHEDEN.

Ze kon niet dieper in de benauwdheid zitten en wilde dolgraag om hulp vragen, maar ze voelde zich een indringster, een ongelovige die geen hulp verdiende. Wie was zij om hulp te vragen aan een god van wie ze niet wist of ze er wel in geloofde, in een kerk die ze niet kende?

Ze deed haar ogen dicht, luisterde naar het sussende ruisen van de golven verkeer in de verte en probeerde haar geest open te stellen. Ze kon niet zeggen hoe lang ze op het fluwelen kussen van de bank in die kille, duistere kerk op een antwoord wachtte, maar het kwam niet. Ze bleef nog langer, in de hoop dat er een pastoor of gemeentelid zou binnenkomen en haar zou vragen wat ze kwam doen. Ze had haar verklaring nu. Maar er kwam niemand.

Ze dacht aan de kaartjes die dokter Davis en Stephanie Aaron haar hadden gegeven. Misschien moest ze met de maatschappelijk werker of de therapeut gaan praten. Misschien konden zij haar helpen. Toen viel het antwoord haar in, met een volmaakte, simpele helderheid: ga met John praten.

Toen ze door de voordeur kwam, werd ze onverhoeds belaagd.

'Waar heb jij gezeten?' vroeg John.

'Ik heb hardgelopen.'

'Al die tijd?'

'Ik ben ook in een kerk geweest.'

'Een kerk? Ik snap het niet meer, Ali. Hoor eens, je drinkt geen koffie en je gaat niet naar de kerk.'

Ze rook zijn drankadem.

'Nou, vandaag wel.'

'We zouden bij Bob en Sarah gaan eten. Ik heb moeten afbellen, wist je het niet meer?'

Eten bij hun vrienden, Bob en Sarah. Het stond in haar agenda.

'Ik ben het vergeten. Ik heb alzheimer.'

'Ik had geen flauw idee waar je was, of je niet verdwaald was. Je moet voortaan altijd je mobieltje bij je hebben.'

'Ik heb geen zakken als ik ga hardlopen.'

'Voor mijn part plak je het op je voorhoofd, maar ik wil dit niet telkens doormaken wanneer jij vergeet dat je ergens had moeten zijn.'

Ze liep achter hem aan naar de woonkamer. Hij ging op de bank zitten, pakte zijn glas en vertikte het om naar haar te kijken. Op zijn voorhoofd zaten net zulke zweetpareltjes als op zijn bedauwde glas whisky. Ze aarzelde even, ging op zijn schoot zitten, klemde haar armen om zijn schouders, zodat haar handen haar eigen ellebogen raakten en haar oor tegen het zijne drukte, en gooide het er allemaal uit.

'Het spijt me dat ik dit heb. Ik moet er niet aan denken hoeveel erger het nog gaat worden. Ik moet er niet aan denken dat ik op een dag naar je kijk, naar dit gezicht dat ik liefheb, en niet meer weet wie je bent.'

Ze volgde zijn kaaklijn, zijn kin en de vouwtjes van zijn te lang niet geoefende lachrimpeltjes met haar vingers. Ze veegde het zweet van zijn voorhoofd en de tranen uit zijn ogen.

'Als ik eraan denk, krijg ik bijna geen lucht meer, maar we moeten erover nadenken. Ik weet niet hoe lang ik je nog blijf kennen. We moeten bespreken hoe het verder moet.'

Hij hield zijn glas schuin, dronk het helemaal leeg en zoog op een ijsklontje. Toen keek hij haar aan met een angstig, bodemloos verdriet in zijn ogen dat ze nog nooit had gezien.

'Ik weet niet of ik het kan,' zei hij.

april 2004

Hoe slim ze ook waren, ze slaagden er niet in een definitief plan voor de lange termijn op te stellen. De vergelijking telde te veel onbekende factoren, en de meest cruciale was: hoe snel zal het gaan? Ze hadden zes jaar eerder samen een sabbatical genomen om *Van moleculen tot geest* te schrijven, dus ze moesten allebei nog een jaar wachten voordat ze weer een jaar konden opnemen. Zou ze het zo lang volhouden? Ze besloten voorlopig dat ze het semester uit zou dienen, zo weinig mogelijk zou reizen en de hele zomer met John op de Cape zou doorbrengen. Verder dan augustus konden ze niet denken.

Ze besloten ook het nog aan niemand te vertellen, alleen aan de kinderen. Die onvermijdelijke onthulling, het gesprek waar ze het meest tegen opzagen, zou zich die ochtend ontvouwen te midden van de bagels, vruchtensalade, Mexicaanse frittata, mimosa's en chocolade-eieren.

Ze waren al een aantal jaar niet meer samen geweest met Pasen. Anna bracht het paasweekend soms door bij Charlies ouders in Pennsylvania, Lydia was de afgelopen jaren in Los Angeles gebleven en had daarvoor in Europa gezeten en John was een paar jaar geleden op een congres in Boulder geweest. Het kostte de nodige moeite om Lydia over te halen dit jaar naar huis te komen. Ze zat midden in de repetities voor haar stuk en beweerde dat ze zich de onderbreking en de vlucht niet kon permitteren, maar John overtuigde haar ervan dat ze best twee dagen kon missen en betaalde haar vlucht.

Anna sloeg een mimosa en een bloody mary af en spoelde de karameleieren die ze als popcorn had opgeschrokt met een glas ijswater weg, maar voordat iemand kon gaan vermoeden dat ze zwanger was, begon ze aan een verhaal over haar naderende iui-behandeling.

'We zijn bij een vruchtbaarheidsspecialist in het Brigham geweest, en ze snapt er niets van. Mijn eitjes zijn gezond, ik ovuleer elke maand en Charlies sperma is prima.'

'Anna, toe, ik geloof niet dat ze benieuwd zijn naar mijn sperma,' zei Charlie.

'Nou, het is toch zo? En het is zó frustrerend. Ik heb zelfs acupunctuur geprobeerd, maar nee. Al heb ik geen last meer van migraine. We weten dus tenminste dat ik zwanger zou moeten kunnen worden. Dinsdag begin ik met de FSH-injecties en volgende week moet ik mezelf injecteren met iets wat de eitjes vrijmaakt, en dan word ik geïnsemineerd met Charlies sperma.'

'Anna…' zei Charlie.

'Nou, het is zo, en hopelijk ben ik over twee weken zwanger!'

Alice forceerde een bemoedigende glimlach en hield haar afgrijzen gevangen achter haar op elkaar geklemde kiezen. De symptomen van alzheimer openbaarden zich pas na de vruchtbare jaren, nadat het misvormde gen ongewild was doorgegeven aan de volgende generatie. Stel dat zij had geweten dat ze dit gen, dit lot, in elke cel van haar lichaam droeg? Had ze deze kinderen dan gekregen of er alles aan gedaan om hun geboorte te voorkomen? Zou ze bereid zijn geweest te gokken op de willekeur van de reductiedeling?

Haar amberkleurige ogen, Johns haviksneus en haar preseniline-1. Ze kon zich nu natuurlijk geen leven meer zonder haar kinderen voorstellen, maar had ze voordat ze ze kreeg, voordat ze die onvoorstelbare oerliefde had gevoeld, besloten dat het voor iedereen beter was om er niet aan te beginnen? Wat zou Anna besluiten?

Tom kwam binnen met verontschuldigingen voor zijn late komst, maar zonder zijn nieuwe vriendin. Gelukkig maar. Vandaag moesten ze onder elkaar zijn. En Alice wist niet meer hoe het meisje heette. Hij stevende regelrecht op de eetkamer af, alsof hij bang was dat hij het eten had gemist, en kwam toen met een grijns op zijn gezicht en een bord waarop hij van alles iets had gestapeld naar de woonkamer. Hij zakte op de bank naast Lydia, die met haar script in haar hand en haar ogen dicht geluidloos haar tekst repeteerde. Iedereen was er. Het was zover.

'Je vader en ik moeten iets belangrijks met jullie bespreken, en we wilden wachten tot jullie er alle drie waren.'

Ze keek naar John, die knikte en een kneepje in haar hand gaf.

'Ik heb al een tijdje last van vergeetachtigheid, en in januari is de diagnose vroege alzheimer gesteld.'

De pendule op de schoorsteenmantel tikte luid, alsof iemand hem harder had gezet. Zo klonk hij wanneer er niemand in huis was. Tom zat er als verstijfd bij met een vork vol frittata halverwege zijn bord en zijn mond. Ze had moeten wachten tot hij klaar was met eten.

'Weten ze zeker dat het alzheimer is? Heb je een second opinion gevraagd?' vroeg Tom.

'Ze is genetisch getest. Ze heeft de preseniline-1-mutatie,' zei John.

'Is die autosomaal dominant?' vroeg Tom.

'Ja.'

Hij zei meer tegen zijn zoon, maar alleen met zijn ogen.

'Wat houdt dat in? Pap, wat heb je hem zojuist verteld?' vroeg Anna.

'Het houdt in dat wij vijftig procent kans hebben om de ziekte van Alzheimer te krijgen,' zei Tom.

'En mijn kindje?'

'Je bent nog niet eens zwanger,' zei Lydia.

'Anna, als jij de mutatie hebt, geldt hetzelfde voor jouw kinderen. Elk kind dat je krijgt, heeft ook weer vijftig procent kans om de ziekte te erven,' zei Alice.

'Wat moeten we nu doen? Moeten we ons laten testen?' vroeg Anna.

'Dat kan,' zei Alice.

'O, mijn god, en als ik het dan heb? Dan kan mijn kind het ook krijgen,' zei Anna.

'Tegen de tijd dat het zover is, is er waarschijnlijk wel een geneesmiddel,' zei Tom.

'Maar niet op tijd voor ons, bedoel je dat? Met mijn kinderen komt het wel in orde, maar ik word een herriloze zombie?'

'Anna, zo kan hij wel weer!' viel John uit.

Hij liep rood aan en klemde zijn kaken op elkaar. Tien jaar eerder had hij Anna nog naar haar kamer gestuurd, maar nu kneep hij hard in Alice' hand en wipte met zijn ene been op en neer. Hij stond in heel veel opzichten machteloos.

'Het spijt me,' zei Anna.

'Hoogstwaarschijnlijk is er tegen de tijd dat jullie zo oud zijn als ik een preventieve behandeling. Dat is een van de redenen om uit te zoeken of je de mutatie hebt. Zo ja, dan kun je ruim voordat je symptomen krijgt aan de medicijnen en hopelijk word je dan nooit ziek,' zei Alice.

'Mam, wat voor behandeling is er nu, voor jou?' vroeg Lydia.

'Tja, ik krijg antioxidanten, vitamines, aspirine, een cholesterolverlagend middel en twee medicijnen die op mijn neurotransmitters inwerken.'

'Kun je daarmee voorkomen dat de alzheimer erger wordt?' vroeg Lydia.

'Misschien, een tijdje, ze weten het eigenlijk niet goed.'

'Hoe zit het met de experimentele medicijnen?' vroeg Tom.

'Ik ben het aan het uitzoeken,' zei John.

John had contact gezocht met medisch specialisten en wetenschappers in Boston die onderzoek deden naar de moleculaire etiologie van alzheimer om te horen hoe zij dachten over de betrekkelijke belofte van de behandelingen die nog in de onderzoeksfase verkeerden. John was kankercelbioloog, geen neurowetenschapper, maar hij kon de overstap naar moleculaire misdadigers die op hol sloegen in een ander organisme moeiteloos maken. De taal was hetzelfde: binding aan receptoren, fosforylering, transcriptionele regulatie, met clathrine gecoate blaasjes, secretases. Dat John een Harvard-man was, werkte als het lidmaatschap van een hoogst exclusieve club: hij kon in contact komen met de meest vooraanstaande leiders van het onderzoek naar alzheimer in Boston en op voet van gelijkheid met hen verkeren. Als er een betere behandeling bestond of in het vat zat, zou John die voor Alice vinden.

'Maar mam, je lijkt helemaal niet ziek. Je moet er snel bij zijn geweest. Ik had nooit gemerkt dat er iets met je is,' merkte Tom op.

'Ik wist het wel,' zei Lydia. 'Niet dat ze alzheimer had, maar wel dat er iets aan de hand was.'

'Hoe dan?' vroeg Anna.

'Soms kraamt ze onzin uit aan de telefoon, en ze herhaalt zichzelf vaak. Of ze is al vergeten wat ik vijf minuten eerder heb gezegd. En met Kerstmis wist ze niet meer hoe ze de pudding moest maken.'

'Hoe lang vallen die dingen je al op?' vroeg John.

'Al minstens een jaar.'

Alice had zelf de eerste verschijnselen minder lang geleden

opgemerkt, maar ze geloofde Lydia. En ze voelde Johns vernedering.

'Ik moet weten of ik het ook heb. Ik wil me laten testen, jullie niet?' zei Anna.

'Ik denk dat een leven in angstige onwetendheid erger voor me zou zijn dan het wel weten, ook als ik het heb,' zei Tom.

Lydia deed haar ogen dicht. Iedereen wachtte af. Alice kwam op het absurde idee dat ze óf weer aan het repeteren was, of in slaap was gevallen. Na een onbehaaglijke stilte deed ze haar ogen open en gaf haar mening.

'Ik hoef het niet te weten.'

Lydia deed alles altijd anders.

Het was vreemd stil in William James Hall. Het gebruikelijke geroezemoes van studenten op de gangen – vragen, gekibbel, gelach, klachten, opschepperij en geflirt – ontbrak nu. Na de paasvakantie leken de studenten zich altijd plotseling in hun kamers en bibliotheeknissen terug te trekken, maar zover was het nog niet. Een groot deel van de studenten cognitieve psychologie zou een hele dag naar Charlestown gaan om functionele MRI-onderzoeken bij te wonen. Misschien was dat vandaag.

Wat de reden voor de stilte ook was, Alice greep haar kans om ongestoord bergen werk te verzetten. Ze had op weg naar haar kantoor geen tussenstop bij Jerri's gemaakt, waar ze nu spijt van had. Ze kon de cafeïne goed gebruiken. Ze las de artikelen in het nieuwe *Linguistics Journal* door, maakte de nieuwe versie van het eindtentamen Motivatie en Emotie en beantwoordde alle e-mails die ze had verwaarloosd. En allemaal zonder dat de telefoon rinkelde of er op haar deur werd geklopt.

Ze was al thuis toen het tot haar doordrong dat ze was vergeten naar Jerri's te gaan. Ze had nog steeds zin in die thee. Ze liep naar de keuken en zette water op. Volgens de klok op de magnetron was het 04.22 uur.

Ze keek door het raam. Ze zag duisternis en haar eigen spiegelbeeld in het glas. Ze had haar nachtpon aan.

Ha mam,
De iui is mislukt. Ik ben niet zwanger. Ik vind het minder erg dan ik had gedacht (en Charlie lijkt bijna opgelucht). Laten we hopen dat mijn andere test ook negatief uitvalt. Die afspraak is morgen. Daarna komen Tom en ik langs om pap en jou de uitslag te vertellen.
Liefs,
Anna

De kans dat ze allebei negatief waren, zakte van onwaarschijnlijk tot vrijwel nihil toen ze een uur na de tijd waarop Alice hen verwachtte nog niet waren komen opdagen. Als ze allebei negatief waren, zou het gesprek neerkomen op 'jullie zijn allebei in orde', 'dank u wel' en dat was dat. Misschien was Stephanie te laat gekomen. Misschien hadden Anna en Tom veel langer in de wachtkamer gezeten dan Alice zich had voorgesteld.

Toen ze eindelijk binnenkwamen, zakte de kans van vrijwel nihil tot onmeetbaar klein. Als ze allebei negatief waren, hadden ze dat er gewoon uitgeflapt of had het uitbundig en triomfantelijk van hun gezichten gestraald. In plaats daarvan stopten ze wat ze wisten achter een masker, alsof ze 'het leven hiervoor' zo lang mogelijk wilden rekken, de tijd voordat ze de verschrikkelijke informatie die ze zo duidelijk met zich meedroegen moesten prijsgeven.

Ze gingen naast elkaar op de bank zitten, Tom links en Anna rechts, zoals ze als kind ook op de achterbank van de auto hadden gezeten. Tom was linkshandig en zat graag bij het raam, en Anna vond het niet erg om in het midden te zitten. Ze zaten nu dichter bij elkaar dan ze toen ooit hadden gewild, en toen Tom Anna's hand pakte, krijste ze niet: 'Mammie, Tommy zit aan me!'

'Ik heb de mutatie niet,' zei Tom.

'Maar ik wel,' zei Anna.

Alice herinnerde zich hoe gezegend ze zich na de geboorte van Tom had gevoeld: ze had een jongen en een meisje, van allebei één, het ideaal. Zesentwintig jaar later was die zegen omgeslagen in een vloek. Alice' façade van gelaten moederlijke kracht stortte in en ze barstte in huilen uit.

'Het spijt me,' zei ze.

'Het komt wel goed, mam, ze vinden wel een preventieve behandeling uit, zoals je al zei,' zei Anna.

Toen Alice er later aan terugdacht, vond ze het de omgekeerde wereld: Anna was, althans op het oog, de sterkste geweest en had háár getroost. Toch keek ze er niet van op. Anna was het kind dat het meest op haar moeder leek. Ze had Alice' haar, teint en temperament. En haar moeders preseniline-1.

'Ik ga door met de ivf. Ik heb mijn arts al gesproken en ze gaan de embryo's genetisch screenen voordat ze ze implanteren. Ze testen een cel van elk embryo op de mutatie en implanteren alleen mutatievrije embryo's, zodat we zeker weten dat mijn kinderen het nooit zullen krijgen.'

Het was een tastbaar stukje goed nieuws, maar terwijl de anderen ervan smulden, kreeg het voor Alice een bittere bijsmaak. Hoe ze het zichzelf ook kwalijk nam, ze was jaloers op Anna, die kon doen wat Alice niet had gekund: haar kinderen behoeden voor het kwaad. Anna zou nooit tegenover haar eerstgeboren dochter hoeven zitten en zien hoe ze worstelde met het idee dat ze op een dag alzheimer zou krijgen. Had ze zelf die vorderingen in de voortplantingsgeneeskunde maar tot haar beschikking gehad. Alleen was het embryo dat zich had ontwikkeld tot Anna dan afgekeurd.

Volgens Stephanie Aaron was alles goed met Tom, maar zo zag hij er niet uit. Hij zag er bleek uit, geschokt, kwetsbaar. Alice had verwacht dat een negatieve uitslag een opluchting zonder meer zou zijn, maar ze waren familie, verbonden door hun verleden, DNA en liefde. Anna was zijn grote zus. Ze had hem geleerd met kauwgom te klappen en bellen te blazen, en ze had hem altijd het snoep gegeven dat ze met Halloween ophaalde.

'Wie gaat het aan Lydia vertellen?' vroeg Tom.

'Ik,' zei Anna.

mei 2004

Alice had in de week nadat ze haar diagnose had gekregen voor het eerst overwogen een kijkje te nemen, maar ze had het niet gedaan. Gelukskoekjes, horoscopen, tarotkaarten en verpleeghuizen konden haar niet boeien, en hoewel haar toekomst met de dag dichterbij kwam, stond ze niet te popelen om er een glimp van op te vangen. Er was die dag niets bijzonders gebeurd dat haar nieuwsgierigheid had gewekt of haar de moed had gegeven om in verpleeghuis Mount Auburn te gaan kijken, maar ze deed het.

De hal boezemde haar geen ontzag in. Aan de muur hing een aquarel van een zeegezicht, op de vloer lag een verschoten oosters tapijt, en een vrouw met zwaar opgemaakte ogen en kort, dropzwart haar zat achter een balie schuin tegenover de ingang. Je zou bijna kunnen denken dat het de lobby van een hotel was, maar de zwakke medicinale geur, het ontbreken van koffers, een piccolo en drukte in het algemeen weerspraken die veronderstelling. De mensen die hier zaten, waren bewoners, geen logés.

'Kan ik iets voor u doen?' vroeg de vrouw.

'Eh, ja. Zitten hier ook alzheimerpatiënten?'

'Ja, we hebben een speciale afdeling voor mensen met alzheimer. Wilt u een kijkje nemen?'

'Ja.'

Ze liep met de vrouw mee naar de liften.

'Is het voor een van uw ouders?'

'Ja,' jokte Alice.

Ze wachtten. De liften waren, net als de meeste mensen die ze vervoerden, oud en reageerden traag.

'Wat een mooie ketting,' zei de vrouw.

'Dank u.'

Alice legde haar vingers op haar borstbeen en wreef over de blauwe glassteentjes op de vlindervleugels van de jugendstilketting die nog van haar moeder was geweest. Die had hem alleen op haar verjaardag en naar trouwerijen gedragen, en Alice had hem ook altijd voor speciale gelegenheden bewaard. Er stonden echter geen plechtigheden in haar agenda en ze was dol op die ketting, dus had ze hem een maand eerder eens gecombineerd met een spijkerbroek en een T-shirt. Het had er perfect uitgezien.

Ze werd ook graag aan vlinders herinnerd. Ze wist nog dat ze als zes- of zevenjarige in snikken was uitgebarsten toen ze hoorde dat de vlinders in hun tuin maar een paar dagen leefden. Haar moeder had haar getroost en gezegd dat ze niet verdrietig moest zijn om de vlinders, dat hun leven misschien kort was, maar daarom nog niet droevig. Terwijl ze de vlinders in de warme zon tussen de margrieten zagen fladderen, had haar moeder tegen haar gezegd: 'Zie je wel, ze hebben een heerlijk leven.' Daar dacht Alice graag aan.

Ze stapten op de tweede verdieping uit, liepen over de vloerbedekking van een lange gang door een dubbele deur zonder opschrift en bleven staan. De vrouw wees naar de deuren, die zich automatisch achter hen sloten.

'De afdeling voor alzheimerpatiënten is afgesloten, dus je moet een code hebben om door deze deuren te komen.'

Alice keek naar het paneeltje naast de deur. De cijfers stonden ondersteboven en van rechts naar links. 'Waarom staan die cijfers zo?' vroeg ze.

'O, om te voorkomen dat de bewoners de code afkijken en uit hun hoofd leren.'

Het leek een nodeloze voorzorgsmaatregel. *Als ze de code uit hun hoofd kunnen leren, hebben ze hier toch niets te zoeken?*

'Ik weet niet of u het al met uw vader of moeder hebt meegemaakt, maar dwalen en nachtelijke rusteloosheid komen vaak voor bij mensen met alzheimer. Op onze afdeling kunnen de bewoners dag en nacht rondzwerven, maar dan veilig en zonder te verdwalen. We geven ze geen slaapmiddelen en sluiten ze niet in hun kamer op. We proberen ervoor te zorgen dat ze hun vrijheid en zelfstandigheid zoveel mogelijk kunnen behouden. We weten dat dat belangrijk is voor hen en hun familie.'

Een kleine vrouw met wit haar in een roze met groen gebloemde ochtendjas sprak Alice aan. 'Jij bent mijn dochter niet.'

'Nee, het spijt me.'

'Geef me mijn geld terug!'

'Ze heeft je geld niet, Evelyn. Je geld ligt op je kamer. Kijk maar eens in de bovenste la van je toilettafel, volgens mij heb je het daar verstopt.'

De vrouw keek Alice wantrouwig en afkeurend aan, maar volgde toen het deskundige advies op en slofte op haar groezelige pantoffels van witte badstof terug naar haar kamer.

'Ze heeft een biljet van twintig dollar dat ze telkens verstopt uit angst dat iemand het zal stelen. Vervolgens vergeet ze natuurlijk waar ze het heeft gelaten en beschuldigt iedereen van diefstal. We hebben geprobeerd haar over te halen het uit te geven of op de bank te zetten, maar dat weigert ze. Op een gegeven moment vergeet ze dat ze het heeft en dan is het klaar.'

Ze liepen ongehinderd door Evelyns paranoïde ondervragingen door naar een gezamenlijke ruimte aan het eind van de gang, waar oudere mensen aan ronde tafels zaten te lunchen. Toen Alice nog eens goed keek, zag ze dat het vrijwel alleen vrouwen waren.

'Zijn er maar drie mannen?'

'In feite zijn er maar twee mannen op tweeëndertig bewoners. Harold komt hier elke dag naartoe om samen met zijn vrouw te eten.'

De twee mannen met de ziekte van Alzheimer waren misschien weer vies van meisjes, net als in hun kindertijd, want ze zaten samen aan een tafel, afgezonderd van de vrouwen. De ruimte tussen de tafels werd in beslag genomen door rollators. Veel vrouwen zaten in een rolstoel. Ze hadden bijna allemaal dun geworden, wit haar en ingevallen ogen die vergroot werden door dikke brillenglazen, en ze aten allemaal als in een vertraagd afgespeelde film. Er was geen sprake van gezelligheid, geen gesprekjes, zelfs niet tussen Harold en zijn vrouw. Het enige geluid, afgezien van de etensgeluiden, was afkomstig van een vrouw die zong onder het eten. Haar innerlijke naald landde telkens op hetzelfde couplet van 'Spring maar achterop'. Niemand maakte bezwaar of applaudisseerde.

Mijn achterband is wel wat zacht
Maar 't geeft niet lieve pop
Spring maar achterop, spring maar achterop
Spring maar achterop!

'Zoals u misschien al had geraden, is dit de eetzaal en activiteitenruimte. De bewoners gebruiken hier elke dag op dezelfde tijd het ontbijt, de lunch en de avondmaaltijd. Een voorspelbaar dagritme is belangrijk. Hier worden ook de activiteiten georganiseerd. Kegelen, sjoelen, Trivial Pursuit, dansen, muziek en handenarbeid. Die snoezige vogelhuisjes hebben ze vanochtend gemaakt. En er komt elke dag iemand de krant voorlezen om de bewoners op de hoogte te houden van de actualiteit.'

Mijn achterband is wel wat zacht
Maar 't geeft niet lieve pop

'De bewoners hebben mogelijkheden te over om hun lichaam en geest bezig te houden en te verrijken.'

Spring maar achterop, spring maar achterop
Spring maar achterop!

'En familie en vrienden zijn altijd welkom als ze willen deelnemen aan de activiteiten of met hun dierbare willen mee-eten.'

Afgezien van Harold zag ze geen mensen die een dierbare kwamen opzoeken. Geen andere echtgenoten, geen echtgenotes, geen kinderen of kleinkinderen, geen vrienden.

'We hebben ook zeer kundig medisch personeel, mocht een van onze bewoners extra zorg behoeven.'

Mijn achterband is wel wat zacht

'Zijn er ook bewoners van onder de zestig?'

'O, nee, ik geloof dat de jongste zeventig is. Het gemiddelde ligt rond de twee-, drieëntachtig. Het komt zelden voor dat iemand van onder de zestig alzheimer krijgt.'

Er staat zo iemand voor je neus, dame.

Maar 't geeft niet lieve pop

'Wat kost dit allemaal?'

'Ik kan u straks een informatiepakket meegeven, maar met ingang van januari kost de afdeling voor alzheimerpatiënten 258 dollar per dag.'

Ze maakte de som. Rond de honderdduizend dollar per jaar. En dat met vijf, tien of twintig vermenigvuldigd.

'Hebt u verder nog vragen?'

Mijn achterband is wel wat zacht

'Nee, dank u.'
Ze liep met haar gids mee terug naar de afgesloten dubbele deur en zag haar de code invoeren.
0791925
Ze had hier niets te zoeken.

Het was een van die zeldzame dagen in Cambridge, zo'n mythische dag waar New Englanders van droomden, hoewel ze elk jaar weer begonnen te twijfelen of die droom wel echt kon bestaan: een zonnige lentedag met een temperatuur van drieëntwintig graden. Zo'n lentedag met een kleurkrijtblauwe hemel waarop je eindelijk zonder jas naar buiten kon. Een dag om niet in een werkkamer te verdoen, zeker niet als je alzheimer had.

Alice sloeg een zijstraat van de Yard in en liep een Ben & Jerry's binnen, zo opgewonden als een tiener die van school spijbelt.

'Een hoorntje met drie bolletjes pindakaas- en chocolade-ijs, alstublieft.'

Wat maakt het uit? Ik slik Lipitor.

Ze nam de reusachtige, zware ijshoorn aan alsof het een Oscar was, betaalde met een briefje van vijf, gooide het wisselgeld in het potje 'studiefonds' en liep door naar de rivier.

Ze was jaren geleden van roomijs overgestapt op yoghurtijs omdat het een gezonder alternatief zou zijn, en ze was vergeten hoe dik, romig en ongelooflijk lekker echt ijs was. Al likkend en lopend dacht ze na over wat ze daarnet in verpleeghuis Mount Auburn had gezien. Ze moest een beter plan hebben, eentje zonder sjoelen met Evelyn op de afdeling alzheimerpatiënten. Een plan dat niet inhield dat John een fortuin moest neertellen om een vrouw die hem niet meer herkende veilig en in leven te houden, terwijl hij die vrouw op de punten die er echt toe deden ook niet meer herkende. Ze wilde er niet meer zijn tegen de tijd dat de lasten, zowel emotioneel als financieel, belachelijk veel zwaarder wogen dan de eventuele voordelen van in leven blijven.

Ze maakte vergissingen en moest zich tot het uiterste inspannen om ze goed te maken, maar ze wist zeker dat haar IQ nog altijd minstens een standaarddeviatie boven het gemiddelde uitstak. En mensen met een normaal IQ pleegden geen zelfmoord. Nou ja, sommige mensen wel, maar niet vanwege hun intelligentie.

Hoewel haar geheugen steeds verder werd aangetast, bewees haar brein haar nog altijd op talloze manieren goede diensten. Zo at ze op dit moment bijvoorbeeld een ijsje zonder iets van het hoorntje op haar hand te morsen door middel van een lik-en-draaitechniek die ze zich als kind eigen had gemaakt en die waarschijnlijk ergens in de buurt van informatie als 'hoe moet ik fietsen' en 'hoe strik ik een veter' was opgeslagen. Intussen stapte ze van de stoep en stak de straat over: haar motorische cortex en kleine hersenen losten de ingewikkelde wiskundige vergelijkingen op die nodig waren om haar lichaam naar de overkant te krijgen zonder dat ze viel of door een naderende auto werd aangereden. Ze herkende de zoete geur van narcissen en een vleug curry uit het Indiase restaurant op de hoek. Bij elke lik die ze nam, genoot ze van de heerlijke smaak van chocola en pindakaas, wat bewees dat de genotscentra in haar hersenen, die ook onmisbaar waren om van seks of een goede fles wijn te genieten, nog werden geactiveerd.

Op een gegeven moment zou ze echter vergeten hoe je een ijshoorntje at, hoe ze haar veters moest strikken en hoe ze

moest lopen. Op een gegeven moment zouden haar genots-
neuronen worden aangetast door de niet-aflatende aanvallen
van zich ophopende amyloïden en dan zou ze niet meer kunnen genieten van de dingen waar ze van hield. Op een gegeven moment zou het domweg geen zin meer hebben.

Ze had nog liever kanker gehad. Ze wilde de alzheimer zó
voor kanker verruilen. Ze schaamde zich voor die gedachte
en er viel sowieso niet over te onderhandelen, maar toch
stond ze zichzelf de fantasie toe. Als ze kanker had, kon ze
tenminste tegen iets vechten. Je had operaties, bestraling en
chemotherapie. Ze zou een kans hebben om te winnen. Haar
familie en de Harvard-gemeenschap zouden haar strijd steunen en die nobel vinden. En zelfs als ze uiteindelijk werd verslagen, zou ze iedereen in de ogen kunnen kijken en bewust
afscheid kunnen nemen voordat ze ging.

De ziekte van Alzheimer was een heel ander soort monster.
Er bestonden geen wapens om het te verslaan. Het slikken
van Aricept en Namenda voelde als het richten van een paar
lekkende waterpistooltjes op een vlammenzee. John bleef
zich verdiepen in experimentele medicijnen, maar ze betwijfelde of die echt verschil voor haar konden maken, anders
had hij dokter Davis al gebeld en geëist dat hij zorgde dat zij
ze ook kreeg. Iedereen met alzheimer stond nu nog hetzelfde
lot te wachten, of een patiënt nu tweeëntachtig of vijftig was,
of hij of zij nu in verpleeghuis Mount Auburn was ondergebracht of een volledige aanstelling als professor in de psychologie aan Harvard had. Het laaiende vuur verteerde iedereen.
Niemand kwam er levend uit.

En waar een kaal hoofd en een roze lint als een blijk van
moed en hoop werden gezien, zouden haar haperende woor-
denschat en verdwijnende herinnering getuigen van labiliteit
en naderende krankzinnigheid. Wie kanker had, kon rekenen op steun uit de gemeenschap, maar Alice rekende erop
dat ze een paria zou worden. Zelfs goedbedoelende, hoogop-

geleide mensen hadden de neiging met een angstige boog om geesteszieken heen te lopen. Ze wilde niet iemand worden die door anderen werd gevreesd en gemeden.

Als ze zich erbij neerlegde dat ze inderdaad alzheimer had, dat er maar twee, onaanvaardbaar ondoeltreffende medicijnen waren om de ziekte te behandelen en dat ze het allemaal niet kon inruilen voor een andere, wel behandelbare ziekte, wat wilde ze dan? Ervan uitgaande dat de ivf-behandeling lukte, wilde ze blijven leven, Anna's baby vasthouden en beseffen dat het haar kleinkind was. Ze wilde Lydia zien acteren in een stuk waar ze trots op was. Ze wilde meemaken dat Tom echt verliefd werd. Ze wilde nog één sabbatical met John. Ze wilde elk boek lezen dat ze te pakken kon krijgen voordat ze niet meer kon lezen.

Ze schoot in de lach, verbaasd over wat ze zichzelf zojuist had onthuld. Er stond nergens iets op die verlanglijst over linguïstiek, doceren of Harvard. Ze at het puntje van haar ijshoorn op. Ze wilde meer zonnige, warme dagen en ijshoorntjes.

En wanneer de last van haar ziekte zwaarder ging wegen dan het genoegen van dat ijsje, wilde ze dood. Maar zou ze letterlijk de tegenwoordigheid van geest hebben om te zien wanneer de twee lijnen elkaar kruisten? Ze was bang dat haar toekomstige zelf niet in staat zou zijn zich zo'n plan te herinneren en het ten uitvoer te brengen. De hulp van John of een van haar kinderen inroepen was ondenkbaar. Ze zou hen nooit in die positie willen plaatsen.

Ze moest een plan bedenken dat haar toekomstige zelf aanzette tot een zelfmoord die ze nu zou regelen. Ze zou een eenvoudige test opstellen, eentje die ze zichzelf elke dag kon afnemen. Ze dacht aan de vragen die dokter Davis en de neuropsycholoog haar hadden gesteld, de vragen die ze afgelopen december al niet meer allemaal had kunnen beantwoorden. Ze dacht aan wat ze nog wilde. Ze hoefde voor geen van haar wensen een intellectueel genie te zijn. Ze was bereid door te leven met een paar gapende gaten in haar geheugen.

Ze pakte haar BlackBerry uit haar lichtblauwe Anna Williams-tas, een verjaardagscadeau van Lydia. Ze hing dagelijks de riem over haar schouder en de tas op haar rechterheup. Het was een onmisbaar accessoire geworden, net als haar platina trouwring en haar hardloophorloge. De tas stond prachtig bij haar vlinderketting. Ze bewaarde haar mobieltje, haar BlackBerry en haar sleutels erin. Ze deed hem alleen af als ze ging slapen.

Ze tikte:

Alice, beantwoord de volgende vragen:
1. Welke maand is het?
2. Waar woon je?
3. Waar werk je?
4. Wanneer is Anna jarig?
5. Hoeveel kinderen heb je?

Als je een van deze vragen niet kunt beantwoorden, ga dan naar het bestand met de naam Vlinder op je computer en volg de aanwijzingen die je daar vindt onmiddellijk op.

Ze stelde de BlackBerry zo in dat hij elke ochtend om acht uur trilde met de vragenlijst, zonder einddatum. Ze besefte dat er veel haken en ogen aan het plan zaten, dat het absoluut niet voor honderd procent betrouwbaar was. Ze kon alleen maar hopen dat ze Vlinder opende voordat ze zichzélf niet meer kon vertrouwen.

Ze rende zo ongeveer naar de collegezaal in de angstige zekerheid dat ze te laat was, maar toen ze aankwam, waren ze nog niet zonder haar begonnen. Ze ging op de vierde rij aan het gangpad zitten, links van het midden. Er druppelden nog een paar studenten door de deuren achter in de zaal naar binnen, maar verder zat iedereen klaar. Ze keek op haar horloge. Vijf over tien. De wandklok gaf hetzelfde aan. Dit was hoogst ongebruikelijk. Ze hield zichzelf bezig. Ze nam de syllabus door en las haar aantekeningen van het vorige college snel over. Ze maakte een Te Doen-lijstje voor de rest van de dag:

Practicum
Seminar
Hardlopen
Studeren voor eindtentamen

Het was tien over tien. Ze tikte met haar pen op de maat van 'My Sharona'.

De studenten werden ongedurig. Ze keken in hun notities en naar de wandklok, ze bladerden in studieboeken en sloegen ze weer dicht, ze startten laptops, klikten en typten. Ze dronken hun koffie op. Ze knisperden met de verpakking van snoeprepen, chips en andere snacks die ze opaten. Ze knaagden op pennendoppen en nagels. Ze draaiden zich om naar de achterkant van de zaal, leunden naar voren om te overleggen met vrienden in andere rijen, trokken hun wenkbrauwen op en schokschouderden. Ze fluisterden en giechelden.

'Misschien komt er een gastdocent,' zei een meisje een paar rijen achter Alice.

Alice keek weer in haar syllabus Motivatie en Emotie. Dinsdag 4 mei: *Stress, machteloosheid en controle* (hoofdstuk 12 en 14). Er stond niets over een gastdocent. De sfeer in de zaal sloeg om van verwachtingsvol in ontevreden en rumoerig. De studenten waren net maïskorrels op een hete bakplaat. Zodra de eerste was geploft, plofte de rest ook, maar niemand wist wie de eerste zou zijn, en wanneer. Volgens de regels moesten de studenten twintig minuten op een verlate docent wachten voordat het college officieel niet meer doorging. Alice, die niet bang was om het voortouw te nemen, sloeg haar dictaat dicht, schroefde de dop op haar vulpen en stopte alles in haar tas. Het was negen voor halfelf. Ze had lang genoeg gewacht.

Toen ze zich omdraaide om de zaal uit te lopen, keek ze naar de vier meisjes die achter haar zaten. Ze keken allemaal glimlachend naar haar op; waarschijnlijk waren ze blij dat zij de druk van de ketel haalde en de rest bevrijdde. Ze hief haar pols en liet zien hoe laat het was; haar onweerlegbare bewijs.

'Ik weet niet hoe het met jullie zit, maar ik heb wel wat beters te doen.'

Ze liep de trap op, verliet de zaal door de deuren achterin en keek niet één keer om.

Ze zat in haar werkkamer en keek naar het blinkende spitsverkeer dat over Memorial Drive kroop. Er trilde iets op haar heup. Het was acht uur. Ze pakte haar BlackBerry uit haar lichtblauwe Anna Williams-tas, een verjaardagscadeau van Lydia.

Alice, beantwoord de volgende vragen:
1. Welke maand is het?
2. Waar woon je?
3. Waar werk je?
4. Wanneer is Anna jarig?
5. Hoeveel kinderen heb je?

Als je een van deze vragen niet kunt beantwoorden, ga dan naar het bestand met de naam Vlinder op je computer en volg de aanwijzingen die je daar vindt onmiddellijk op.

Mei
Poplar Street 34, Cambridge, MA 02138
William James Hall, kamer 1002
14 september 1977
Drie

juni 2004

Een onmiskenbaar oudere vrouw met knalroze nagels en lippen kietelde een meisje van een jaar of vijf, waarschijnlijk haar kleindochter. Ze leken zich allebei kostelijk te vermaken. Er stond bij: DE BESTE BUIKKRIEBELAAR GEBRUIKT HET BESTE MEDICIJN TEGEN ALZHEIMER. Alice had in het nummer van *Boston Medicine* zitten bladeren, maar kon niet verder komen dan deze bladzij. De haat jegens die vrouw en die advertentie vulde haar als kokende olie. *Aricept kan de voortschrijding van symptomen van alzheimer, zoals geheugenverlies, helpen vertragen. Wij helpen mensen langer zichzelf te blijven.* Ze keek naar de foto en de woorden en wachtte tot haar gedachten haar intuïtie hadden ingehaald, maar voordat ze erachter was waarom ze zich de reclame zo persoonlijk aantrok, kwam dokter Moyer uit haar spreekkamer tevoorschijn.

'Zo, Alice, ik heb begrepen dat je slaapproblemen hebt. Vertel eens?'

'Ik lig meer dan een uur wakker en meestal word ik na een paar uur alweer wakker en dan begint het van voren af aan.'

'Heb je last van opvliegers of andere ongemakken voor het slapengaan?'

'Nee.'

'Wat voor medicijnen gebruik je?'

'Aricept, Namenda, Lipitor, vitamine C en E en aspirine.'

'Tja, slapeloosheid kan een bijwerking van Aricept zijn.'

'Mij best, maar ik wil niet met de Aricept stoppen.'

'Wat doe je wanneer je niet in slaap kunt komen?'

'Ik lig vooral te tobben. Ik weet dat het nog veel erger gaat worden, maar ik weet niet wanneer en ik ben bang dat ik de volgende ochtend wakker word en niet meer weet waar ik ben, wie ik ben of wat ik doe. Ik weet dat het nergens op slaat, maar ik heb het idee dat de alzheimer mijn hersencellen alleen kan vermoorden als ik slaap, en dat ik zolang ik maar wakker blijf en de wacht hou, zeg maar, alles hetzelfde zal blijven.

Ik weet dat ik wakker lig van het piekeren, maar ik kan er niets aan doen. Als ik niet kan slapen, begin ik te piekeren, en dan kan ik weer niet slapen van het piekeren. Als ik het erover heb, word ik al doodmoe.'

Slechts een deel van wat ze zei was waar. Ze tobde wel, maar ze sliep als een roos.

'Word je overdag ook weleens door die angsten overvallen?' vroeg dokter Moyer.

'Nee.'

'Ik kan je een SSRI voorschrijven.'

'Ik hoef geen antidepressivum. Ik ben niet depressief.'

Eigenlijk zou ze best een beetje depressief kunnen zijn. Ze had te horen gekregen dat ze een ongeneeslijke, dodelijke ziekte had. Haar dochter ook. Ze reisde bijna niet meer, haar ooit zo dynamische colleges waren ondraaglijk saai geworden en de zeldzame keren dat John bij haar thuis was, leek hij kilometers ver weg. Dus ja, ze voelde zich een beetje triest, maar dat leek een normale reactie, gezien de situatie, en geen reden om nóg een medicijn met nóg meer bijwerkingen aan haar dagelijkse portie toe te voegen. En ze was voor iets anders gekomen.

'We kunnen Restoril proberen, een inslaapmiddel. Dan val je snel in slaap en kun je zes uur doorslapen, zonder 's ochtends suf wakker te worden.'

'Ik wil graag iets sterkers.'

Het bleef lang stil.

'Ik wil dat je een nieuwe afspraak maakt, samen met je man, dan kunnen we overleggen of je iets sterkers nodig hebt.'

'Mijn man heeft er niets mee te maken. Ik ben niet depressief en ik ben niet wanhopig. Ik weet heel goed wat ik vraag, Tamara.'

Dokter Moyer nam Alice aandachtig op. Alice keek net zo onderzoekend terug. Ze waren allebei boven de veertig, nog niet oud, en ze waren allebei getrouwde, hoogopgeleide werkende vrouwen. Alice wist niet wat voor beleid haar arts erop na hield. Als het moest, ging ze naar een ander. Haar dementie zou verergeren. Als ze nog langer wachtte, liep ze het risico het te vergeten.

Ze had het verdere verloop van het gesprek gerepeteerd, maar het was niet nodig. Dokter Moyer pakte haar receptenboekje en begon te schrijven.

Ze was weer in dat kleine testkamertje met Sarah Huppeldepup, de neuropsycholoog. Ze had zich net weer aan Alice voorgesteld, maar Alice was haar achternaam prompt vergeten. Geen goed voorteken. De kamer daarentegen was nog precies zoals ze zich herinnerde van december: benauwd, steriel en onpersoonlijk. Er stonden een bureau met een iMac erop, twee kantinestoelen en een metalen archiefkast. Verder niets. Geen ramen, geen planten, geen foto's of een kalender aan de wanden of op het bureau. Geen afleiding, geen mogelijke aanwijzingen, niets dat tot een toevallige associatie kon leiden.

Sarah Huppeldepup begon met de MMSE, een test om de

werking van het geheugen en de concentratie na te gaan.

'Alice, wat is de datum van vandaag?'

'7 juni 2004.'

'En welke tijd van het jaar is het?'

'Voorjaar, maar het voelt alsof het al zomer is.'

'Ja, het is warm buiten. En waar zijn we nu?'

In een mentaal minihokje.

'Op de afdeling Geheugenstoornissen van het Massachusetts General Hospital in Boston.'

'Kun je drie dingen op dit plaatje opnoemen?'

'Een boek, een telefoon en een paard.'

'En wat heb ik in mijn hand?'

'Een potlood.'

'En om mijn pols?'

'Een horloge.'

'Kun je "water" achterstevoren voor me spellen?'

'R, E, T, A, W.'

'En wil je dit herhalen: geen als, en of maar.'

'Geen als, en of maar.'

'Wil je je hand optillen, je ogen sluiten en je mond opendoen?'

Ze deed het.

'Alice, welke drie voorwerpen heb je daarnet op het plaatje gezien?'

'Een paard, een telefoon en een boek.'

'Heel goed, en kun je dit natekenen?'

Weer die in elkaar grijpende vijfhoeken. Ze tekende ze na.

'En wil je nu een zin voor me opschrijven?'

Ik vind het ongelooflijk dat ik dit op een dag niet meer zal kunnen.

'Prima, en kun je nu binnen een minuut zoveel mogelijk woorden opnoemen die met de letter S beginnen?'

'Sarah, stom, stellig. Stekelig, storing. Seks. Serieus. Stom. Oeps, dat had ik al gezegd. Stupide. Stevig.'

'En nu zoveel mogelijk woorden die met een K beginnen.'

'Krankzinnig. Kleerkast. Kostelijk. Karate, keuken, kleerkast. Klote.' Ze lachte, verbaasd om zichzelf. 'Sorry voor die laatste.'

Sorry begint ook met een S.

'Geeft niet, die hoor ik vaak.'

Alice vroeg zich af hoeveel woorden ze een jaar geleden had kunnen opdreunen. Ze vroeg zich af hoeveel woorden per minuut als normaal werd beschouwd.

'Wil je nu zoveel mogelijk soorten groente opnoemen?'

'Asperge, broccoli, bloemkool. Prei, uien. Paprika. Paprika, ik weet het niet meer, ik kan niets meer verzinnen.'

'En wil je tot slot zoveel mogelijk dieren op vier poten opnoemen?'

'Hond, kat, leeuw, tijger, beer. Zebra, giraffe. Gazelle.'

'Wil je deze zin nu hardop voorlezen?'

Sarah Huppeldepup gaf haar een vel papier.

'Op maandag 4 maart woedde er een orkaan in Denver, Colorado, die Hackett Airport aan Billings Road verwoestte, waardoor zestig reizigers strandden en acht kinderen plus twintig politiemensen vast kwamen te zitten,' las Alice.

Het was een verhaal van de Universiteit van New York, een geheugentest.

'Kun je me nu alles vertellen wat je je nog van de zin herinnert?'

'Op maandag 4 maart woedde er een orkaan in Denver, Colorado, waardoor zestig mensen vast kwamen te zitten op een luchthaven, onder wie acht kinderen en twintig politiemensen.'

'Uitstekend. Nu laat ik je een reeks kaarten met plaatjes zien, en jij vertelt me wat je ziet.'

De Boston Benoemings Test.

'Koffertje, molentje, telescoop, iglo, zandloper, neushoorn.'
Een dier op vier poten. 'Racket. O, wacht, ik weet wat dat is,
is het zo'n klimrek voor planten, een ladder? Nee, dat heet lat-
werk! Accordeon, krakeling, ratel. O, wacht even. Dat hebben
we in de tuin op de Cape. Het hangt tussen de bomen, je
kunt erop liggen. Het is geen hangar. Is het een hangbed?
Nee, o, god, het begint met een H, maar ik kan er niet bij.'

Sarah Huppeldepup maakte een notitie op haar formulier.
Alice wilde zeggen dat dit net zo goed een normale blokkade
kon zijn als een symptoom van alzheimer. Zelfs kerngezonde
studenten hebben een of twee keer per week een woord op
het puntje van hun tong liggen.

'Het geeft niet, ga maar door.'

Alice benoemde de rest van de plaatjes zonder enig probleem, maar ze kon het neuron dat codeerde voor de benoe-
ming van de hangmat nog steeds niet activeren. De hunne
hing tussen twee sparren in hun achterruin in Chatham.
Alice herinnerde zich menig namiddagdutje in de hangmat
met John, het genoegen van het briesje in de schaduw, hoe ze
zijn borst en schouder als kussen gebruikte, en hoe de vertrouwde geur van hun wasverzachter in zijn katoenen overhemd, vermengd met de zomergeuren van zijn zonverbrande, zeezilte huid, haar bij elke inademing in een roes had
gebracht. Dát herinnerde ze zich allemaal wel, maar niet de
naam van dat vervloekte H-ding waarin ze lagen.

WAIS-R Plaatjes Ordenen, Ravens Coloured Progressive
Matrices, Luria's Mentale Rotatie, de Stroop-test en het natekenen en onthouden van geometrische figuren gingen van
een leien dakje. Ze keek op haar horloge. Ze zat inmiddels
iets langer dan een uur in het kamertje.

'Goed, Alice, ik wil nu graag even terug naar het verhaaltje
dat je eerder hebt voorgelezen. Wat kun je me er nog van vertellen?'

Ze slikte de paniek weg, die pijnlijk zwaar en log vlak

boven haar middenrif bleef steken. Of de paden naar de details van het verhaal waren onbegaanbaar, óf ze miste de elektrochemische kracht om luid genoeg aan te kloppen bij de neuronen waarin ze huisden om gehoord te worden. Buiten dit hokje kon ze verloren gegane informatie in haar BlackBerry opzoeken. Ze kon haar e-mails herlezen en geheugensteuntjes op Post-its schrijven. Ze kon zich verlaten op het respect dat ze door haar positie aan Harvard afdwong. Buiten dit hokje kon ze haar onbegaanbare paden en slappe neurale signalen verbergen. En hoewel ze wist dat deze tests tot doel hadden aan het licht te brengen wat zij niet kon vinden, voelde ze zich betrapt en gegeneerd.

'Ik herinner me er eigenlijk niet zoveel meer van.'

Daar was hij dan, de alzheimer, uitgekleed en naakt onder het tl-licht, tentoongesteld zodat Sarah Huppeldepup hem kritisch kon beoordelen.

'Geeft niet, vertel maar wat je nog weet, het maakt niet uit wat.'

'Nou, ik geloof dat er een luchthaven in voorkwam.'

'Speelde het verhaal op een zondag, maandag, dinsdag of woensdag?'

'Ik weet het niet meer.'

'Raad dan maar.'

'Maandag.'

'Was er een orkaan, een tornado, een sneeuwstorm of een lawine?'

'Een sneeuwstorm.'

'Speelde het verhaal in januari, februari, maart of april?'

'Februari.'

'Welke luchthaven werd afgesloten: O'Hare, Hackett, Billings of Dulles?'

'Dulles.'

'Hoeveel reizigers strandden er: veertig, vijftig, zestig of zeventig?'

'Weet ik niet, zeventig?'

'Hoeveel kinderen raakten er bekneld? Twee, vier, zes of acht?'

'Acht.'

'Wie raakten er nog meer bekneld bij de kinderen: twintig brandweerlieden, twintig politiemensen, twintig zakenmensen of twintig onderwijzers?'

'Brandweerlieden.'

'Goed zo, je bent helemaal klaar. Ik loop met je mee naar dokter Davis.'

Goed zo? Was het mogelijk dat ze zich het verhaal herinnerde, maar zelf niet wist dat ze het nog kende?

Toen ze de kamer van dokter Davis in liep, zag ze tot haar verbazing dat John al op de stoel zat die gedurende haar vorige twee consulten zo opvallend leeg was gebleven. Ze waren compleet: Alice, John en dokter Davis. Ze kon niet geloven dat dit echt gebeurde, dat dit haar leven was, dat ze een zieke vrouw was die samen met haar man bij haar neuroloog zat. Ze voelde zich bijna een personage in een toneelstuk, die vrouw met de ziekte van Alzheimer. De man hield het script op zijn schoot, alleen was het geen script, maar de vragenlijst Dagelijkse Bezigheden.

(Spreekkamer neuroloog. De neuroloog zit tegenover de echtgenoot van de vrouw. De vrouw komt binnen.)

'Alice, ga zitten. Ik heb net even met John gepraat.'

John draaide aan zijn trouwring en wipte met zijn rechterbeen. Hun stoelen raakten elkaar, dus de hare trilde mee. Wat hadden die twee besproken? Ze wilde John onder vier ogen spreken voordat ze begonnen, uitzoeken wat er was gebeurd en hun verhalen op elkaar afstemmen. En ze wilde hem vragen zijn been stil te houden.

'Hoe gaat het met je?' vroeg dokter Davis.

'Goed.'

Hij glimlachte naar haar. Het was een vriendelijke glimlach die de scherpe kantjes van haar angst haalde.

'Goed, hoe is het met je geheugen, zijn er nieuwe zorgen of ontwikkelingen sinds de vorige keer dat je hier was?'

'Nou, volgens mij is het moeilijker geworden om mijn schema bij te houden. Ik moet de hele dag door in mijn BlackBerry en op mijn Te Doen-lijstjes kijken. En telefoneren is een ramp geworden. Als ik mijn gesprekspartner niet kan zien, is het echt moeilijk om het hele gesprek te volgen. Meestal raak ik de draad kwijt terwijl ik woorden in mijn hoofd zoek.'

'Hoe zit het met desoriëntatie, heb je je nog verloren of verward gevoeld?'

'Nee. Hoewel, soms weet ik niet hoe laat het is, ook niet als ik op mijn horloge kijk, maar uiteindelijk kom ik er wel achter. Ik ben een keer naar mijn werk gegaan in de veronderstelling dat het ochtend was en toen merkte ik pas bij thuiskomst dat het midden in de nacht was.'

'Echt waar?' zei John. 'Wanneer was dat?'

'Weet ik niet meer, vorige maand, geloof ik.'

'Waar was ik dan?'

'Je sliep.'

'Waarom hoor ik dat nu pas, Ali?'

'Geen idee, omdat ik ben vergeten het je te vertellen?'

Ze glimlachte, maar het leek niet te helpen. Zijn ongerustheid werd er hooguit door aangescherpt.

'Dit soort verwarring en nachtelijk zwerven is heel gangbaar, en het zal vermoedelijk vaker gaan gebeuren. Je zou kunnen overwegen een bel of zo aan de voordeur te bevestigen, zodat John wakker wordt als de deur 's nachts opengaat. En ik raad je aan je in te schrijven voor het Veilig Thuis-programma van de Alzheimer's Association. Ik geloof dat het iets van veertig dollar kost, en je krijgt een identificatiearmband met een persoonlijke code erop.'

'Ik heb "John" in mijn mobieltje geprogrammeerd staan, en ik heb het altijd bij me, in deze tas.'

'Oké, dat is fijn, maar stel dat het toestel leeg is of John zijn toestel heeft uitgeschakeld en jij raakt verdwaald?'

'Wat dacht u van een papiertje in mijn tas met mijn naam en die van John, ons adres en onze telefoonnummers?'

'Dat werkt alleen als je het echt altijd bij je hebt. Je zou je tas een keer kunnen vergeten. Aan die armband hoef je nooit te denken.'

'Het is een goed idee,' zei John. 'Dat gaan we doen.'

'Hoe gaat het met de medicatie, slik je alles nog?'

'Ja.'

'Heb je last van bijwerkingen, misselijkheid, duizelingen?'

'Nee.'

'Heb je slaapproblemen, afgezien van die nacht dat je naar je werk bent gegaan?'

'Nee.'

'Doe je nog regelmatig aan lichaamsbeweging?'

'Ja, ik loop nog steeds hard, acht kilometer, meestal elke dag.'

'John, loop jij ook?'

'Nee, ik loop naar mijn werk en terug, dat is het wel voor mij.'

'Het lijkt me goed als jij met Alice mee gaat lopen. Dierproeven hebben overtuigend aangetoond dat lichaamsbeweging alleen al de ophoping van bèta-amyloïde en cognitieve aftakeling kan vertragen.'

'Ik heb die studies gezien,' zei Alice.

'Goed, blijven hardlopen dus, maar ik zou het prettig vinden als je een maatje had, dan hoeven we niet bang te zijn dat je verdwaalt of vergeet te gaan hardlopen.'

'Ik doe wel met haar mee.'

John had de pest aan hardlopen. Hij squashte en tenniste en speelde af en toe golf, maar hij liep nooit hard. Hij mocht haar nu mentaal te snel af zijn, lichamelijk was ze hem nog mijlen voor. Het leek haar heerlijk om met hem samen te lopen, maar ze betwijfelde of hij het kon opbrengen.

'Hoe is je stemming, voel je je lekker?'

'Door de bank genomen wel. Ik voel me zeer zeker vaak gefrustreerd en uitgeput door mijn pogingen alles bij te benen, en ik ben bang voor wat de toekomst ons brengen zal, maar verder voel ik me hetzelfde, of beter eigenlijk, in sommige opzichten, nu ik het aan John en de kinderen heb verteld.'

'Heb je het aan iemand op Harvard verteld?'

'Nee, nog niet.'

'Heb je dit semester al je colleges gegeven en aan al je beroepsmatige verplichtingen voldaan?'

'Ja, het kostte me meer moeite dan het semester ervoor, maar het is gelukt.'

'Ben je alleen naar congressen en lezingen gereisd?'

'Daar ben ik vrijwel mee gestopt. Ik heb twee lezingen afgezegd en een groot congres in april laten lopen, en ik ga niet naar het congres in Frankrijk deze maand. Anders ben ik 's zomers altijd veel op reis, wij allebei, maar dit jaar gaan we de hele zomer naar ons huis in Chatham. We vertrekken volgende week.'

'Mooi, dat klinkt fantastisch. Goed, zo te horen ben je de komende zomer onder de pannen. Ik vind dat je een plan voor het najaar moet maken. Je moet het de mensen op Harvard vertellen, misschien een goede manier bedenken om te stoppen met werken, en ik denk dat er tegen die tijd geen sprake meer kan zijn van in je eentje op reis gaan.'

Ze knikte. Ze zag als een berg tegen september op.

'Je moet nu ook een paar juridische zaken gaan regelen, zoals een curator en een testament. Heb je al nagedacht over de vraag of je je hersenen ter beschikking wilt stellen aan de wetenschap?'

Ze had er inderdaad over nagedacht. Ze stelde zich haar bloedeloze, van formaline doordrenkte, stopverfkleurige brein voor, vastgehouden door een medisch student. De docent zou de verschillende groeven en windingen aanwijzen waar de somatosensorische cortex, de auditieve cortex en de visuele cortex zaten. De geur van de zee, het geluid van de stemmen van haar kinderen, Johns handen en gezicht. Of ze stelde zich voor dat het in dunne, coronale plakjes was gesneden, als kostelijke ham, en over objectiefglaasjes verdeeld. Op die manier zouden de vergrote hersenholtes sterk opvallen. De leegtes waar ze ooit zelf was geweest.

'Ja, dat wil ik wel.'

John kromp in elkaar.

'Goed, ik zal je het toestemmingsformulier laten invullen voordat je weggaat. John, mag ik die vragenlijst van je?'

Wat heeft hij over me opgeschreven? Ze zouden het er nooit over hebben.

'Wanneer heeft Alice je van haar diagnose verteld?'

'Kort nadat ze die van u had gekregen.'

'Goed, hoe vind je dat het sindsdien met haar gaat?'

'Uitstekend, vind ik. Dat van de telefoon is waar. Ze neemt nooit meer op. Of ik pak hem, of ze laat het antwoordapparaat opnemen. Ze is aan haar BlackBerry gekluisterd, op het dwangmatige af. Soms kijkt ze er 's ochtends om de paar minuten in voordat ze van huis gaat. Dat is niet prettig om te zien.'

Hij leek haar aanblik steeds moeilijker te kunnen verdragen. Als hij naar haar keek, was het met klinische blik, alsof ze een van zijn laboratoriumratten was.

'Verder nog iets, iets wat Alice mogelijk niet heeft genoemd?'

'Er schiet me niets te binnen.'

'Hoe is het met haar stemming en haar persoonlijkheid, zijn je in dat opzicht veranderingen opgevallen?'

'Nee, ze is hetzelfde. Misschien schiet ze iets sneller in de verdediging. En ze is wat stiller, ze begint minder vaak een gesprek.'

'En hoe gaat het met jou?'

'Met mij? Goed.'

'Ik heb informatie voor je over onze steungroep voor mantelzorgers. Denise Daddario is onze maatschappelijk werker. Je kunt een afspraak met haar maken en haar vertellen wat er speelt.'

'Een afspraak voor mezelf?'

'Ja.'

'Daar heb ik geen behoefte aan, ik red me wel.'

'Ook goed, maar mocht je het toch nodig hebben, dan is er hulp voor je. Nu wil ik Alice nog een paar vragen stellen.'

'Ik wilde het eigenlijk over aanvullende behandelingen en experimentele medicijnen hebben.'

'Goed, dat komt zo, maar eerst wil ik Alice testen. Alice, wat voor dag is het vandaag?'

'Maandag.'

'En wat is je geboortedatum?'

'11 oktober 1953.'

'Wie is de vicepresident van de Verenigde Staten?'

'Dick Cheney.'

'Goed, ik geef je nu een naam en adres, en jij gaat het herhalen. Later vraag ik je nog eens het te herhalen. Zit je klaar? John Black, West Street 42, Brighton.'

'Hetzelfde als de vorige keer.'

'Ja, heel goed. Kun je het nu herhalen?'

'John Black, West Street 42 in Brighton.'

John Black, West Street 42 in Brighton.

John draagt nooit zwart, Lydia woont in het westen, Tom woont in Brighton, acht jaar geleden was ik tweeënveertig.

John Black, West Street 42, Brighton.
'Goed, kun je van één tot twintig tellen en weer terug?'
Ze deed het.

'Nu wil ik dat je zoveel vingers van je linkerhand opsteekt als de plek in het alfabet van de eerste letter van de stad waarin je nu bent.'

Ze herhaalde in gedachten wat hij zei en maakte het vredesteken met haar linker wijs- en middelvinger.

'Goed. Hoe heet dit ding aan mijn horloge?'
'Een gesp.'

'Ja. Wil je nu een zin over het weer van vandaag op dit vel papier schrijven?'

Het is nevelig, warm en vochtig.

'Wil je het vel omdraaien en op de andere kant een klok tekenen die op kwart voor vier staat?'

Ze tekende een grote cirkel en vulde de cijfers in, te beginnen met de 12 bovenin.

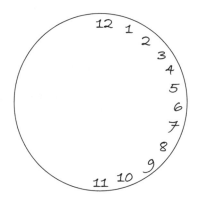

'Oeps, ik heb de cirkel te groot gemaakt.'

Ze noteerde het tijdstip.

15:45

'Nee, niet digitaal. Ik wil een klok met een wijzerplaat zien,' zei dokter Davis.

'Wilt u zien of ik kan tekenen of wilt u weten of ik nog kan klokkijken? Als u een wijzerplaat voor me tekent, kan ik de wijzers op kwart voor vier zetten. Ik heb nooit goed kunnen tekenen.'

Toen Anna drie was, was ze dol op paarden geweest en smeekte ze Alice of ze paarden voor haar wilde tekenen. Alice' tekeningen leken in het gunstigste geval op postmodernistische draak-honden die zelfs de levendige, alles accepterende fantasie van haar peuter niet konden bevredigen. *Nee, mam, dat is niet goed, je moet een paard voor me tekenen.*

'Eigenlijk wil ik het allebei weten, Alice. Alzheimer begint de pariëtale hersenkwabben in een vroeg stadium aan te tasten, en daar bewaren we onze innerlijke beelden van de ruimte om ons heen. Dat is ook waarom ik wil dat je met haar gaat hardlopen, John.'

John knikte. Ze spanden tegen haar samen.

'John, je weet dat ik niet kan tekenen.'

'Alice, het is maar een klok, geen paard.'

Ze keek hem woedend aan, geschokt door het feit dat hij niet voor haar in de bres sprong, en trok haar wenkbrauwen op om hem een tweede kans te geven haar volkomen legitieme standpunt te onderschrijven. Hij keek alleen terug en draaide aan zijn ring.

'Als u een klok voor me tekent, zet ik de wijzers op kwart voor vier.'

Dokter Davis tekende een wijzerplaat op een nieuw vel papier en Alice tekende de wijzers die kwart voor vier aangaven erin.

137

'Goed, weet je de naam en het adres nog die ik je eerder heb opgegeven?'

'John Black, West Street zoveel in Brighton.'

'Goed, was het tweeënveertig, vierenveertig, zesenveertig of achtenveertig?'

'Achtenveertig.'

Dokter Davis noteerde uitgebreid iets op het vel papier met de klok.

'John, wil je alsjeblieft ophouden met mijn stoel door elkaar te schudden?'

'Goed, dan kunnen we het nu over experimentele medicijnen hebben. Er lopen een paar onderzoeken hier en in het Brigham. Het onderzoek dat mij het meest geschikt lijkt voor jou, begint deze maand proefpersonen te werven. Het is een onderzoek in de derde fase, en het medicijn heet Amylex. Het lijkt erop dat het het oplosbare bèta-amyloïde bindt en aggregatie voorkomt, dus in tegenstelling tot de medicijnen die je nu slikt, biedt dit de hoop dat het de voortschrijding van de ziekte kan tegenhouden. De tweede fase van het onderzoek was heel bemoedigend. Het medicijn werd goed verdragen en na een jaar gebruik leek het cognitieve functioneren van de patiënten niet verder achteruitgegaan of zelfs verbeterd.'

'Ik neem aan dat er een controlegroep is die een placebo krijgt?' zei John.

'Ja, het is dubbelblind en gerandomiseerd naar placebo, een of twee doses.'

Ik zou dus alleen maar suikertabletjes kunnen krijgen. Ze vermoedde dat bèta-amyloïde zich niets aantrok van placebo-effecten of de kracht van positief denken.

'Wat denkt u van de secretaseremmers?' vroeg John.

Ze hadden Johns voorkeur. De natuurlijke enzymen die normale, niet schadelijke hoeveelheden bèta-amyloïde uitscheidden, werden secretases genoemd. De mutatie in Alice' preseniline-1-secretase maakte het enzym ongevoelig voor natuurlijke regulatie, zodat het te veel bèta-amyloïde produceerde. Te veel was schadelijk. Het was alsof er een kraan was opengedraaid die niet meer dicht kon en de spoelbak in ijltempo deed overlopen.

'In dit stadium zijn de secretaseremmers óf te giftig voor klinisch onderzoek, óf...'

'En Flurizan dan?'

Het was een ontstekingsremmer, te vergelijken met Advil, maar Myriad Pharmaceuticals beweerde dat het de productie van bèta-amyloïde 42 remde. Minder water in de spoelbak.

'Ja, dat staat erg in de belangstelling. Er loopt een onderzoek in de tweede fase, maar alleen in Canada en het Verenigd Koninkrijk.'

'Hoe staat u ertegenover om Alice flurbiprofen te geven?'

'We hebben nog geen gegevens waaruit blijkt of het wel of niet doeltreffend is voor de behandeling van alzheimer. Als ze besluit zich niet op te geven voor medicijnonderzoek, zou ik zeggen dat het waarschijnlijk geen kwaad kan, maar als ze aan een onderzoek mee wil doen, zou flurbiprofen gezien worden als experimentele behandeling en zou ze van het onderzoek worden uitgesloten.'

'Goed, en wat vindt u van Elans monoclonaal antilichaam?' vroeg John.

'Het lijkt me wel wat, maar het onderzoek is nog maar in de eerste fase en je kunt je er momenteel niet voor opgeven. Aangenomen dat het veilig wordt verklaard, zal de tweede fase pas op zijn vroegst volgend voorjaar ingaan, en ik zou Alice liever eerder aan een onderzoek laten meedoen.'

'Hebt u weleens iemand met ivig behandeld?' vroeg John.

Dit was ook een idee dat hem wel aanstond. Intraveneus toegediende immunoglobuline, gewonnen uit bloedplasma van donoren, was al veilig en werkzaam verklaard voor de behandeling van primaire immuunstoornissen en een aantal neuromusculaire auto-immuunziektes. Het was een dure grap, die niet door de verzekering werd vergoed omdat het middel nog niet op de markt was, maar als het werkte, was het elke prijs waard.

'Ik heb het nog nooit voorgeschreven. Ik ben er niet tegen, maar we weten de dosis nog niet, en het is een grove, ongerichte methode. Ik verwacht dat de effecten hooguit bescheiden zullen zijn.'

'Daar doen we het voor,' zei John.

'Goed, maar dan moet je wel beseffen wat je ervoor opgeeft. Als jullie beslissen dat Alice aan de IVIg gaat, komt ze niet meer in aanmerking voor onderzoek naar medicijnen die meer op alzheimer zijn toegespitst en waarschijnlijk beter zullen werken.'

'Maar ze zou zeker weten dat ze niet in een placebogroep zit.'

'Dat is waar. Wat je ook kiest, er zijn altijd risico's.'

'Zou ik met Aricept en Namenda moeten stoppen om aan een onderzoek mee te mogen doen?'

'Nee, dat kun je blijven slikken.'

'Zou ik nog oestrogeenvervangende middelen kunnen gebruiken?'

'Ja. Er zijn genoeg anekdotische aanwijzingen dat het in elk geval tot op zekere hoogte beschermt, dus ik ben bereid je hormoonpleisters voor te schrijven, maar ook dat zou gezien worden als experimentele behandeling, dus je zou niet kunnen meedoen aan het onderzoek naar Amylex.'

'Hoe lang duurt het onderzoek?'

'Vijftien maanden.'

'Hoe heet uw vrouw?' vroeg Alice.

'Lucy.'

'Wat zou u voor Lucy willen als zij deze ziekte had?'

'Ik zou haar mee willen laten doen aan het onderzoek naar Amylex.'

'Dus Amylex is de enige optie die u kunt aanbevelen?' vroeg John.

'Ja.'

'Ik vind dat we voor IVIg in combinatie met flurbiprofen en de hormoonpleisters moeten gaan,' zei John.

Er viel een stilte in de kamer. Er was een enorme hoeveelheid informatie over en weer uitgewisseld. Alice drukte haar vingers tegen haar oogleden en probeerde de behandelingsopties logisch tegen elkaar af te wegen. Ze deed haar best om rijen en kolommen in haar hoofd op te stellen om de medicijnen met elkaar te vergelijken, maar de denkbeeldige grafiek hielp niet en ze gooide hem in de denkbeeldige prullenmand. Toen dacht ze er in concepten over na en kwam tot een enkel, duidelijk omlijnd beeld dat logisch leek: met hagel schieten of met een enkele kogel.

'Jullie hoeven vandaag nog niet te beslissen. Je kunt er rustig thuis over nadenken en me dan laten weten wat het is geworden.'

Nee, ze hoefde er niet meer over na te denken. Ze was wetenschappelijk onderzoeker. Ze wist hoe je alles op het spel zet, zonder enige garantie, in de zoektocht naar de ongewisse waarheid. Zoals ze in de loop der jaren zo vaak had gedaan bij haar eigen onderzoek, koos ze ook nu voor de kogel.

'Ik wil aan het onderzoek meedoen.'

'Ali, ik vind dat je me moet vertrouwen,' zei John.

'Ik kan nog steeds mijn eigen conclusies trekken, John. Ik wil aan het onderzoek meedoen.'

'Goed, ik zal de formulieren voor je pakken.'

(In de spreekkamer van de neuroloog. De neuroloog heeft de kamer verlaten. De echtgenoot draait aan zijn trouwring. De vrouw hoopt op genezing.)

juli 2004

'John? John? Ben je thuis?'

Ze wist zeker dat hij er niet was, maar er zaten tegenwoordig te veel gaten in haar zekerheid om er nog de betekenis van vroeger aan toe te kennen. Hij was ergens naartoe, maar ze wist niet meer wanneer hij was weggegaan of waarheen. Was hij even naar de winkel gerend om melk of koffie te halen? Was hij een film gaan huren? In die gevallen kon hij elk moment terugkomen. Of was hij misschien teruggegaan naar Cambridge? Dan zou hij uren wegblijven, en misschien zelfs de hele nacht. Of had hij eindelijk besloten dat hij hun toekomst niet onder ogen kon zien en was hij gewoon voorgoed vertrokken? Nee, dat zou hij nooit doen. Dat wist ze echt zeker.

Hun huis in Chatham op Cape Cod, dat in 1990 was gebouwd, leek groter, luchtiger en minder in hokjes opgedeeld dan hun huis in Cambridge. Ze liep naar de keuken, die niet te vergelijken was met hun keuken thuis. Het ontkleurde effect van de witgeverfde muren en kasten, de witte apparatuur, witte barkrukken en witte tegelvloer werd alleen enigszins doorbroken door de spekstenen werkvlakken en toetsen kobaltblauw op het witte aardewerk en transparante glas waarin dingen werden bewaard. Het leek op een bladzij uit een kleurboek die alleen hier en daar met blauw kleurpotlood was aangestipt.

De twee borden en gebruikte papieren servetten op het werkeiland getuigden van een maaltijd met salade en spaghetti met tomatensaus. In een van de glazen zat nog een slok witte wijn. Ze pakte met de afstandelijke belangstelling van een technisch rechercheur het glas en bracht de wijn naar haar lippen om de temperatuur te controleren. Hij was nog een beetje koud. Ze voelde zich verzadigd. Ze keek op de klok. Het was net negen uur geweest.

Ze waren nu een week in Chatham. In eerdere jaren zou ze zich na een week weg van de dagelijkse beslommeringen op Harvard al hebben aangepast aan de relaxte levenswijze die de Cape je oplegde en al een eind op weg zijn in haar derde of vierde boek, maar dit jaar had het dagelijkse schema van Harvard zelf, hoe vol en veeleisend het ook was, haar een vertrouwde, geruststellende structuur geboden. Vergaderingen, symposia, collegetijden en afspraken leidden haar als een spoor van broodkruimels door de dag.

Hier in Chatham had ze geen schema. Ze sliep uit, at op wisselende tijden en deed alles op het gevoel. Ze begon en eindigde de dag met haar medicatie, deed elke ochtend haar vlindertest en liep elke dag hard met John, maar die bezigheden boden niet genoeg houvast. Ze moest grotere broodkruimels hebben, en ze moesten dichter bij elkaar liggen.

Ze wist vaak niet hoe laat het was, en trouwens ook niet welke dag het was. Het was meer dan eens voorgekomen dat ze ging zitten om te eten zonder te weten welke maaltijd ze zou krijgen. Toen de serveerster van de Sand Bar de vorige dag een bord gebakken mosselen voor haar had neergezet, had ze net zo hongerig en enthousiast op een ontbijtje kunnen aanvallen. En lezen was een hartverscheurend corvee geworden.

De keukenramen stonden open. Ze keek naar de oprit.

Geen auto. De warmte van de dag hing nog in de buitenlucht en ze hoorde brulkikkers, het gelach van een vrouw en het getij van Hardings Beach. Ze legde een briefje voor John naast de onafgeruimde borden:

StRanDwanDeLing. Liefs, A.

Ze snoof de zuivere avondlucht op. De koepel van de nachtblauwe lucht vertoonde speldenprikjes van sterren die van achteren werden verlicht door een maansikkeltje uit een tekenfilm. Het zou nog donkerder worden, maar het was nu al donkerder dan het in Cambridge ooit werd. Hun buurtje aan het strand, dat geen straatverlichting had en ver genoeg van de hoofdstraat lag, werd alleen verlicht door lampen op veranda's en in huizen, af en toe een paar bundels van koplampen en de maan. In Cambridge zou ze niet graag in haar eentje door die duisternis hebben gelopen, maar hier, in deze kleine badplaats aan zee, voelde ze zich volkomen veilig.

Er stonden geen auto's op het parkeerterrein en er was niemand op het strand. De plaatselijke politie ontmoedigde avondactiviteiten. Op dit uur waren er geen krijsende kinderen of meeuwen, geen met geen mogelijkheid te negeren mobiele gesprekken, geen opdringerige zorgen om de volgende afspraak die moest worden gehaald, helemaal niets dat de rust verstoorde.

Ze liep naar de waterkant en liet haar voeten door de zee opslokken. Warme golven likten aan haar benen. De omsloten wateren van Hardings Beach aan de Nantucket Sound waren een stuk warmer dan die van de stranden in de buurt die direct aan de koude Atlantische Oceaan grensden.

Ze trok eerst haar shirt en haar beha uit, stroopte toen haar rok en onderbroek in één beweging af en liep het water in, dat zonder het zeewier dat anders met de vloed meekwam melkglad tegen haar huid kabbelde. Ze begon op het ritme van de golven te ademen. Terwijl ze traag zwemmend op haar rug dreef, verwonderde ze zich over de fosforescerende druppeltjes die als toverstof over haar vingertoppen en hielen gleden.

Het maanlicht weerkaatste op haar rechterpols. VEILIG THUIS, stond er in de voorkant van de platte, vijf centimeter brede roestvrijstalen armband gegraveerd. Aan de andere kant stonden een gratis telefoonnummer, haar gegevens en het woord 'geheugenstoornis'. Haar gedachten werden meegesleurd op een reeks golven, van ongewenste sieraden tot de vlinderketting van haar moeder naar haar zelfmoordplan en de boeken die ze nog wilde lezen, tot ze ten slotte strandden op het lot van Virginia Woolf en Edna Pontellier. Ze kon naar Nantucket zwemmen tot ze te moe was om nog te bewegen.

Ze keek uit over het donkere water. Haar sterke, gezonde lichaam hield haar drijvend door te zwemmen, en al haar instincten vochten voor het leven. Toegegeven, ze wist niet meer dat ze die avond met John had gegeten en waar hij naartoe was gegaan. En het was goed mogelijk dat ze zich deze avond morgenochtend niet meer zou herinneren, maar op dit moment voelde ze zich niet wanhopig. Ze voelde zich springlevend en gelukkig.

Ze keek weer naar het strand en het schemerig verlichte landschap. Er naderde een gestalte. Voordat ze zijn trekken kon herkennen, zag ze al aan zijn verende tred en lange passen dat het John was. Ze vroeg hem niet waar hij was geweest of hoe lang hij weg was gebleven. Ze bedankte hem niet omdat hij was teruggekomen. Hij gaf haar geen standje omdat ze er zonder haar mobieltje opuit was gegaan, en hij vroeg haar niet uit het water te komen en mee naar huis te gaan. Zonder dat ze een woord wisselden kleedde hij zich uit en voegde zich bij haar in het water.

'John?'

Ze vond hem buiten, waar hij het houtwerk van de vrijstaande garage aan het schilderen was.

'Ik heb je door het hele huis geroepen,' zei Alice.

'Ik was hier. Ik heb je niet gehoord,' zei John.

'Wanneer ga je naar je congres?' vroeg ze.

'Maandag.'

Hij ging naar de negende jaarlijkse International Conference on Alzheimer's Disease in Philadelphia, die een week duurde.

'Maar dan is Lydia er toch al, hè?'

'Ja, die komt zondag.'

'O ja.'

Lydia had een schriftelijk verzoek ingediend bij het Monomoy Repertory Theatre Company om daar de zomer als gastactrice te mogen doorbrengen, en haar verzoek was ingewilligd.

'Ben je klaar om te lopen?' vroeg John.

De ochtendmist was nog niet opgetrokken, en de lucht voelde te koud voor haar kleding.

'Alleen nog een extra laagje aantrekken.'

Ze maakte de garderobekast achter de voordeur open. Het was een constante uitdaging om je in de vroege zomer behaaglijk te kleden op de Cape, want 's ochtends was het strijk en zet maar een graad of vijf, 's middags liep de temperatuur op tot vijfentwintig à dertig graden, en dan werd het tegen de avond pijlsnel weer een graad of vijf, vaak met een straffe zeewind erbij. Je moest een creatief gevoel voor mode hebben en bereid zijn ettelijke malen per dag laagjes toe te voegen of uit te trekken. Ze voelde aan de mouwen van alle jassen die in de kast hingen. Een aantal leek ideaal voor het terras of een strandwandeling, maar ze voelden allemaal te zwaar aan om in hard te lopen.

Ze rende de trap op, zocht in de laden op de slaapkamer, vond een lichtgewicht fleecejack en trok het aan. Haar oog viel op het boek dat ze aan het lezen was. Ze pakte het van het nachtkastje, liep de trap af en ging naar de keuken. Ze schonk zichzelf een glas ijsthee in en ging naar de achterveranda. De ochtendmist was nog niet opgetrokken en het was frisser dan ze had gedacht. Ze zette haar glas en het boek op de tafel tussen de witte terrasstoelen en ging weer naar binnen om een deken te pakken.

Ze kwam terug, sloeg de deken om zich heen, ging op een van de stoelen zitten en sloeg het boek open bij het vouwtje in het blad. Lezen begon een hartverscheurend corvee te worden. Ze moest bladzijden telkens opnieuw lezen om een betoog of verhaal te kunnen volgen, en als ze het boek weglegde, moest ze soms een heel hoofdstuk terug om de draad weer op te pakken. Daar kwam nog bij dat ze niet goed kon kiezen wat ze wilde lezen. Stel dat ze geen tijd had om alles te lezen wat ze altijd had willen lezen? Prioriteiten stellen wees haar er pijnlijk op dat de klok tikte, dat sommige dingen ongedaan zouden blijven.

Ze was net in *King Lear* begonnen. Ze was dol op de tragedies van Shakespeare, maar deze had ze nog niet gelezen. Jammer genoeg bleef ze al na een paar minuten steken, wat vaste prik begon te worden. Ze las de vorige bladzij nog eens over, waarbij ze de denkbeeldige lijn onder de woorden met haar wijsvinger volgde. Ze dronk het hele glas ijsthee leeg en keek naar de vogels in de bomen.

'Daar ben je dan. Wat doe je, zouden we niet gaan hardlopen?' vroeg John.

'O ja, dat is ook zo. Ik word gek van dat boek.'

'Kom dan maar gauw mee.'

'Ga je vandaag naar dat congres?'

'Maandag.'

'Wat is het vandaag?'

'Donderdag.'

'O. En wanneer komt Lydia?'

'Zondag.'

'Is dat voordat je weggaat?'

'Ja, Ali, dat heb ik je allemaal net verteld. Je zou het in je BlackBerry moeten zetten, dan zou je je vast beter voelen.'

'Oké, sorry.'

'Ben je er klaar voor?'

'Ja. Wacht, nog even plassen.'

'Goed, ik ben bij de garage.'

Ze zette haar lege glas op het aanrecht bij de spoelbak en liet de deken en het boek op de brede stoel met de losse kussens in de woonkamer vallen. Ze stond klaar om in beweging te komen, maar haar benen vroegen om nadere instructies. Waarom was ze hier gekomen? Ze keerde in gedachten op haar schreden terug: deken en boek, glas op aanrecht, veranda met John. Hij ging binnenkort naar dat internationale congres over alzheimer. Zondag misschien? Ze moest het hem vragen, voor de zekerheid. Ze zouden gaan hardlopen. Het was een beetje fris buiten. Ze wilde een fleecejack pakken! Nee, dat was het niet. Ze had het al aan. *Wat kan het me ook verdommen.*

Net toen ze bij de voordeur was, voelde ze een hevige druk op haar blaas die haar eraan herinnerde dat ze nodig moest plassen. Ze haastte zich terug door de gang en maakte de wc-deur open. Alleen was het tot haar stomme verbazing de wc-deur niet. Een bezem, een stokdweil, een stofzuiger, een krukje, een gereedschapskist, gloeilampen, zaklampen, bleekmiddel. De werkkast.

Ze keek de gang in. De keuken links, de woonkamer rechts, en dat was het. Er was toch een wc op deze verdieping? Dat moest wel. Daar. Maar daar was hij niet. Ze rende naar de keuken, maar die had maar één deur, en die kwam op de achterveranda uit. Ze sprintte naar de woonkamer, maar die had natuurlijk geen deur naar een wc. Ze draafde terug naar de gang en pakte de deurknop.

'God, alstublieft, alstublieft, alstublieft.'

Ze zwaaide de deur open als een illusioniste die haar bedrieglijkste truc onthult, maar de wc verscheen niet als bij overslag.

Hoe kan ik in mijn eigen huis verdwalen?

Ze overwoog naar de badkamer boven te stormen, maar bleef vreemd onthutst steken in de schemerachtige, wc-loze dimensie van de begane grond. Ze kon het niet meer ophouden. Ze had het ijle gevoel dat ze naar zichzelf keek, die arme, onbekende vrouw die in de gang stond te huilen. Het klonk niet als het enigszins ingehouden snikken van een volwassene. Het was het angstige, verslagen, onbeteugelde gebrul van een klein kind.

Haar tranen waren niet alles wat ze niet meer binnen kon houden. John stormde net op tijd door de voordeur om te zien hoe de urine die langs haar rechterbeen stroomde haar trainingsbroek, sok en sportschoen doorweekte.

'Niet kijken!'

'Ali, niet huilen, het geeft niet.'

'Ik weet niet waar ik ben.'

'Het is goed, je bent hier.'

'Ik ben verdwaald.'

'Je bent niet verdwaald, Ali, je bent bij mij.'

Hij sloeg zijn armen om haar heen en wiegde haar zacht heen en weer, sussend, zoals ze hem hun kinderen had zien kalmeren na ontelbare lichamelijke verwondingen en maatschappelijke onrechtvaardigheden.

'Ik kon de wc niet vinden.'

'Het geeft niet.'

'Het spijt me.'

'Dat hoeft niet, het is niet erg. Kom, dan trekken we je schone kleren aan. Het begint al warm te worden, je moet toch iets dunners aan.'

Voordat John naar het congres ging, gaf hij Lydia gedetailleer-de instructies met betrekking tot Alice' medicatie, haar hard-loopschema, haar mobieltje en het Veilig Thuis-programma. Hij gaf haar ook het nummer van de neuroloog, voor de zekerheid. Toen Alice de toespraak in haar hoofd nog eens afdraaide, vond ze het verhaal erg lijken op wat ze de tieners die op hun kinderen pasten op het hart hadden gebonden voordat ze een weekendje naar Maine of Vermont gingen. Nu moest er op haar gepast worden. Door haar eigen dochter.

Na hun eerste maaltijd samen in de Squire liepen Alice en Lydia zonder te praten door Main Street. De rijen geparkeer-de luxeauto's en suv's met fietsenrekken en kajaks op het dak, volgepropt met wandelwagentjes, strandstoelen en parasols, met kentekenplaten uit Connecticut, New York en New Jersey in plaats van alleen uit Massachusetts, gaven aan dat het zomerseizoen nu officieel in volle gang was. Gezinnen drentelden lukraak over de stoep, ongehaast en zonder vaste bestemming; ze bleven soms staan, liepen een stukje terug en keken in etalages. Alsof ze alle tijd van de wereld hadden.

Na tien minuten rustig lopen waren ze het verstopte cen-trum uit. Ze bleven bij de vuurtoren van Chatham staan en namen het weidse uitzicht over het strand beneden in zich op voordat ze de dertig treden naar het zand namen. Daar stond een rijtje sandalen en slippers die eerder op de dag waren uit-geschopt. Alice en Lydia zetten hun schoenen aan het eind van de rij en liepen verder. Op het bord voor hen stond:

WAARSCHUWING. STERKE STROMING. ER KUN-NEN ONVERWACHT LEVENSGEVAARLIJKE GOLVEN EN STROMINGEN ONTSTAAN. GEEN STRAND-WACHT. GEVAARLIJK GEBIED VOOR: ZWEMMEN EN WADEN, DUIKEN EN WATERSKIËN, SURFPLAN-KEN EN KLEINE BOTEN, VLOTTEN EN KANO'S.

Alice keek en luisterde naar de onophoudelijk brekende golven die op de kust beukten. Zonder de hoge dijk die de kapitale villa's aan Shore Drive beschermde, zou de zee ze allemaal al hebben verzwolgen, zonder genade of verontschuldiging. Ze stelde zich haar alzheimer voor als de zee hier aan het strand: onstuitbaar, woest, allesvernietigend. Alleen had zij geen dijken in haar brein die haar herinneringen en gedachten tegen de aanvallen beschermden.

'Het spijt me dat ik niet naar je stuk ben komen kijken,' zei ze.

'Geeft niet. Ik weet dat het deze keer paps schuld was.'

'Ik verheug me erop je van de zomer te zien spelen.'

'Hm-hm.'

De zon hing laag en onmogelijk groot aan de roze met blauwe lucht, op het punt om in de Atlantische Oceaan te zinken. Ze liepen langs een man die geknield op het zand zijn camera op de horizon richtte om de vluchtige schoonheid vast te leggen voordat die samen met de zon verdween.

'Dat congres waar pap naartoe is, dat gaat toch over alzheimer?'

'Ja.'

'Hoopt hij daar een betere behandeling te vinden?'

'Ja.'

'Denk je dat het hem zal lukken?'

Alice keek naar de opkomende vloed die voetsporen wiste, een barok, met schelpen versierd zandkasteel sloopte, een eerder die dag met plastic schepjes gegraven kuil vulde en de rest van de dagelijkse geschiedenis van de kust uitwiste. Ze benijdde de schitterende huizen achter de dijk.

'Nee.'

Alice raapte een schelp op en veegde het zand eraf, zodat de melkwitte glans en elegante roze windingen zichtbaar werden. Hij voelde lekker glad, maar er was een stukje afgebroken. Ze overwoog hem in het water te gooien, maar besloot hem te bewaren.

'Nou, hij zou vast niet gegaan zijn als hij niet dacht dat hij iets kon vinden,' zei Lydia.

Twee meisjes in sweatshirts van de University of Massachusetts liepen giechelend hun kant op. Alice glimlachte naar hen en zei 'hallo' toen ze elkaar passeerden.

'Ging jij ook maar studeren,' zei Alice.

'Mam, niet doen, alsjeblieft.'

Alice, die hun week samen niet wilde beginnen met een knallende ruzie, mijmerde zwijgend terwijl ze liepen. De docenten die haar lief waren geweest en angst hadden ingeboezemd en voor wie ze zichzelf voor schut had gezet, de jongens die haar lief waren geweest en angst hadden ingeboezemd en voor wie ze zichzelf nog erger voor schut had gezet, de roezige nachten blokken voor een tentamen, de colleges, de feesten, de vriendschappen, de eerste ontmoeting met John – haar herinneringen aan die periode in haar leven waren levendig, puntgaaf en moeiteloos op te roepen. Het was bijna brutaal zoals ze zich aan haar opdrongen, zo volledig en gretig, alsof ze niets wisten van de oorlog die een paar centimeter verder naar links in haar hoofd woedde.

Wanneer ze aan haar studietijd dacht, kwam ze uiteindelijk altijd terecht in de januarimaand van haar eerste jaar. Iets meer dan drie uur nadat haar ouders en zusje afscheid van haar hadden genomen en naar huis waren vertrokken, had Alice een aarzelend klopje op de deur van haar kamer gehoord. Ze herinnerde zich nog tot in de details hoe de decaan in haar deuropening had gestaan: de diepe groef tussen zijn wenkbrauwen, de jongensachtige scheiding in zijn grootvaderlijk grijze haar, zijn mosgroene, pillende trui en de zachte, omzichtige cadans van zijn stem.

Haar vader was op Route 93 van de weg geraakt en tegen een boom gereden. Misschien was hij in slaap gevallen. Misschien had hij te veel gedronken bij het eten. *Hij dronk altijd te veel bij het eten.* Hij lag in een ziekenhuis in Manchester. Haar moeder en haar zusje waren dood.

'John? Ben jij het?'

'Nee, ik kom alleen even handdoeken brengen. Het gaat gieten,' zei Lydia.

Er hing onweer in de dichte lucht. Het zou gaan regenen. Het weer was hun de hele week ter wille geweest met plaatjes van zonnige dagen en heerlijke slaaptemperaturen. Haar brein had ook de hele week meegewerkt. Ze was het verschil gaan herkennen tussen dagen vol moeizaam naar herinneringen, woorden en wc's zoeken en dagen waarop haar alzheimer zich koest hield en haar met rust liet. Op die kalme dagen was ze haar gewone zelf, de zelf die ze begreep en kon vertrouwen. Op die dagen kon ze zichzelf bijna wijsmaken dat dokter Davis en de genetisch consulent zich hadden vergist, of dat het afgelopen halfjaar een vreselijke droom was geweest, niet meer dan een nachtmerrie, dat het monster onder haar bed dat naar haar dekens klauwde niet echt was.

Alice keek vanuit de woonkamer naar Lydia, die handdoeken opvouwde en op een stapeltje op een barkruk in de keuken legde. Ze droeg een lichtblauw hemdje met spaghettibandjes en een zwarte rok. Ze zag eruit of ze net onder de douche vandaan kwam. Alice liep nog in een verschoten strandjurk met vissen erop en haar badpak eronder.

'Moet ik me omkleden?' vroeg ze aan Lydia.

'Als je wilt.'

Lydia zette schone mokken in een kastje en keek op haar horloge. Toen liep ze naar de woonkamer, raapte de tijdschriften en catalogi van de bank en de vloer en legde ze netjes opgestapeld op de salontafel. Ze keek op haar horloge. Ze pakte een *Cape Cod Magazine* van de stapel, ging op de bank zitten en bladerde erin. Ze leken de tijd te moeten doden, maar Alice begreep niet waarom. Er klopte iets niet.

'Waar is John?' vroeg ze.

Lydia keek op van het tijdschrift, geamuseerd, gegeneerd of allebei, dat kon Alice niet zien.

'Hij kan elk moment thuiskomen.'

'Dus we zitten op hem te wachten.'

'Hm-hm.'

'Waar is Anne?'

'In Boston, met Charlie.'

'Nee, mijn zusje Anne, waar is Anne?'

Lydia keek haar aan zonder met haar ogen te knipperen. Haar gezicht betrok. 'Mam, Anne is dood. Ze is omgekomen bij een auto-ongeluk, samen met je moeder.'

Lydia bleef Alice strak aankijken. Alice kreeg geen lucht meer en haar hart balde zich samen als een vuist. Haar hoofd en vingers werden gevoelloos en de wereld rondom haar werd donker en benauwd. Ze ademde diep in. Haar hoofd en vingers vulden zich met zuurstof en haar bonzende hart stroomde vol woede en verdriet. Ze begon te beven en barstte in huilen uit.

'Nee, mam, het is heel lang geleden, weet je nog?'

Lydia praatte tegen haar, maar Alice kon haar niet verstaan. Ze voelde alleen de woede en het verdriet door al haar cellen stromen, haar diepbedroefde hart en haar hete tranen, en ze hoorde alleen haar eigen stem in haar hoofd om Anne en haar moeder schreeuwen.

John stond bij hen, doorweekt.

'Wat is er gebeurd?'

'Ze vroeg naar Anne. Ze denkt dat ze nog maar net dood zijn.'

Hij omvatte haar gezicht met zijn handen. Hij probeerde op haar in te praten, haar tot bedaren te brengen. *Waarom is hij niet ook van streek? Hij weet het al een tijdje, daarom, en hij heeft het voor me verzwegen.* Hij was niet te vertrouwen.

augustus 2004

Haar moeder en haar zusje waren overleden toen zij eerstejaars was. In hun fotoalbums kwam geen enkele foto van haar
moeder of Anne voor. Ze ontbraken bij haar afstuderen en
promotie, haar huwelijk en de kerst-, vakantie- en ver-
jaardagsfoto's van haar, John en de kinderen. Ze kon zich haar
moeder niet voorstellen als een oude vrouw, wat ze nu zeker
zou zijn, en Anne was in haar gedachten altijd een tienermeis-
je gebleven. Toch was ze er heel zeker van geweest dat ze elk
moment binnen konden komen, niet als geesten uit het verleden, maar levend en wel, en dat ze de zomer bij hen in het
huis in Chatham zouden doorbrengen. Ze vond het een
beetje griezelig dat ze zo in de war kon zijn, dat ze klaarwakker en nuchter oprecht een bezoek kon verwachten van haar
lang geleden gestorven moeder en zusje. Dat ze het maar een
bééetje griezelig vond, was nog griezeliger.

Alice, John en Lydia zaten op de veranda te ontbijten.
Lydia vertelde over de leden van haar zomergezelschap en
haar repetities, maar ze praatte vooral tegen John.

'Ik was helemaal geïntimideerd voordat ik hier kwam, weet
je. Ik bedoel, je zou die cv's eens moeten zien. Afgestudeerd
in theaterwetenschappen aan de universiteit van New York en
de Actors Studio, gepromoveerd aan Yale, ervaring op Broad-
way…'

'Wauw, dat klinkt als een heel ervaren gezelschap. Hoe oud zijn die mensen gemiddeld?' vroeg John.

'O, ik ben veruit de jongste. De meesten zijn in de dertig en veertig, denk ik, maar er zijn ook een man en een vrouw die zo oud zijn als mam en jij.'

'Zo oud, hm?'

'Je begrijpt me wel. Maar goed, ik was bang dat het veel te hoog gegrepen voor me was, maar de lessen die ik heb gevolgd en het werk dat ik heb gekregen hebben me echt goed voorbereid. Ik weet precies wat ik doe.'

Alice herinnerde zich dat ze zich de eerste maanden na haar aanstelling aan Harvard ook zo onzeker had gevoeld en dat het haar ook was gaan dagen dat ze er hoorde.

'Ze hebben allemaal onmiskenbaar meer ervaring dan ik, maar ze hebben geen van allen Meisner gedaan. Ze hebben allemaal Stanislavski of Method Acting gedaan, maar ik vind de Meisner-techniek de beste aanpak voor echt spontaan acteren. Dus hoewel ik minder ervaring heb, draag ik toch iets unieks bij aan de groep.'

'Wat goed, schat. Waarschijnlijk is dat een van de redenen waarom ze je hebben aangenomen. Wat houdt "spontaan acteren" precies in?' vroeg John.

Alice had zich hetzelfde afgevraagd, maar haar woorden, die stroperig in de amyloïdedrab bleven steken, sukkelden achter die van John aan, wat tegenwoordig steeds vaker leek te gebeuren tijdens hun gesprekken. Ze luisterde dus maar hoe zij moeiteloos voor haar uit praatten en keek vanaf haar stoel in het publiek naar hen alsof ze op het toneel stonden.

Ze sneed haar bagel met sesamzaad doormidden en nam een hapje. Ze hield niet van droog brood. Er stonden verschillende soorten beleg op tafel: wilde-bosbessenjam, een pot pindakaas, een schaaltje boter en een kuipje witte boter. Maar zo heette het niet. Hoe heette het dan? Niet mayonaise. Nee, het was dikker, net boter. Hoe heette het? Ze wees er met haar mes naar.

'John, kun je me dat even aangeven?'

John reikte haar het kuipje witte boter aan. Ze smeerde een dikke laag op een helft van haar bagel en keek ernaar. Ze wist precies hoe het zou smaken, en dat ze het lekker vond, maar ze kon er geen hap van nemen voordat ze wist hoe het heette. Lydia zag hoe haar moeder naar haar bagel keek.

'Roomkaas, mam.'

'O ja. Roomkaas. Dank je, Lydia.'

De telefoon ging, en John liep naar binnen om op te nemen. Het eerste wat in Alice opkwam, was dat het haar moeder was, die belde om te zeggen dat ze iets later zou komen. Het idee, dat zich levendig en gekleurd door het heden aan haar opdrong, leek net zo logisch als de verwachting dat John binnen een paar minuten terug zou komen. Alice verbeterde het onbezonnen idee, gaf het een standje en stopte het weg. Haar moeder en haar zusje waren gestorven toen zij in haar eerste jaar aan de universiteit zat. Het was om gek van te worden dat ze zichzelf daar telkens op moest wijzen.

Nu ze alleen was met haar dochter, al was het maar even, greep ze die kans aan om ook iets te zeggen. 'Lydia, hoe zou je het vinden om naar de toneelschool te gaan?'

'Mam, heb je dan geen woord gehoord van wat ik net zei? Ik hoef niet te studeren.'

'Ik heb je woord voor woord gevolgd en alles begrepen. Ik dacht meer aan het grotere geheel. Ik weet zeker dat er aspecten van je vak zijn die je nog niet hebt leren kennen, dingen die je nog zou kunnen leren, regisseren misschien zelfs? Waar het om gaat, is dat een diploma meer deuren opent, mocht dat ooit nodig zijn.'

'En wat zijn dat voor deuren?'

'Nou, om te beginnen zou je mogen doceren, mocht je dat ooit willen.'

'Mam, ik wil acteren, niet doceren. Je hebt het over jezelf, niet over mij.'

'Ik weet het, Lydia, dat heb je ruimschoots duidelijk gemaakt. Ik zat ook niet per se aan een aanstelling als docent aan een universiteit of hogeschool te denken, al zou dat ook kunnen. Ik dacht meer dat je op een dag workshops zou kunnen geven, zoals die lessen die je zelf hebt gevolgd en die je zo goed vond.'

'Mam, het spijt me, maar ik ga geen energie steken in nadenken over wat ik nog zou kunnen doen als ik niet goed genoeg ben om als actrice door te breken. Ik heb er geen behoefte aan om zo aan mezelf te twijfelen.'

'Ik twijfel er niet aan dat je een carrière als actrice kunt opbouwen, maar stel dat je ooit een gezin wilt, en het iets kalmer aan wilt doen, maar wel in het vak wilt blijven? Als je workshops kon geven, al was het maar aan huis, zou dat een leuke extra mogelijkheid zijn. Bovendien gaat het niet altijd om wat je kunt, maar om wie je kent. De kans om te netwerken met medestudenten, docenten en oud-studenten, ik weet zeker dat er een kliekje is waar je niet bij kunt komen zonder titel of een oeuvre waarmee je je al hebt bewezen in het vak.'

Alice wachtte op een 'ja, maar' van Lydia, maar die zweeg.

'Denk er gewoon over na. Het leven wordt alleen maar drukker. Het is moeilijker in te passen naarmate je ouder wordt. Misschien kun je met wat mensen in je gezelschap praten, vragen wat er volgens hen bij komt kijken als je na je dertigste, veertigste en daarna wilt blijven acteren, goed?'

'Goed dan.'

Goed dan. Meer overeenstemming zouden ze nooit bereiken als het op dit onderwerp aankwam. Alice probeerde een ander gespreksonderwerp te bedenken, maar er kwam niets. Ze praatten al zo lang alleen maar hierover. De stilte tussen hen werd zwaarder.

'Mam, hoe voelt het?'

'Hoe voelt wat?'

'Hoe voelt het om alzheimer te hebben? Kun je nu voelen dat je het hebt?'

'Tja, ik weet dat ik nu niet warrig ben of in herhaling val, maar een paar minuten geleden kon ik niet op het woord "roomkaas" komen, en ik vond het moeilijk om het gesprek tussen je vader en jou te volgen. Ik weet dat het maar een kwestie van tijd is voordat het weer gebeurt, en dat er steeds minder tijd zit tussen de keren dat het gebeurt. En wat er gebeurt, wordt ingrijpender. Dus zelfs als ik me volkomen normaal voel, weet ik dat ik niet normaal ben. De ziekte is niet weg, ik heb alleen even rust. Ik vertrouw mezelf niet meer.'

Ze had het nog niet gezegd of ze was bang dat ze te veel had prijsgegeven. Ze wilde Lydia niet bang maken, maar die vertrok geen spier en bleef belangstellend. Alice ontspande zich.

'Dus je weet het wanneer het gebeurt?'

'Meestal wel.'

'Zoals toen je niet op de naam van roomkaas kon komen?'

'Ik weet wat ik zoek, alleen kan mijn brein er niet bij. Het is zoals wanneer je dat glas water wilt pakken, maar je hand gehoorzaamt niet. Je vraagt het vriendelijk, je dreigt, maar je hand komt niet in beweging. Misschien kun je hem uiteindelijk in beweging krijgen, maar dan pakt hij in plaats van het glas het zoutvaatje, of je stoot het glas om en morst water over de hele tafel. Of je hebt geen dorst meer tegen de tijd dat je je hand zover hebt gekregen dat hij het glas pakt en het naar je mond brengt. Het hoeft niet meer.'

'Dat klinkt als een marteling, mam.'

'Dat is het ook.'

'Ik vind het heel erg voor je.'

'Dank je.'

159

Lydia reikte over de borden en de glazen en de jaren afstand en pakte de hand van haar moeder. Alice gaf een kneepje in de hand van haar dochter en glimlachte. Ze hadden eindelijk iets anders gevonden om over te praten.

Alice werd wakker op de bank. Ze deed vaak een dutje de laatste tijd, soms wel twee keer per dag. De extra rust was goed voor haar concentratievermogen en energie, maar de terugkeer in de dag werkte ontnuchterend. Ze keek op de wandklok. Kwart over vier. Ze kon zich niet herinneren wanneer ze in slaap was gesukkeld. Ze wist nog dat ze had geluncht. Een broodje, een broodje met iets erop, samen met John. Dat zou wel rond het middaguur zijn geweest. De punt van iets hards drukte in haar heup. Het boek dat ze had gelezen. Ze moest onder het lezen in slaap zijn gevallen.

Tien voor halfvijf. Lydia's repetitie duurde tot zeven uur. Ze ging rechtop zitten en luisterde. Ze hoorde de meeuwen aan het strand krijsen en stelde zich hun plundertocht voor, de krankzinnige wedloop om de laatste kruimels te vinden en te verslinden die die achteloze, zonverbrande menselijke wezens hadden achtergelaten. Ze stond op en begon haar eigen jacht, minder verwoed dan die van de meeuwen, op John. Ze keek in de slaapkamer en de werkkamer. Ze keek naar buiten. Er stond geen auto op de inrit. Net toen ze op het punt stond hem te vervloeken omdat hij geen briefje had achtergelaten, zag ze het, onder een magneet op de deur van de koelkast.

ALi, ben even gaan RiJDen, zo teRug, John

Ze ging weer op de bank zitten en pakte haar boek, *Verstand en gevoel* van Jane Austen, maar sloeg het niet open. Ze had niet echt zin om te lezen. Toen ze op de helft van *Moby Dick* was, was ze het kwijtgeraakt. John en zij hadden het hele huis op zijn kop gezet, maar zonder succes. Ze hadden zelfs op de rare plekken gekeken waar alleen een dementerend persoon een boek zou opbergen: in de koelkast en de vriezer, de bijkeuken, de lades van hun kasten, de linnenkast en de schouw, maar ze hadden het geen van beiden kunnen vinden. Waarschijnlijk had ze het aan het strand laten liggen. Ze hoopte het maar. Zoiets had ze tenminste ook kunnen doen voordat ze alzheimer kreeg.

John had aangeboden een nieuw exemplaar voor haar te halen. Misschien was hij naar de boekwinkel. Ze hoopte het. Als ze nog lang wachtte, was ze vergeten wat ze al had gelezen en moest ze opnieuw beginnen. Al dat werk. Bij de gedachte alleen al werd ze weer moe. Intussen was ze aan Jane Austen begonnen, een schrijfster die ze altijd goed had gevonden, maar dit boek kon haar niet boeien.

Ze drentelde naar boven, naar Lydia's slaapkamer. Van haar drie kinderen kende ze Lydia het slechtst. Op haar ladekast stond een kartonnen doos die uitpuilde van de zilveren en turkooizen ringen, een leren halsveter en een kleurige kralenketting. Ernaast lag een hoopje haarspelden en er stond een wierookbrandertje. Lydia was een beetje een hippie.

De vloer lag bezaaid met haar kleren, sommige opgevouwen, de meeste niet. Er kon niet veel in de lades zitten. Ze had het bed niet opgemaakt. Lydia was een beetje een sloddervos.

Op haar boekenplanken stonden gedichten en toneelstukken: *Nachtmoeder, Eten met vrienden, Het bewijs, Wankel evenwicht, Spoon River, Agnes of God, Angels in America, Oleanna.* Lydia was actrice.

Ze pakte een paar toneelstukken en bladerde erin. Ze telden hooguit tachtig, negentig bladzijden en die waren maar spaarzaam gevuld met tekst. *Misschien zou het veel makkelijker en bevredigender zijn om toneelstukken te lezen. En ik zou er met Lydia over kunnen praten.* Ze hield *Het bewijs* bij zich.

Op Lydia's nachtkastje lagen haar dagboek, haar iPod, *Sanford Meisner on Acting* en een foto in een lijstje. Ze pakte het dagboek. Ze aarzelde, maar niet lang. Zij had de luxe van de tijd niet. Ze ging op het bed zitten en las de dromen en bekentenissen van haar dochter, bladzij na bladzij. Ze las over blokkades en doorbraken tijdens de acteerlessen, de hoop en vrees rond audities, de teleurstelling en blijdschap over wel of niet gekregen rollen. Ze las over de passie en vasthoudendheid van een jonge vrouw.

Ze las over Malcolm. Toen ze samen tijdens de les een dramatische scène speelden, was Lydia voor hem gevallen. Ze had een keer gedacht dat ze zwanger zou kunnen zijn, maar ze was het niet. Het was een opluchting, want ze was nog niet toe aan trouwen en kinderen krijgen. Ze wilde eerst haar eigen weg in de wereld vinden.

Alice keek naar de ingelijste foto van Lydia met een man, vermoedelijk Malcolm. Hun glimlachende gezichten raakten elkaar. Ze waren blij, de man en de vrouw op de foto. Lydia was een vrouw.

'Ali, waar ben je?' riep John.

'Boven!'

Ze legde de foto en het dagboek terug op het nachtkastje en glipte de trap af.

'Waar was je?' vroeg ze.

'Ik ben een stukje gaan rijden.'

Hij had twee witte plastic tassen bij zich, een aan elke hand.

'Heb je een nieuwe *Moby Dick* voor me gekocht?'

'Zoiets.'

Hij gaf Alice een van de tassen. Hij zat vol dvd's: *Moby Dick*, met Gregory Peck en Orson Welles, *King Lear*, met Laurence Olivier, *Casablanca*, *One Flew Over the Cuckoo's Nest* en *The Sound of Music*, haar lievelingsfilm.

'Dit zou een stuk makkelijker voor je kunnen zijn, dacht ik zo. En we kunnen ze samen bekijken.'

Ze glimlachte. 'Wat zit er in de andere tas?'

Ze voelde zich zo opgewonden als een kind op kerstochtend. Hij haalde een pak magnetronpopcorn en een zak Smarties uit de tas.

'Kunnen we met *The Sound of Music* beginnen?' vroeg ze.

'Ja hoor.'

'John, ik hou van je.'

Ze sloeg haar armen om hem heen.

'Ik hou ook van jou, Ali.'

Met haar handen hoog op zijn rug drukte ze haar gezicht tegen zijn borst en snoof zijn geur op. Ze wilde meer tegen hem zeggen, hoeveel hij voor haar betekende, maar kon de woorden niet vinden. Hij omhelsde haar iets steviger. Hij wist het wel. Zo bleven ze lang in de keuken staan, zich aan elkaar vastklampend, zonder een woord te zeggen.

'Hier, stop jij de popcorn in de magnetron, dan zet ik de film op en zie ik je zo op de bank,' zei John.

'Oké.'

Ze liep naar de magnetron, maakte het deurtje open en schoot in de lach. Ze moest wel lachen.

'Ik heb *Moby Dick* gevonden!'

Alice was al een paar uur op. Alleen op de vroege ochtend had ze groene thee gedronken, iets gelezen en buiten op het gazon yogaoefeningen gedaan. In de liggende hond had ze haar longen gevuld met de heerlijke ochtendzeelucht en zich gekoesterd in het vreemde, bijna pijnlijke genot van het rekken van haar hamstrings en bilspieren. Vanuit haar ooghoek zag ze haar linkertriceps opbollen om haar lichaam in die positie te houden. Sterk, gebeeldhouwd, mooi. Haar hele lichaam zag er sterk en mooi uit.

Lichamelijk was ze nog nooit zo goed in vorm geweest.

Het gezonde eten en de dagelijkse lichaamsbeweging stonden bij elkaar opgeteld gelijk aan de kracht in de gespannen spieren van haar triceps, de buigzaamheid van haar heupen, haar sterke kuiten en het gemak waarmee ze bleef ademen wanneer ze zesenhalve kilometer hardliep. Haar geest was een ander verhaal. Afwerend, onwillig en steeds zwakker.

Ze slikte Aricept, Namenda, de mysterieuze experimentele Amylex, Lipitor, vitamine C en E en kinderaspirine. Ze nam extra antioxidanten in de vorm van bosbessen, rode wijn en pure chocola. Ze dronk groene thee. Ze probeerde ginkgo biloba. Ze mediteerde en speelde Numero. Ze poetste haar tanden met haar linkerhand, terwijl ze rechtshandig was. Ze sliep als ze moe was. Toch leek niet één van die inspanningen tot zichtbare, meetbare resultaten te leiden. Misschien zouden haar cognitieve vaardigheden aanzienlijk verslechteren wanneer ze ophield met bewegen, Aricept of bosbessen. Zonder tegenspel zou haar dementie misschien op hol slaan. Misschien. Maar misschien leverde alles wat ze deed wel niets op. Ze kon het niet weten, tenzij ze ophield met haar medicijnen, de wijn en chocola eraan gaf en de komende maand op haar luie kont bleef zitten. Het was geen experiment dat ze wilde uitvoeren.

Ze nam de krijgerhouding aan. Ze ademde uit en zonk dieper door haar knie, het ongemak en de extra uitdaging van haar concentratie- en uithoudingsvermogen voor lief nemend, vastbesloten de houding vast te houden. Vastbesloten een krijger te blijven.

John kwam uit de keuken, met warrig haar en nog suf, maar in hardloopkleding.

'Wil je eerst koffie?' vroeg Alice.

'Nee, laten we maar gaan, ik neem wel koffie als we weer terug zijn.'

Ze renden elke ochtend drie kilometer door Main Street naar het centrum en weer terug. John was zichtbaar slanker en gespierder geworden en hij kon die afstand nu met gemak lopen, maar hij genoot er geen seconde van. Hij liep met haar mee, gelaten en zonder één klacht, maar met niet meer enthousiasme en vuur dan hij kon opbrengen voor het betalen van de rekeningen of de was doen. Daarom hield ze van hem.

Ze liep achter hem, zodat hij het tempo kon aangeven, en keek en luisterde naar hem alsof hij een betoverend muziekinstrument was – de slingerbeweging waarmee hij zijn ellebogen naar achteren zwaaide, de ritmische pufjes van zijn ademhaling, het slaan van zijn sportschoenen op de zanderige stoep. Toen spuugde hij op straat, en ze lachte. Hij vroeg niet waarom.

Op de terugweg kwam ze naast hem lopen. Ze wilde in een opwelling van medeleven tegen hem zeggen dat hij niet meer met haar hoefde te lopen als hij niet wilde, dat ze de weg zelf wel kon vinden, maar toen volgde ze hem op een driesprong van Mill Road naar rechts terwijl zij daar links af was geslagen. Alzheimer liet zich niet graag negeren.

Thuisgekomen bedankte ze hem, gaf hem een zoen op zijn bezwete wang en liep regelrecht en ongedoucht door naar Lydia, die in haar pyjama koffie zat te drinken op de veranda. Elke ochtend besprak ze met Lydia het stuk dat ze aan het lezen was bij de meergranen-ontbijtvlokken met bosbessen of een bagel met sesamzaad en *roomkaas* en koffie en thee. Alice had het goed aangevoeld. Ze las oneindig veel liever toneelstukken dan romans of biografieën, en het gelezene met Lydia bespreken, of het nu de eerste scène, de eerste akte of het hele stuk was, bleek een heerlijke en effectieve manier te zijn om haar herinnering eraan te versterken. Door het analyseren van scènes, personages en intriges met Lydia kreeg Alice inzicht in de diepte van het intellect van haar dochter, haar rijke inzicht in menselijke behoeftes, emoties en worstelingen. Ze zag Lydia. En ze hield van haar.

Vandaag bespraken ze een scène uit *Angels in America*. Ze wierpen elkaar gretig vragen en antwoorden toe, een tweezijdig gesprek, gelijkwaardig, leuk. En omdat Alice niet met John hoefde te wedijveren om haar gedachten te vormen, kon ze de tijd nemen zonder achterop te raken.

'Hoe was het om die scène samen met Malcolm te spelen?' vroeg Alice.

Lydia keek haar perplex aan. 'Hè?'

'Je hebt deze scène toch samen met Malcolm gespeeld in de les?'

'Heb je mijn dagboek gelezen?'

Alice' maag verkrampte. Ze dacht dat Lydia haar over Malcolm had verteld. 'Lieverd, het spijt me...'

'Niet te geloven! Je hebt het recht niet!'

Lydia schoof haar stoel achteruit en stormde weg, Alice alleen aan de tafel achterlatend, onthutst en misselijk. Een paar minuten later hoorde ze de voordeur slaan.

'Geen paniek, ze koelt wel af,' zei John.

Ze probeerde de hele ochtend iets anders te doen. Ze probeerde schoon te maken, te tuinieren en te lezen, maar het enige dat echt lukte, was piekeren. Ze was bang dat ze iets onvergeeflijks had gedaan. Ze was bang dat ze het respect, het vertrouwen en de liefde had verspeeld van de dochter die ze nog maar net leerde kennen.

Na de lunch wandelden Alice en John naar Hardings Beach. Alice zwom in zee tot haar lichaam te uitgeput was om nog iets anders te kunnen voelen. Toen het uitgeholde gefladder in haar maag weg was, ging ze terug naar haar strandstoel, zette hem in de ligstand, deed haar ogen dicht en mediteerde.

Ze had gelezen dat regelmatig mediteren de cortex kon verdikken en het geleidelijke, leeftijdsgebonden dunner worden kon vertragen. Lydia mediteerde al elke dag, en toen Alice belangstelling toonde, had ze het haar ook geleerd. Of het de dikte van haar cortex nu in stand hielp houden of niet, Alice hield van de concentratie op de stilte die het rommelige geluid en het getob in haar hoofd zo doelmatig tegenhield. Het gaf haar letterlijk rust in haar hoofd.

Na een minuut of twintig keerde ze ontspannen, opgeladen en warm terug naar een bewustere toestand. Ze waadde de zee weer in, nu voor een snelle duik om zweet en hitte te verruilen voor zout en koelte. Toen ze weer op haar stoel zat, hoorde ze een vrouw op een deken naast hen vertellen over het geweldige stuk dat ze net in het Monomoy Theatre had gezien. Het uitgeholde gefladder begon weer.

Die avond bakte John cheeseburgers en Alice maakte een salade. Lydia kwam niet thuis eten.

'De repetitie is vast uitgelopen,' zei John.

'Ze heeft de pest aan me.'

'Nee, dat heeft ze niet.'

Na het eten dronk ze nog twee glazen rode wijn en John nog drie glazen whisky met ijs. Nog steeds geen Lydia. Ze nam haar avondportie medicijnen en keek samen met John, een bak popcorn en een zak Smarties naar *King Lear*.

John maakte haar wakker. Ze lag op de bank, de tv was uit en het huis was donker. Ze moest voor het eind van de film in slaap zijn gevallen. Ze herinnerde zich het eind in elk geval niet. Hij bracht haar naar hun slaapkamer boven.

Ze stond bij het bed, met een hand voor haar ongelovige mond en tranen in haar ogen, de zorgen uit haar maag en geest verbannen. Daar, op haar kussen, lag Lydia's dagboek.

'Sorry dat ik zo laat ben,' zei Tom bij binnenkomst.

'Goed, mensen, nu Tom er is, hebben Charlie en ik nieuws voor jullie,' zei Anna. 'Ik ben vijf weken zwanger van een tweeling!'

De omhelzingen, zoenen en felicitaties werden gevolgd

door opgewonden vragen en antwoorden, door elkaar heen gepraat en nog meer vragen en antwoorden. Naarmate haar vermogen om bij te houden wat er werd gezegd tijdens ingewikkelde gesprekken tussen meer mensen afnam, werd Alice gevoeliger voor wat er niet werd gezegd, voor lichaamstaal en onuitgesproken gevoelens. Ze had Lydia een paar weken eerder over dit verschijnsel verteld, en die had gezegd dat het een benijdenswaardige vaardigheid was voor een acteur. Ze had gezegd dat haar collega's en zij zich enorm moesten inspannen om zich los te maken van de verbale taal en zich echt te laten pakken door wat de andere acteurs deden en voelden. Alice begreep niet zo goed wat het verschil was, maar vond het lief van Lydia dat die haar handicap als een 'benijdenswaardige vaardigheid' zag.

John zag er blij en enthousiast uit, maar Alice zag dat hij maar iets van zijn blijdschap en enthousiasme toonde, mogelijk uit respect voor Anna's waarschuwing dat het 'nog pril' was. Zelfs zonder Anna's voorbehoud was hij bijgelovig, zoals de meeste biologen, en zou hij de huid niet snel verkopen voordat de beertjes geschoten waren, maar hij popelde al. Hij wilde kleinkinderen.

Vlak onder Charlies blijdschap en enthousiasme zag Alice een dikke laag zenuwen over een nog dikkere laag angst. Alice vond ze allebei goed zichtbaar, maar Anna leek er niets van te merken en niemand zei er iets van. Zag ze gewoon de normale angst van een vader die zijn eerste verwachtte? Zag hij op tegen de verantwoordelijkheid van twee monden tegelijk te moeten voeden en voor twee studerende kinderen tegelijk te moeten betalen? Dat zou de bovenste laag verklaren. Was hij ook bang bij het vooruitzicht van twee studerende kinderen en, tegelijk daarmee, een dementerende vrouw?

Lydia en Tom stonden naast elkaar met Anna te praten. Ze waren mooi, haar kinderen die geen kinderen meer waren.

Lydia zag er stralend uit. Ze genoot van het goede nieuws boven op het feit dat haar hele familie was gekomen om haar te zien acteren.

Toms glimlach was welgemeend, maar Alice bespeurde een subtiel onbehagen bij hem. Zijn ogen en wangen waren iets ingevallen en zijn lichaam leek knokiger. Was het de studie? Een vriendin? Hij zag dat ze naar hem keek.

'Mam, hoe voel je je?' vroeg hij.

'Meestal goed.'

'Echt?'

'Ja, echt. Ik voel me prima.'

'Je bent zo stil.'

'Er praten te veel mensen tegelijk en te snel,' zei Lydia.

Toms glimlach verflauwde en hij zag eruit alsof hij wel kon huilen. De BlackBerry in haar lichtblauwe tas trilde, het sein dat ze haar avondmedicatie moest nemen. Ze zou nog even wachten. Ze wilde haar pillen niet nu nemen, waar Tom bij was.

'Lyd, hoe laat begint je voorstelling morgen?' vroeg Alice met haar BlackBerry in de aanslag.

'Acht uur.'

'Mam, je hoeft het niet in te voeren. We zijn er allemaal. We zullen echt niet vergeten je mee te nemen,' zei Tom.

'Hoe heet het stuk dat we gaan zien?' vroeg Anna.

'*Het bewijs*,' zei Lydia.

'Heb je plankenkoorts?' vroeg Tom.

'Een beetje, want het is de première en jullie komen allemaal, maar zodra ik op het toneel sta, ben ik jullie bestaan vergeten.'

'Lydia, hoe laat begint je voorstelling?' vroeg Alice.

'Mam, dat heb je net gevraagd. Maak je niet druk,' zei Tom.

'Om acht uur, mam,' zei Lydia. Ze wendde zich tot haar broer. 'Tom, dat helpt niet echt.'

'Nee, jij helpt niet echt. Waarom zou ze bang moeten zijn dat ze iets vergeet wat ze niet hoeft te onthouden?'

'Als ze het in haar BlackBerry zet, hoeft ze er niet meer over te tobben. Laat haar nou maar,' zei Lydia.

'Nou, ze zou zich sowieso niet op die BlackBerry moeten verlaten. Ze kan haar geheugen beter zoveel mogelijk trainen,' zei Anna.

'Wat wordt het? Moet ze onthouden hoe laat het stuk begint of moet ze maar helemaal afhankelijk zijn van ons?' zei Lydia.

'Je moet haar aanmoedigen haar kop erbij te houden en goed op te letten. Ze moet proberen zich dingen zelf te herinneren en niet lui te worden,' vond Anna.

'Ze is niet lui.'

'Die BlackBerry en jij maken het haar te makkelijk. Mam, hoe laat begint Lydia's voorstelling morgen?' vroeg Anna.

'Dat weet ik niet, daarom vroeg ik het haar,' zei Alice.

'Ze heeft het je al twee keer verteld, mam. Kun je niet proberen het te onthouden?'

'Anna, hou op met dat gevraag,' zei Tom.

'Ik wilde het in mijn BlackBerry zetten, maar toen kwamen jullie ertussen.'

'Ik vraag je niet het in je BlackBerry op te zoeken, ik vraag je de tijd te onthouden die ze heeft genoemd.'

'Nou, ik heb het niet onthouden, want ik wilde het invoeren.'

'Mam, denk nou even na. Hoe laat begint Lydia's voorstelling morgen?'

Ze wist het niet, maar ze wist wel dat die arme Anna op haar nummer gezet moest worden.

'Lydia, hoe laat is je voorstelling morgen?' vroeg Alice.

'Om acht uur.'

'Om acht uur, Anna.'

Om vijf voor acht namen ze hun plaatsen in het midden van de tweede rij in. Het Monomoy Theatre had een intieme zaal met maar een paar honderd plaatsen en een podium op slechts een paar passen van de voorste rij.

Alice kon niet wachten tot de zaallichten werden gedoofd. Ze had het stuk gelezen en uitgebreid met Lydia besproken. Ze had haar zelfs met haar tekst geholpen. Lydia speelde Catherine, de dochter van het krankzinnig geworden wiskundige genie. Alice popelde om te zien hoe die personages vlak voor haar ogen tot leven kwamen.

Er werd vanaf de allereerste scène genuanceerd, oprecht en gelaagd geacteerd, en het kostte Alice geen moeite om helemaal op te gaan in de wereld die door de acteurs werd opgeroepen. Catherine beweert dat ze een baanbrekend bewijs heeft opgesteld, maar noch haar geliefde, noch haar van haar vervreemde zus gelooft haar, en ze vragen zich allebei af of ze geestelijk wel in orde is. Ze kwelt zichzelf met de angst dat ze, net als haar geniale vader, krankzinnig wordt. Alice leefde met haar mee in haar verdriet, gevoel van verraad en angst. Catherine was van begin tot eind fascinerend.

Na afloop kwamen de acteurs de zaal in. Catherine straalde. John gaf haar bloemen en een dikke, meelevende zoen.

'Je was geweldig, ongelooflijk gewoon!' zei hij.

'Dank je wel! Is het geen fantastisch stuk?'

De anderen omhelsden, zoenden en complimenteerden haar ook.

'Je was briljant, heerlijk om te zien,' zei Alice.

'Dank je.'

'Krijgen we je deze zomer in meer stukken te zien?' vroeg Alice.

Catherine keek Alice zo lang aan voordat ze antwoord gaf dat Alice zich er onbehaaglijk onder voelde. 'Nee, dit is mijn enige rol deze zomer.'

'Ben je hier dan alleen het zomerseizoen?'

De vraag leek haar verdrietig te maken. Er welden tranen in haar ogen op. 'Ja, eind augustus ga ik weer terug naar Los Angeles, maar ik ben van plan hier vaak terug te komen om mijn ouders te bezoeken.'

'Mam, dat is Lydia, je dochter,' zei Anna.

Het welzijn van neuronen is afhankelijk van hun vermogen tot onderlinge communicatie. Onderzoek heeft uitgewezen dat elektrische en chemische prikkels van zowel de input van neuronen als hun doelwit cruciale cellulaire processen ondersteunen. Neuronen die niet doelmatig contact kunnen leggen met andere neuronen, atrofiëren. Een afgedankt, onbruikbaar geworden neuron is ten dode opgeschreven.

september 2004

Hoewel het officieel het begin van het najaarssemester van Harvard was, hield het weer hardnekkig vast aan de regels van de Romeinse kalender. Die zomerochtend in september toen Alice op weg ging naar Harvard Yard, was het een kleffe zevenentwintig graden buiten. Ze vond het altijd leuk om de dagen vlak voor en na de nieuwe inschrijving de eerstejaarsstudenten te zien die niet uit New England kwamen. Bij herfst in New England dachten mensen aan gekleurde bladeren, appels plukken, footballwedstrijden en wollen truien en sjaals. Het was niet bijzonder als je op een ochtend tegen eind september bij het wakker worden in Cambridge zag dat de pompoenen berijpt waren, maar zeker begin september klonken nog overal de onvermoeibaar zwoegende airconditionings en de koortsachtige, ziekelijk optimistische discussies over de Red Sox. Toch waren ze er elk jaar weer, die ontheemde studenten die met de onzekerheid van onwennige toeristen over de stoepen van Harvard Square liepen, altijd in te veel lagen wol en fleece gewikkeld en altijd met een overdaad aan tassen van de Harvard Coop die uitpuilden van de onmisbare kantoorartikelen en sweatshirts met HARVARD erop, die arme zwetende stumpers.

Zelfs in haar mouwloze witkatoenen shirt en enkellange

zwarte rayon rok voelde Alice zich onaangenaam klam tegen de tijd dat ze bij de kamer van Eric Wellman aankwam. Die zat recht boven de hare en was even groot, met dezelfde meubelen en hetzelfde uitzicht over Boston en de rivier de Charles, maar de zijne leek op de een of andere manier indrukwekkender en dwong meer ontzag af. Ze voelde zich altijd net een student op die kamer, en dat gevoel manifesteerde zich die dag nog sterker omdat hij haar bij zich had geroepen om 'even te praten'.

'Hoe was je zomer?' vroeg Eric.

'Heel rustgevend, en de jouwe?'

'Fijn, maar het ging te snel voorbij. We hebben je allemaal gemist op het congres in juni.'

'Ja, ik vond het ook jammer dat ik er niet was.'

'Goed, Alice, ik wil voordat de colleges weer beginnen de evaluaties van het vorige semester met je bespreken.'

'O, ik heb nog niet eens kans gezien ernaar te kijken.'

Ergens op haar kamer lag een stapel evaluaties van haar colleges Motivatie en Emotie, met een elastiek eromheen, ongeopend. De studentenevaluaties waren volkomen anoniem en werden alleen gezien door de betreffende docent en het instituutshoofd. In het verleden had ze ze alleen gelezen om haar ijdelheid te strelen. Ze wist dat ze een uitstekende docent was, en de evaluaties van haar studenten hadden dat altijd unaniem bevestigd. Eric had haar nog nooit gevraagd ze samen met hem door te nemen. Voor het eerst in haar lange loopbaan vreesde ze dat ze een beeld van haar zouden geven dat ze niet graag wilde zien.

'Kijk dan nu maar even.'

Eric gaf haar zijn kopie van de stapel, met de samenvatting bovenop.

De docent stelde hoge eisen aan de studenten (1 - helemaal niet mee eens, 5 - helemaal mee eens). Allemaal vieren en vijven.

Bevorderden de colleges het begrip van het studiemateriaal?
Vieren, drieën en tweeën.

De docent hielp me moeilijke begrippen en complexe ideeën te begrijpen. Ook weer vieren, drieën en tweeën.

De docent moedigde ons aan vragen te stellen en over verschillende standpunten na te denken. Twee studenten hadden haar een één gegeven.

Geef een globale evaluatie van de docent (1 - slecht, 5 - uitstekend). Voornamelijk drieën. Als ze het zich goed herinnerde, was haar laagste beoordeling altijd een vier geweest.

De bladzij met de samenvatting was een woud van drieën, tweeën en enen. Ze probeerde niet zichzelf wijs te maken dat er meer achter zat dan een nauwkeurig, weloverwogen oordeel van haar studenten, zonder enige kwaadaardigheid. Haar kwaliteiten als docent hadden blijkbaar meer te lijden gehad dan ze zelf besefte, maar ze durfde er nog altijd alles om te verwedden dat ze op geen stukken na de docent met de slechtste beoordeling van het instituut was. Ze mocht dan snel zinken, ze had de bodem nog lang niet bereikt.

Ze keek op naar Eric, bereid de gevolgen onder ogen te zien. Dit had ze niet verwacht, maar het hoefde geen ramp te zijn.

'Als ik jouw naam niet op die samenvatting had gezien, had ik er niet bij stilgestaan. Het is redelijk, niet wat ik van je gewend ben, maar ook niet verschrikkelijk. Het zijn de aanvullende opmerkingen die me zorgen baren, en ik vond dat we daarover moesten praten.'

Alice had alleen naar de samenvatting gekeken. Eric pakte zijn aantekeningen erbij en las eruit voor.

'"Ze slaat grote stukken van de stof over, dus doen wij dat

ook maar, maar ze verwacht wel dat je het voor het tentamen kent."

"Ze lijkt de stof zelf niet te beheersen."

"De colleges waren zonde van de tijd. Ik had genoeg gehad aan het boek."

"De colleges zijn moeilijk te volgen. Ze raakt zelf ook de draad kwijt. De colleges zelf waren niet half zo goed als de introductiecursus."

"Ze is een keer op college gekomen zonder les te geven. Ze bleef gewoon een paar minuten zitten en ging toen weer weg. Ze heeft ook een keer exact hetzelfde college afgedraaid als een week eerder. Ik zou het niet in mijn hoofd halen dr. Howlands tijd te verkwisten, maar ik vind dat ze mijn tijd ook niet moet verkwisten."'

Het was pijnlijk om te horen. Het was meer, veel meer dan ze had beseft.

'Alice, we kennen elkaar al heel lang, toch?'

'Ja.'

'Op het gevaar af dat je me bot en te persoonlijk vindt: gaat het thuis wel goed?'

'Ja.'

'En met jou dan, zou het kunnen dat je overspannen of depressief bent?'

'Nee, dat is het niet.'

'Het is een beetje een gênante vraag, maar zou je een drank- of drugsprobleem kunnen hebben?'

Ze vond het welletjes. *Ik kan niet leven met de reputatie van een depressieve, overspannen verslaafde. Dementeren moet minder stigmatiserend zijn.*

'Eric, ik heb de ziekte van Alzheimer.'

Hij keek haar wezenloos aan. Hij had zich schrap gezet voor een verhaal over Johns overspel. Hij had de naam van een goede psychiater bij de hand. Hij was bereid een interventie te regisseren of haar in het McLean Hospital te laten opnemen voor een ontwenningskuur, maar dít had hij niet verwacht.

'Ik heb de diagnose in januari gekregen. Het doceren viel me zwaar, het afgelopen semester, maar ik wist niet dat het zo opvallend was.'

'Wat vind ik dat erg voor je, Alice.'

'Ik ook.'

'Hier had ik niet op gerekend.'

'Ik ook niet.'

'Ik had verwacht dat het iets tijdelijks was, iets waar je wel overheen zou komen, maar dit is geen probleem van voorbijgaande aard.'

'Nee, nee, dat is het niet.'

Alice zag hem nadenken. Hij was als een vader voor iedereen binnen het instituut, beschermend en ruimhartig, maar ook pragmatisch en strikt.

'De ouders betalen tegenwoordig veertigduizend dollar per jaar. Dit zou niet goed vallen.'

Nee, daar zei hij iets. Ze telden geen astronomische bedragen neer om hun kinderen les te laten krijgen van iemand met alzheimer. Ze hoorde het tumult al, de lasterlijke citaten in het avondnieuws.

'Daar komt nog bij dat een paar van je studenten in beroep zijn gegaan tegen hun cijfer. Ik ben bang dat het alleen maar kan escaleren.'

In de vijfentwintig jaar dat ze had gedoceerd, was het nog nooit voorgekomen dat een student beroep aantekende tegen zijn cijfer. Nooit.

'Ik vind zelf dat je beter geen college meer kunt geven, maar ik wil graag rekening houden met jouw plannen, als je die hebt.'

'Ik had gehoopt dit jaar nog aan te blijven en dan mijn sabbatical op te nemen, maar toen wist ik nog niet in welke mate mijn symptomen zich manifesteren en mijn colleges belemmeren. Ik wil geen slechte docent zijn, Eric. Zo wil ik niet zijn.'

'Ik weet het. Wat dacht je van ziekteverlof tot je sabbatical?'

Hij wilde dat ze meteen vertrok. Ze had een voorbeeldige publicatie- en prestatiegeschiedenis, en bovenal had ze een vaste aanstelling. Juridisch gezien kon hij haar niet ontslaan, maar zo wilde ze het niet spelen. Hoe graag ze haar carrière aan Harvard ook wilde behouden, ze voerde strijd tegen de ziekte van Alzheimer, niet tegen Eric of Harvard.

'Ik ben er nog niet aan toe om te stoppen, maar al breekt het mijn hart, ik ben het met je eens dat ik beter niet meer kan doceren. Ik wil wel graag aanblijven als promotor van Dan, en ik wil seminars en bijeenkomsten blijven bijwonen.'

Ik ben geen docent meer.

'Dat is wel te regelen, denk ik. Ik wil je wel vragen Dan uit te leggen wat er aan de hand is en de beslissing aan hem over te laten. Ik wil ook met plezier copromotor worden, als dat voor jullie prettiger is. En je kunt uiteraard geen nieuwe promovendi meer begeleiden. Dan is de laatste.'

Ik ben geen wetenschappelijk onderzoeker meer.

'Waarschijnlijk kun je beter geen uitnodigingen meer aannemen om op andere universiteiten of congressen te spreken. Het lijkt me geen goed idee als je Harvard in die hoedanigheid vertegenwoordigt. Het is me niet ontgaan dat je al bijna niet meer reist, dus misschien had je dat zelf al ingezien?'

'Ja, ik ben het met je eens.'

'Hoe wil je het aan het bestuur en je collega's vertellen? Nogmaals, ik respecteer je plannen, jij mag het zeggen.'

Ze hield op met doceren, onderzoek, reizen en lezingen. Het zou niet onopgemerkt blijven. De mensen zouden gaan gissen, smiespelen en roddelen. Ze zouden denken dat ze een depressieve, overspannen verslaafde was. Misschien dachten sommigen dat nu al.

'Ik wil het zelf vertellen. Ze moeten het van mij horen.'

17 september 2004

Beste vrienden en collega's,

Na ampel beraad en met veel verdriet heb ik besloten mijn verplichtingen als docent, onderzoeker en gastspreker aan andere universiteiten neer te leggen. Afgelopen januari heb ik gehoord dat ik aan vroege alzheimer lijd. Ik verkeer vermoedelijk nog in de eerste, gematigde stadia van de ziekte, maar de cognitieve achteruitgang maakt zich nu al op onvoorspelbare momenten kenbaar, waardoor het me onmogelijk is mijn positie zodanig te vervullen dat ik voldoe aan de hoge eisen die ik altijd aan mezelf heb gesteld en aan de verwachtingen die aan Harvard gelden.

Jullie zullen me dus niet meer op het podium in de collegezaal zien, of druk bezig nieuwe onderzoeksvoorstellen te schrijven, maar ik blijf aan als promotor van Dan Maloney en ik zal bijeenkomsten en seminars blijven bijwonen in de hoop daar een actieve, graag geziene deelnemer te blijven.

Met alle genegenheid en respect,

Alice Howland

In de eerste week van het najaarssemester nam Marty Alice' colleges over. Toen ze hem de syllabus en de collegestof overhandigde, omhelsde hij haar en zei hoe erg hij het voor haar vond. Hij vroeg hoe ze zich voelde en of hij iets voor haar kon doen. Ze bedankte hem en zei dat ze zich goed voelde. En zodra hij alles had wat hij nodig had voor de colleges, maakte hij zich zo snel mogelijk uit de voeten.

Zo ging het met bijna iedereen binnen het instituut.

'Ik vind het heel erg voor je, Alice.'

'Ik kan het gewoon niet geloven.'

'Ik had er geen idee van.'

'Kan ik iets voor je doen?'

'Weet je het zeker? Je ziet er niet anders uit.'

'Ik vind het heel erg voor je.'

'Ik vind het heel erg voor je.'

Vervolgens gingen ze er als een haas vandoor. Als ze haar tegenkwamen, deden ze beleefd-vriendelijk, maar ze kwamen haar niet vaak tegen. Dat kwam voornamelijk door hun volle agenda en de vrijwel lege agenda van Alice, maar een andere, niet minder belangrijke reden was dat ze haar niet wílden zien. Haar zien betekende haar geestelijke broosheid zien, met de onvermijdelijke gedachte dat zijzelf van het ene moment op het andere ook de klos konden zijn. Het was eng om haar te zien. Dus meden ze haar, behalve bij de bijeenkomsten en seminars.

Vandaag werd het eerste lunchseminar psychologie van het semester gehouden. Leslie, een promovendus van Eric, stond aan het hoofd van de vergadertafel, klaar om te beginnen. De titeldia was al op het projectiescherm te zien: *Op zoek naar antwoorden: de invloed van aandacht op het vermogen te benoemen wat we zien.* Alice, die op de eerste stoel naast het hoofdeind zat, tegenover Eric, voelde zich ook klaar om te beginnen. Ze begon aan haar lunch, een pizza calzone met aubergine en een groene salade, terwijl Eric en Leslie praatten en de zaal volliep.

Na een paar minuten viel het Alice op dat alle stoelen bezet waren, behalve die naast haar, en dat er mensen achter in de zaal gingen staan. De stoelen aan de tafel waren felbegeerd, niet alleen omdat de presentatie dan makkelijker te volgen was, maar ook omdat je dan niet zo onhandig hoefde te jongleren met je bord, bestek, drankje, pen en papier. Kennelijk was het minder pijnlijk dan naast haar zitten. Ze keek naar iedereen die niet naar haar keek. De ruimte was gevuld met een stuk of vijftig mensen, mensen die ze al jaren kende en als familie had beschouwd.

Dan rende naar binnen, met warrig haar en zijn overhemd uit zijn broek, en met een bril op in plaats van lenzen in. Hij bleef even staan, stevende toen op de lege stoel naast Alice af en eiste hem op door zijn notitieboekje op tafel te smakken.

'Ik heb de hele nacht geschreven. Even iets te eten halen, ik ben zo terug.'

Leslies presentatie nam het volle uur in beslag. Het kostte uitzinnig veel energie, maar Alice bleef haar tot het eind volgen. Toen Leslie de laatste dia had gehad en het scherm leeg was, vroeg ze of er nog vragen waren. Alice vroeg het woord.

'Ja, dr. Howland?' zei Leslie.

'Ik geloof dat je een controlegroep zou moeten hebben om te meten hoe sterk je afleidingsfactoren afleiden. Je zou kunnen beweren dat er een paar zijn die om wat voor reden dan ook gewoon niet worden opgemerkt, en dus op zich niet afleiden. Je zou kunnen meten in hoeverre je proefpersonen in staat zijn een afleidende factor op te merken en aandacht te schenken, of je kunt een serie doen waarbij je de afleidingsfactor verruilt met het eigenlijke signaal.'

Veel mensen aan tafel knikten. Dan mompelde 'hm-hm' met zijn mond vol calzone. Nog voordat Alice klaar was met haar betoog, pakte Leslie haar pen al en begon verwoed aantekeningen te maken.

'Ja, Leslie. Kun je de dia met het schema van het experiment nog even laten zien?' zei Eric.

Alice keek om zich heen. Iedereen keek naar het scherm en

luisterde geconcentreerd naar Eric, die inging op Alice' commentaar. Veel mensen knikten nog steeds. Alice voelde zich triomfantelijk en een tikje zelfvoldaan. Dat ze alzheimer had, wilde nog niet zeggen dat ze niet meer analytisch kon denken. Dat ze alzheimer had, wilde nog niet zeggen dat ze haar plek aan die tafel niet verdiende. Dat ze alzheimer had, wilde nog niet zeggen dat de anderen niet meer naar haar hoefden te luisteren.

De vragen, antwoorden, vragen naar aanleiding van antwoorden en antwoorden op die vragen duurden een aantal minuten. Alice at haar pizza en haar salade op. Dan stond op en kwam terug met een tweede portie. Leslie worstelde zich door een antwoord op een vijandige vraag van Marty's nieuwe postdoc. Het schema van haar experiment was op het scherm te zien. Alice las het en stak haar hand op.

'Ja, dr. Howland?' zei Leslie.

'Ik geloof dat je een controlegroep zou moeten hebben om te meten hoeveel effect je afleidingsfactoren hebben. Het zou kunnen dat er een paar gewoon niet opvallen. Je kunt de afleiding simultaan testen, maar je kunt de afleidingsfactor ook verruilen voor het eigenlijke signaal.'

Het was een steekhoudende opmerking. Het was zelfs de correcte opzet voor het experiment, en Leslies paper zou niet gepubliceerd kunnen worden zonder die controle. Alice keek naar iedereen die niet naar haar keek. De lichaamstaal van de anderen duidde op gêne en angst. Ze las de data op het scherm nog eens door. Er moest een extra controle worden ingebouwd in het experiment. Dat ze alzheimer had, wilde nog niet zeggen dat ze niet analytisch kon denken. Dat ze alzheimer had, wilde nog niet zeggen dat ze niet wist waarover ze het had.

'Eh, ja, dank u wel,' zei Leslie.

Maar ze schreef niets op, en ze keek Alice niet aan, en ze leek helemaal niet dankbaar te zijn.

Ze hoefde geen colleges te geven, geen onderzoeksvoorstellen te schrijven, geen experimenten te doen, geen congressen te bezoeken en geen lezingen te houden. Nooit meer. Het voelde alsof het grootste deel van haar zelf, het deel dat ze op een hoog voetstuk had geplaatst en regelmatig had geprezen en opgepoetst, was gestorven. En de andere, kleinere, minder bewonderde delen van haar zelf jammerden van zelfbeklag en vroegen zich af hoe ze ook maar iets konden betekenen nu ze nergens meer op konden steunen.

Ze keek door het immense raam van haar kamer naar de joggers die de bochtige oevers van de Charles volgden.

'Heb je tijd om te gaan hardlopen vandaag?' vroeg ze.

'Misschien,' zei John.

Hij keek ook naar buiten, en dronk zijn koffie. Ze vroeg zich af wat hij zag, of zijn ogen naar dezelfde joggers werden getrokken of iets heel anders zagen.

'Ik zou meer met je samen willen zijn,' zei ze.

'Hoe bedoel je? We zijn net de hele zomer samen geweest.'

'Nee, niet de zomer, ons hele leven. Ik heb erover nagedacht en ik zou meer met je samen willen zijn.'

'Ali, we wonen samen, we werken op dezelfde universiteit, we zijn ons hele leven al samen.'

In het begin was het waar geweest. Ze leefden hun leven samen, met elkaar. Alleen was het in de loop der jaren anders geworden. Ze hadden het anders laten worden. Ze dacht aan de sabbaticals die ze afzonderlijk hadden opgenomen, hoe ze het werk dat de kinderen kostten hadden verdeeld, het reizen, hun individuele toewijding aan hun werk. Ze leefden al heel lang naast elkaar.

'Ik vind dat we elkaar te lang alleen hebben gelaten.'

'Ik voel me niet alleen, Ali. Ik hou van ons leven, ik vind dat we een goed evenwicht hebben gevonden tussen de vrijheid om onze eigen passie na te streven en een leven samen.'

Ze dacht aan de passie die hij nastreefde, zijn onderzoek,

dat altijd extremere vormen aannam dan het hare. Zelfs wanneer de experimenten mislukten, wanneer de uitslagen niet consequent waren of de hypotheses verkeerd bleken te zijn, bleef zijn liefde voor zijn werk onwankelbaar. Hoe onvolmaakt het ook was, al trok hij zich nachtenlang de haren uit het hoofd, hij hield ervan. De tijd, zorg, aandacht en energie die hij in zijn werk stopte, hadden haar er altijd toe aangezet harder aan haar eigen onderzoek te werken. En dat had ze gedaan.

'Jij bent ook niet alleen, Ali. Ik zit hier bij je.'

Hij keek op zijn horloge en dronk zijn koffiebeker leeg. 'Mijn college begint, ik moet rennen.'

Hij pakte zijn tas, mikte zijn bekertje in de prullenmand en liep naar haar toe. Hij bukte zich, nam haar hoofd met zwarte krullen in zijn handen en kuste haar teder. Ze keek naar hem op, plooide haar lippen tot een smal glimlachje en hield haar tranen net lang genoeg in om hem de kans te geven haar kamer uit te lopen.

Zíj was zo graag zijn passie geweest.

Ze zat in haar werkkamer terwijl de studenten Cognitie zonder haar samenkwamen en keek naar de glimmende auto's die in een lange rij over Memorial Drive kropen. Ze nam een slokje thee. Ze had een hele dag voor zich en niets te doen. Haar heup trilde. Ze pakte haar BlackBerry uit haar lichtblauwe tas.

Alice, beantwoord de volgende vragen:
1. Welke maand is het?
2. Waar woon je?
3. Waar werk je?
4. Wanneer is Anna jarig?
5. Hoeveel kinderen heb je?

Als je een van deze vragen niet kunt beantwoorden, ga dan naar het bestand met de naam Vlinder op je computer en volg de aanwijzingen die je daar vindt onmiddellijk op.

September
Poplar Street 34, Cambridge
William James Hall, kamer 1002
14 september
Drie

Ze nipte van haar thee en keek naar de glimmende auto's die in een lange rij over Memorial Drive kropen.

oktober 2004

Ze zat rechtop in bed en wist niet wat ze moest doen. Het was donker, midden in de nacht. Ze was niet verward. Ze wist dat ze zou moeten slapen. John lag op zijn rug naast haar te snurken, maar zij kon de slaap niet vatten. Ze had de laatste tijd veel problemen met doorslapen, wat waarschijnlijk kwam doordat ze overdag zo vaak een dutje deed. Of deed ze overdag zo vaak een dutje omdat ze 's nachts niet goed sliep? Het was een vicieuze cirkel, een lus van positieve feedback, een duizelingwekkende rit in een achtbaan waar ze niet uit kon komen. Als ze zich overdag verzette tegen de drang een tukje te doen, kon ze misschien de hele nacht doorslapen en het patroon doorbreken, maar tegen het eind van de middag voelde ze zich altijd zo uitgeput dat ze wel móést bezwijken voor de verleiding even op de bank te gaan liggen. En dan sukkelde ze altijd in slaap.

Ze herinnerde zich hetzelfde dilemma van toen haar kinderen een jaar of twee waren. Zonder middagdutje waren ze tegen de avond bekaf en onhandelbaar, maar als ze wel een dutje deden, bleven ze tot uren na bedtijd wakker. Ze kon zich niet meer herinneren hoe ze het had opgelost.

Ik neem zoveel pillen, je zou denken dat er toch één bij moet zitten die me suf maakt. O, wacht. Ik heb een recept voor slaappillen.

188

Ze stond op en liep naar beneden. Hoewel ze vrij zeker wist dat het recept er niet in zat, keerde ze eerst haar lichtblauwe tas om. Portefeuille, BlackBerry, mobieltje, sleutels. Ze keek in haar portefeuille. Creditcard, bankpasje, rijbewijs, legitimatie van Harvard, pasje van de ziektekostenverzekering, twintig dollar en een handje kleingeld.

Ze rommelde in de witte, met paddenstoelen gedecoreerde kom waarin ze de post bewaarden. De elektriciteitsrekening, de gasrekening, telefoonrekening, een afschrift van de hypotheek, iets van Harvard, bonnetjes.

Ze haalde de lades van het bureau en de archiefkast in de werkkamer leeg. Ze haalde de tijdschriften en catalogi uit de manden in de woonkamer. Ze las een stukje in *The Week* en bekeek een bladzij met een ezelsoor van *J. Jill* waar een leuk truitje op stond. Ze wilde het wel in zeeschuimblauw hebben.

Ze trok de rommella open. Batterijen, een schroevendraaier, plakband, lijm, sleutels, allerlei opladers, lucifers en nog veel meer. Die la was zo te zien in geen jaren opgeruimd. Ze trok hem uit de kast en leegde hem boven de keukentafel.

'Ali, wat doe je?' vroeg John.

Ze keek geschrokken op naar zijn warrige haar en slaapoogjes.

'Ik zoek…'

Ze keek naar de rommel die voor haar op tafel lag. Batterijen, een naaisetje, een meetlint, allerlei opladers, een schroevendraaier.

'Ik zoek iets.'

'Ali, het is drie uur geweest. Je maakt herrie. Kun je het morgenochtend niet zoeken?'

Zijn stem klonk geërgerd. Hij werd niet graag uit zijn slaap gehaald.

'Goed.'

Ze lag in bed en probeerde zich te herinneren wat ze had

gezocht. Het was donker, midden in de nacht. Ze zou moeten slapen. John, die weer als een blok in slaap was gevallen, lag naast haar te snurken. Hij sliep altijd als een os. Zij vroeger ook, maar nu kon ze de slaap niet vatten. Ze had de laatste tijd veel problemen met doorslapen, wat waarschijnlijk kwam doordat ze overdag zo vaak een dutje deed. Of deed ze overdag zo vaak een dutje omdat ze 's nachts niet goed sliep? Het was een vicieuze cirkel, een lus van positieve feedback, een duizelingwekkende rit in een achtbaan waar ze niet uit kon komen.

Hé, wacht eens. Ik weet hoe ik in slaap kan komen. Ik heb die pillen van dokter Moyer. Waar heb ik ze gelaten?

Ze stond op en ging naar beneden.

Er waren die dag geen vergaderingen of seminars. Niet één van de studieboeken, tijdschriften of brieven in haar werkkamer kon haar boeien. Dan had nog niets te lezen voor haar geschreven. Ze had geen nieuwe mail. Lydia's dagelijkse mailtje zou pas 's middags komen. Ze keek naar het leven achter haar raam. Auto's zoefden door de bochten van Memorial Drive en joggers liepen langs de bochten in de rivier. De kruinen van de dennen zwaaiden in de herfstwind.

Ze trok alle mappen uit de hangmap met het opschrift HOWLAND NADRUKKEN uit de archiefkast. Ze had meer dan honderd publicaties op haar naam staan. Ze hield de stapel onderzoeksartikelen, commentaren en besprekingen in haar handen, de samengebalde gedachten en opvattingen van een hele carrière. Ze wogen zwaar. Haar ideeën en opvattingen hadden gewicht. Dat hadden ze althans gehad. Ze miste haar onderzoek, erover nadenken, erover praten, haar eigen gedachten en invallen, de elegante kunst van haar vak.

Ze legde de stapel mappen neer en pakte *Van moleculen tot geest* uit de kast. Dat was ook zwaar. Het was haar grootste trots, haar woorden en ideeën met die van John gecombineerd tot een unicum waar anderen kennis uit hadden geput en zich in hun uitspraken en ideeën door hadden laten beïnvloeden. Ze had aangenomen dat ze nog eens samen een boek zouden schrijven. Ze bladerde in het boek, maar werd niet door een passage gegrepen. Ze had ook geen zin om dat boek te lezen.

Ze keek op haar horloge. John en zij zouden aan het eind van de middag gaan hardlopen. Dat duurde nog veel te lang. Ze besloot naar huis te rennen.

Ze rende de anderhalve kilometer van de universiteit naar huis moeiteloos en snel. En nu? Ze liep naar de keuken om thee te zetten. Ze liet de fluitketel onder de kraan vollopen, zette hem op het gas en draaide de vlam hoog. Ze wilde een theezakje pakken, maar het busje waarin ze ze bewaarde, stond niet op het aanrecht. Ze keek in het kastje met koffiemokken, maar zag drie planken met borden. Ze maakte het kastje rechts daarvan open, waarin ze rijen glazen verwachtte te zien, maar in plaats daarvan stonden er kommen en mokken in.

Ze pakte de kommen en mokken uit het kastje en zette ze op het aanrecht. Toen pakte ze de borden en zette ze naast de kommen en mokken. Ze maakte nog een kastje open. Daar klopte ook niets van. Al snel stond het aanrecht hoog opgetast met borden, kommen, mokken, hoge en lage glazen, wijnglazen, potten en pannen, Tupperware-bakjes, pannenlappen, theedoeken en bestek. De hele keuken stond op zijn kop. *Goed, waar bewaarde ik het vroeger allemaal?* De fluitketel floot zo schril dat ze niet meer kon denken. Ze draaide het gas uit.

Ze hoorde de voordeur opengaan. *O mooi, John is vroeg thuis.*

'John, waarom heb je de hele keuken veranderd?' riep ze.

'Alice, wat doe je?'

Ze schrok van de vrouwenstem.

'O, Lauren, je maakt me aan het schrikken.'

Het was haar overbuurvrouw. Lauren gaf geen antwoord.

'Sorry, ga zitten. Ik wilde net theezetten.'

'Alice, dit is jouw keuken niet.'

Wát? Ze keek om zich heen. Werkbladen van zwart graniet, berkenhouten kastjes, een witte tegelvloer, een raam boven het aanrecht, afwasmachine rechts van het aanrecht, een dubbele oven. Wacht eens, ze had toch helemaal geen dubbele oven? Pas toen zag ze de koelkast. Het bewijs. Op de foto's die met magneetjes op de deur waren geklemd, stonden Lauren, Laurens man, Laurens kat en baby's die Alice niet herkende.

'O, Lauren, moet je zien wat ik met je keuken heb gedaan. Ik zal je helpen het allemaal weer op te bergen.'

'Het geeft niet, Alice. Gaat het wel?'

'Nee, eigenlijk niet.'

Ze wilde zo snel mogelijk naar huis, naar haar eigen keuken. Konden ze dit niet gewoon vergeten? Moest ze nu echt het ik-heb-alzheimer-gesprek voeren? Ze vervloekte het ik-heb-alzheimer-gesprek.

Alice probeerde Laurens gezicht te lezen. Zo te zien was ze bang en verbijsterd. *Alice zou gek kunnen zijn,* las ze op Laurens gezicht. Ze deed haar ogen dicht en haalde diep adem.

'Ik heb de ziekte van Alzheimer.'

Ze deed haar ogen weer open. Laurens gezicht stond nog precies hetzelfde.

Ze keek nu elke keer naar de koelkast wanneer ze de keuken binnenkwam, voor de zekerheid. Geen foto's van Lauren. Ze was in het goede huis. Mocht er nog twijfel zijn, dan kon ze naar het briefje kijken dat John met een magneet aan de koelkast had geklemd. Er stond met grote zwarte letters op:

ALICE,

NIET ZONDER MIJ GAAN HARDLOPEN.

MIJN MOBIELE NUMMER: 617-555-1122
ANNA: 617-555-1123
TOM: 617-555-1124

John had haar laten beloven dat ze niet zonder hem zou gaan hardlopen. Ze had het hem bezworen en haar erewoord gegeven, maar ze kon het natuurlijk vergeten.

Voor haar enkel was de rust waarschijnlijk wel goed. Ze had hem vorige week verzwikt toen ze van de stoep stapte. Haar ruimtelijke inzicht klopte niet helemaal meer. Dingen leken soms dichterbij, verder weg of gewoon ergens anders dan waar ze in feite waren. Ze had haar ogen laten nakijken. Haar gezichtsvermogen was prima. Ze had de ogen van iemand van twintig. Het probleem zat niet in haar hoornvliezen, ooglenzen of netvliezen. De storing zat ergens in de verwerking van de visuele informatie, ergens in haar occipitale cortex, zei John. Ze had kennelijk de ogen van een student, maar de occipitale cortex van een tachtigjarige.

Niet hardlopen zonder John. Ze zou verdwaald kunnen raken of zich kunnen bezeren. Alleen ging ze de laatste tijd ook niet mét John hardlopen. Hij reisde veel en wanneer hij de stad niet uit was, ging hij vroeg naar Harvard en werkte lang door. Tegen de tijd dat hij thuiskwam, was hij altijd te moe. Ze vond het vreselijk dat ze van hem afhankelijk was als ze wilde hardlopen, temeer omdat ze niet op hem kon rekenen.

Ze pakte de telefoon en toetste het nummer in dat op de koelkast hing.

'Hallo?'

'Gaan we vandaag nog hardlopen?' vroeg ze.

'Ik weet het niet, misschien, ik zit in een vergadering. Ik bel je nog,' zei John.

'Ik moet echt hardlopen.'

'Ik bel je nog.'

'Wanneer?'

'Wanneer ik de kans heb.'

'Goed.'

Ze verbrak de verbinding, keek eerst door het raam en toen naar de hardloopschoenen aan haar voeten. Ze trok ze uit en smeet ze tegen de muur.

Ze deed haar best om begrip voor hem op te brengen. Hij moest werken. Maar waarom begreep hij niet dat zij moest hardlopen? Als iets zo simpels als regelmatig bewegen het voortschrijden van de ziekte echt tegenhield, moest ze zo vaak mogelijk hardlopen. Elke keer wanneer hij 'vandaag niet' zei, kon ze meer neuronen kwijtraken die ze had kunnen redden. Zo ging ze nodeloos sneller dood. John vermoordde haar.

Ze pakte de telefoon weer.

'Ja?' zei John gedempt en korzelig.

'Je moet me beloven dat we vandaag gaan hardlopen.'

'Moment,' zei hij tegen iemand anders. 'Alsjeblieft, Alice, ik bel je zodra deze vergadering is afgelopen.'

'Ik moet vandaag hardlopen.'

'Ik weet nog niet wanneer mijn dag erop zit.'

'Dus?'

'Daarom vind ik dat we een loopband voor je moeten nemen.'

'O, val dood,' zei ze en ze hing op.

Dat was niet zo begripvol, vermoedde ze. Ze werd de laatste tijd vaak driftig. Of het een symptoom was van de voortschrijdende ziekte of een gerechtvaardigde reactie, wist ze niet. Ze wilde geen loopband. Ze wilde John. Misschien moest ze niet zo koppig zijn. Misschien vermoordde ze zichzelf ook wel.

Ze kon altijd zonder hem ergens naartoe lopen. Dat ergens

moest dan natuurlijk wel 'veilig' zijn. Ze kon naar haar werk lopen, maar ze wilde niet naar haar werk. Op haar werk voelde ze zich verveeld, veronachtzaamd en vervreemd. Ze voelde zich er belachelijk. Ze hoorde er niet meer. In alle uitgestrekte voornaamheid van Harvard was geen plaats voor een professor in de cognitieve psychologie met een kapotte cognitieve psyche.

Ze ging op haar stoel in de woonkamer zitten en probeerde iets te doen te verzinnen, maar er wilde haar niets zinnigs te binnen schieten. Ze probeerde aan de volgende dag te denken, de volgende week, de komende winter. Er wilde haar niets zinnigs te binnen schieten. Ze voelde zich verveeld, veronachtzaamd en vervreemd op haar stoel in de woonkamer. De late middagzon wierp vreemde Tim Burton-schaduwen door het raam die over de vloer en de muren kronkelden en golfden. Ze keek naar de schaduwen, die oplosten in de schemering. Ze deed haar ogen dicht en viel in slaap.

Alice stond in de slaapkamer, naakt op een paar sokken en haar Veilig Thuis-armband na, te worstelen met en te grommen naar een kledingstuk dat om haar hoofd spande. Haar gevecht met het om haar hoofd gedrapeerde textiel leek een lichamelijke en poëtische uitbeelding van leed, als een dans van Martha Graham. Ze liet een lange gil ontsnappen.

'Wat is er?' zei John, die de kamer in rende.

Door een rond gat in het verwrongen kledingstuk keek ze hem met één panisch oog aan. 'Ik kan dit niet! Ik snap niet hoe ik die rottige sportbeha moet aantrekken. Ik weet niet meer hoe ik een beha moet aantrekken, John! Ik kan mijn eigen beha niet meer aantrekken!'

Hij liep naar haar toe en keek naar haar hoofd. 'Dat is geen beha, Ali, dat is een onderbroek.'

Ze barstte in lachen uit.

'Het is niet grappig,' zei John.

Ze lachte nog harder.

'Hou op, het is niet om te lachen. Hoor eens, als je wilt hardlopen, moet je je nu aankleden. Zoveel tijd heb ik niet.'

Hij liep de kamer uit, niet in staat de aanblik te verdragen van zijn vrouw, die naakt met een onderbroek om haar hoofd stond te schateren om haar eigen absurde krankzinnigheid.

Alice wist dat de jonge vrouw die tegenover haar zat haar dochter was, maar ze had een verontrustend gebrek aan vertrouwen in die kennis. Ze wist dat ze een dochter had die Lydia heette, maar wanneer ze naar de jonge vrouw tegenover haar keek, was de wetenschap dat dát haar dochter Lydia was meer theoretische kennis dan een impliciet weten, een feit dat ze accepteerde, informatie die ze had gekregen en voor waar had aangenomen.

Ze keek naar Tom en Anna, die ook aan de tafel zaten, en hen kon ze automatisch koppelen aan haar herinneringen aan haar oudste kind en haar zoon. Ze kon zich Anna voor de geest halen in haar trouwjurk, in de toga die ze had gedragen toen ze afstudeerde en toen ze haar schooldiploma kreeg en in de Sneeuwwitje-nachtpon die ze elke dag aan wilde toen ze drie was. Ze kon Tom voor zich zien in zijn toga, met zijn been in het gips na een skivakantie, met zijn beugel, in zijn honkbalkleding en in haar eigen armen toen hij nog een baby was.

Ze kon Lydia's verleden ook voor zich zien, maar op de een of andere manier was die vrouw tegenover haar niet onlosmakelijk verbonden met haar herinneringen aan haar jongste kind. Het gaf haar een gevoel van onbehagen, met het pijnlijke besef dat ze aftakelde, dat haar verleden uit de scharnieren van het heden werd getild. En wat vreemd dat ze in de man naast Anna moeiteloos Charlie herkende, iemand die pas een paar jaar geleden zijn intrede in hun leven had gedaan. Ze stelde zich de alzheimer voor als een duivel in haar hoofd die een genadeloos, onlogisch spoor van verwoestingen trok in haar hoofd, die de bedrading tussen 'Lydia nu' en 'Lydia toen' losrukte, maar alle 'Charlie'-verbindingen ongemoeid liet.

Het was vol en rumoerig in het restaurant. Stemmen van andere tafels wedijverden om Alice' aandacht, en de achtergrondmuziek drong zich telkens op de voorgrond. De stemmen van Anna en Lydia klonken haar hetzelfde in de oren. Ze gebruikten allemaal te veel voornaamwoorden. Ze moest zich tot het uiterste inspannen om te bepalen wie er iets zei aan haar tafel en te volgen wat er werd gezegd.

'Lieverd, gaat het wel?' vroeg Charlie.

'Al die geuren,' zei Anna.

'Wil je even naar buiten?' vroeg Charlie.

'Ik ga wel met haar mee,' zei Alice.

Zodra ze de behaaglijke warmte van het restaurant achter zich hadden gelaten, verstijfde Alice' rug. Ze waren allebei vergeten hun jas te pakken. Anna pakte Alice' hand en trok haar mee, weg van de groep jonge rokers bij de deur.

'Ha, frisse lucht,' zei Anna, die genietend door haar neus in- en uitademde.

'En rust,' zei Alice.

'Hoe voel je je, mam?'

'Goed,' zei Alice.

Anna wreef over de rug van Alice' hand, de hand die ze nog vasthield.

'Het kon beter,' bekende ze.

'Met mij ook,' zei Anna. 'Voelde jij je ook zo beroerd toen je mij verwachtte?'

'Hm-hm.'

'Hoe heb je het overleefd?'

'Gewoon doorgaan. Het duurt niet zo lang meer.'

'En voordat je het weet, zijn de kindjes er al.'

'Ik verheug me er zó op.'

'Ik ook.'

Maar haar stem klonk niet zo opgetogen als die van Alice. Opeens sprongen de tranen haar in de ogen.

'Mam, ik ben de hele dag misselijk en ik ben afgepeigerd en telkens als ik iets vergeet, denk ik dat ik de eerste symptomen heb.'

'O, lieverd, welnee, je bent gewoon moe.'

'Weet ik, weet ik, maar als ik eraan denk dat jij geen college meer geeft en al het andere dat je kwijtraakt...'

'Hou op. Dit zou een spannende tijd voor je moeten zijn. Toe, denk liever alleen aan wat we krijgen.'

Alice gaf een kneepje in de hand die ze vasthield en legde haar vrije hand licht op Anna's buik. Anna glimlachte, maar de tranen stroomden nog uit haar ogen. Het was haar te veel.

'Ik weet gewoon niet hoe ik het allemaal moet redden. Mijn werk en twee baby's en...'

'En Charlie. Vergeet niet dat je Charlie ook nog hebt. Hou vast wat je met hem hebt. Hou alles in evenwicht – Charlie en jij, je carrière, je kinderen, alles wat je lief is. Denk van niets in je leven waar je van houdt dat het vanzelfsprekend is, en dan lukt het je wel. Charlie helpt je.'

'Dat is hem geraden,' zei Anna dreigend.

Alice lachte. Anna veegde een paar keer met de muis van haar hand in haar ogen en slaakte een diepe zwangerschaps-gym-zucht.

'Dank je wel, mam. Ik voel me al beter.'

'Mooi zo.'

Ze gingen terug naar binnen om te eten. De jonge vrouw tegenover Alice, haar jongste dochter, Lydia, tikte met haar mes tegen haar lege wijnglas.

'Mam, we willen je nu graag je grote cadeau geven.'

Lydia gaf haar een klein, rechthoekig pakje in goudkleurig papier. Het moest groot van betekenis zijn. Alice maakte het papier los en zag drie dvd's: *De kinderen Howland, Alice en John* en *Alice Howland.*

'Het zijn memoires op dvd voor je. *De kinderen Howland* is een verzameling gesprekken met Anna, Tom en mij. Ik heb ze van de zomer opgenomen. Het zijn onze herinneringen aan jou en onze jeugd en kindertijd. Op de dvd van pap en jou vertelt hij over zijn herinneringen aan jullie kennismaking, jullie verkeringstijd, huwelijk, vakanties en allerlei andere dingen. Er zitten een paar fantastische verhalen bij die wij nog nooit hadden gehoord. De derde dvd heb ik nog niet gemaakt. Dat wordt een gesprek met jou, over jouw verhalen, als je het wilt doen.'

'Nou en of ik dat wil doen. Ik vind het geweldig. Dank je wel, ik popel om ze te zien.'

De serveerster bracht koffie, thee en een chocoladetaart met een kaars erin. Ze zongen samen 'Lang zal ze leven'. Alice blies de kaars uit en deed een wens.

november 2004

De films die John die zomer had gekocht, vielen nu jammer genoeg in dezelfde categorie als de afgedankte boeken die ze hadden vervangen. Ze kon het verhaal niet meer volgen en als personages niet in elke scène voorkwamen, herinnerde ze zich niet meer wie ze waren. Ze kon nog van kleine momenten genieten, maar na de aftiteling wist ze alleen nog in grote trekken waar de film over ging. *Dat was een leuke film.* Als John en Anna meekeken, bulderden ze vaak van het lachen, schrikten op of krompen vol weerzin in elkaar; duidelijke, lichamelijke reacties op iets wat er gebeurde, maar wat zij niet begreep. Ze imiteerde hun gedrag in een poging voor hen te verbergen hoe ver heen ze was, om hen te beschermen. Als ze naar films keek, was ze zich er pijnlijk van bewust hoe ver heen ze was.

De dvd's die Lydia had gemaakt, kwamen als geroepen. De verhalen die John en de kinderen vertelden, duurden telkens maar een paar minuten, zodat ze erin op kon gaan en de informatie van het ene verhaal niet moeizaam hoefde vast te houden om het andere te kunnen begrijpen of leuk te kunnen vinden. Ze keek er telkens opnieuw naar. Ze herinnerde zich niet alles wat er werd verteld, maar dat voelde volslagen normaal, want haar kinderen en John herinnerden zich ook niet elke kleinigheid. En wanneer Lydia hen vroeg over dezelfde gebeurtenis te vertellen, herinnerden ze die zich allemaal net iets anders; ze gingen allemaal uit van hun eigen perspectief, zodat ze sommige dingen weglieten en andere dik aanzetten. Zelfs biografieën die niet doordrenkt waren van ziekte, waren vatbaar voor gaten en vervorming.

Haar eigen dvd kon ze echter maar één keer zien. Ze was zo welbespraakt geweest, had met zoveel gemak voor publiek gesproken, maar nu gebruikte ze te pas en te onpas het woord 'dinges' en verviel gênant vaak in herhaling. Toch stemde het haar dankbaar dat haar herinneringen, overpeinzingen en adviezen waren vastgelegd en opgeslagen, veilig voor de moleculaire verminking van de ziekte van Alzheimer. Op een dag zouden haar kleinkinderen naar die dvd kijken en zeggen: 'Dat was oma toen ze nog kon praten en onthouden.'

Ze had net naar *Alice en John* gekeken. Toen het tv-scherm zwart werd, bleef ze met een deken op schoot op de bank zitten en luisterde. Ze vond de stilte prettig. Ze ademde en dacht een paar minuten aan niets anders dan het tikken van de pendule op de schoorsteenmantel. Toen kreeg het getik plotseling een betekenis en vlogen haar ogen open.

Ze keek naar de wijzers. Tien voor tien. *O, mijn god, wat doe ik hier nog?* Ze gooide de deken op de vloer, propte haar voeten in haar schoenen, rende naar de werkkamer en klikte haar laptopkoffertje dicht. *Waar is mijn blauwe tas?* Niet op de stoel, niet op het bureau, niet in de bureaulades, niet in het laptopkoffertje. Ze holde naar de slaapkamer. Niet op het bed, niet op het nachtkastje, niet op de ladekast, niet in de kast, niet op het bureau. Ze stond in de hal haar gangen na te gaan in haar warrige geest toen ze hem aan de deurknop van de wc zag hangen.

Ze ritste hem open. Mobieltje en BlackBerry, maar geen sleutels. Ze stopte ze altijd in haar tas. Of nee, dat was niet helemaal waar. Ze was altijd van plan ze in haar tas te stoppen. Soms stopte ze ze in haar bureaula, de bestekla, haar ondergoedla, haar bijouteriekistje, de brievenbus of in welke zak van welk kledingstuk dan ook. Soms liet ze ze gewoon in het slot zitten. Ze moest er niet aan denken hoeveel minuten ze elke dag verspilde aan het zoeken naar haar eigen kwijtgeraakte spullen.

Ze rende de trap af naar de woonkamer. Geen sleutels, maar haar jas hing over de oorfauteuil. Ze trok hem aan en duwde haar handen in de zakken. De sleutels!

Ze sprintte naar de hal, maar bleef staan voordat ze bij de deur was. Heel merkwaardig. Er zat een groot gat in de vloer, vlak bij de deur. Het was zo breed als de gang en een paar meter lang, met niets dan de donkere kelder eronder. Het was onbegaanbaar. De planken in de hal waren kromgetrokken en kraakten, en John en zij hadden het er pas nog over gehad dat ze vervangen moesten worden. Had John een aannemer in de arm genomen? Was er vandaag iemand geweest? Ze wist het niet meer. Hoe het ook zat, ze kon niet bij de voordeur komen voordat dat gat was gedicht.

Toen ze op weg was naar de achterdeur, ging de telefoon.

'Hoi mam, ik kom om zeven uur en ik breng het eten mee.'

'Goed,' zei Alice iets te hoog.

'Ik ben het, Anna.'

'Weet ik.'

'Pap zit tot morgen in New York, weet je nog? Ik blijf vannacht bij je slapen, maar ik kan pas om halfzeven weg van mijn werk, dus wacht op me met het eten. Misschien kun je het beter op het whiteboard op de koelkast zetten.'

Ze keek naar het whiteboard. *Ga niet zonder mij hardlopen.* Ze wilde getergd in de hoorn schreeuwen dat ze geen behoefte had aan een oppas en zich prima alleen kon redden in haar eigen huis, maar in plaats daarvan haalde ze diep adem.

'Oké, tot vanavond dan.'

Ze hing op en maakte zichzelf een complimentje omdat ze haar primitieve emoties nog steeds in bedwang kon houden. Binnen niet al te lange tijd zou het niet meer lukken. Ze verheugde zich erop Anna te zien en het was fijn om niet alleen te zijn.

Ze had haar jas aan en haar laptopkoffertje en lichtblauwe tas hingen om haar schouder. Ze keek door het keukenraam. Winderig, vochtig, grijs. Ochtend, misschien? Ze had geen zin om naar buiten te gaan en ze had geen zin om naar haar werk te gaan. Op haar werk voelde ze zich verveeld, veronachtzaamd en vervreemd. Op haar werk voelde ze zich belachelijk. Ze hoorde er niet meer.

Ze zette het koffertje en de tas neer, trok haar jas uit en ging op weg naar de werkkamer, maar een plots gekletter en een plof lokten haar terug naar de hal. De post was net door de gleuf in de deur gegooid en zweefde nu op de een of andere manier boven het gat. Er moest een balk of plank onder zitten die zij niet kon zien. *Zwevende post. Ik ben niet goed snik!* Ze trok zich in de werkkamer terug en probeerde het gat dat in de hal de zwaartekracht trotseerde te vergeten, wat nog verbazend moeilijk was.

Ze zat in haar werkkamer met haar armen om haar knieën geslagen door het raam naar het donker te kijken, te wachten tot Anna met het eten kwam, tot John terugkwam uit New York zodat ze kon gaan hardlopen. Ze zat en ze wachtte. Ze zat en ze wachtte tot het erger werd. Ze was het spuugzat om alleen maar te zitten en te wachten.

Ze was de enige die ze kende op Harvard met vroege alzheimer. Ze was de enige die ze waar dan ook kende met vroege alzheimer. Ze kon toch niet de enige op de wereld zijn? Ze moest haar nieuwe collega's zoeken. Ze moest die nieuwe wereld gaan bevolken waarin ze was beland, de wereld van de dementie.

Ze tikte 'vroege alzheimer' in de zoekbalk van Google. Het leverde veel feiten en statistische gegevens op.

Naar schatting zijn er 500.000 mensen in de Verenigde Staten met vroege alzheimer.

Onder vroege alzheimer wordt verstaan dat de ziekte voor het vijfenzestigste levensjaar begint.

De symptomen kunnen zich ontwikkelen bij mensen van in de dertig en veertig.

Ze kreeg sites met lijsten van symptomen, genetische risicofactoren, oorzaken en behandelingen. Ze kreeg artikelen over onderzoek en medicijnen. Ze had het allemaal al gezien.

Ze voegde het woord 'ondersteuning' toe aan de zoektermen en drukte de entertoets in.

Ze vond webforums, links, sites met hulpmiddelen, bulletinboards en chatrooms. Voor mantelzorgers. Voor mantelzorgers waren er onderwerpen als bezoek aan het verpleeghuis, vragen over medicatie, stressverlichting, het hanteren van wanen en nachtelijk dolen en het omgaan met ontkenning en depressie. Mantelzorgers wisselden vragen en antwoorden uit, leefden met elkaar mee en boden oplossingen voor een eenentachtigjarige moeder, een vierenzeventigjarige echtgenoot en een vijfentachtigjarige grootmoeder met de ziekte van Alzheimer.

Maar hoe zit het met de steun aan mensen die zélf de ziekte van Alzheimer hebben? Waar zijn de andere eenenvijftigjarigen die dementeren? Waar zijn de andere mensen die in de bloei van hun carrière waren toen deze diagnose hun hele leven onder hen vandaan trok?

Ze ontkende niet dat alzheimer krijgen op elke leeftijd een tragedie was. Ze ontkende niet dat mantelzorgers behoefte hadden aan steun. Ze ontkende niet dat ze het moeilijk hadden. Ze wist dat John het moeilijk had. *Maar hoe zit het met mij?*

Ze herinnerde zich het kaartje van de maatschappelijk werker van het Massachusetts General Hospital, zocht het op en toetste het nummer in.

'Met Denise Daddario.'

'Hallo Denise, met Alice Howland. Ik ben een patiënt van dokter Davis, en hij heeft me je kaartje gegeven. Ik ben eenenvijftig en bijna een jaar geleden is de diagnose vroege alzheimer bij me gesteld. Ik vroeg me af of het ziekenhuis een soort lotgenotengroep heeft voor mensen met alzheimer?'

'Nee, jammer genoeg niet. We hebben wel een lotgenotengroep, maar alleen voor mantelzorgers. De meesten van onze patiënten met alzheimer zouden niet aan zo'n groep kunnen deelnemen.'

'Maar sommige wel.'

'Ja, maar ik ben bang dat het er niet genoeg zijn om de middelen te rechtvaardigen die nodig zijn om zo'n groep op te zetten en draaiend te houden.'

'Wat voor middelen?'

'Nou, onze lotgenotengroep bestaat uit twaalf à vijftien mensen en die komen elke week een paar uur bij elkaar. We bieden de groep een ruimte aan, koffie en gebak, een paar van onze mensen leiden de gesprekken en er komt elke maand een gastspreker.'

'Maar wat dacht je van alleen maar een kamer waar mensen met vroege alzheimer elkaar kunnen ontmoeten om over hun ervaringen te praten?'

Ik zorg zelf wel voor koffie en donuts, godsamme.

'Er zou toch iemand van het ziekenhuis bij moeten zijn om toezicht te houden, en helaas is er momenteel niemand beschikbaar.'

Wat dacht je van een van die mensen die de gesprekken van de mantelzorgers leiden?

'Kun je me de namen en adressen geven van de mensen met vroege alzheimer die jij kent, zodat ik kan proberen zelf iets op poten te zetten?'

'Ik ben bang dat ik zulke informatie niet mag doorgeven. Wilt u een afspraak maken voor een gesprek met mij? Ik heb op zeventien december om tien uur 's ochtends nog een gaatje.'

'Nee, dank je.'

Ze schrok op uit haar dutje op de bank van geluid bij de voordeur. Het huis was koud en donker. De voordeur ging piepend open.

'Sorry dat ik zo laat ben!'

Alice stond op en liep naar de hal. Daar stond Anna, met een grote bruine papieren zak in haar ene hand en een slordige stapel post in de andere. Ze stond op het gat!

'Mam, alle lichten zijn uit. Lag je te slapen? Je moet niet slapen zo laat op de dag, dan doe je 's nachts geen oog meer dicht.'

Alice liep naar haar toe, zakte door haar knieën en legde haar hand op het gat. Alleen voelde ze geen lege ruimte. Ze streek met haar vingers over de wollen lusjes van een zwart kleed. Haar eigen zwarte halkleed. Het lag er al jaren. Ze gaf er zo'n harde klap met haar vlakke hand op dat het geluid weerkaatste.

'Mam, wat doe je?'

Haar hand stak, ze was te moe om het vernederende antwoord op Anna's vraag te kunnen verdragen en ze werd misselijk van de indringende pindageur die uit de zak kwam. 'Laat me met rust!'

'Mam, het is al goed. Kom mee naar de keuken, dan gaan we eten.'

Anna legde de post weg en wilde de hand van haar moeder pakken, de hand die pijn deed. Alice sloeg hem weg en schreeuwde: 'Laat me met rust! Mijn huis uit! Ik haat je! Ik wil je hier niet hebben!'

Haar woorden waren een klap in Anna's gezicht. Achter de tranen die over haar wangen stroomden, verhardde haar gezicht zich tot kalme vastberadenheid.

'Ik heb eten bij me, ik sterf van de honger en ik blijf. Ik ga naar de keuken om te eten en dan ga ik naar bed.'

Alice stond alleen in de hal. Woede en vechtlust kolkten in haar bloed. Ze deed de deur open en begon aan het kleed te trekken. Ze rukte er uit alle macht aan en viel om. Ze stond op en trok en wrong en worstelde tot het hele kleed buiten lag. Toen schopte en schreeuwde ze er als een gek tegen tot het slap van de treden gleed en levenloos op de stoep bleef liggen.

Alice, beantwoord de volgende vragen:
1. Welke maand is het?
2. Waar woon je?
3. Waar werk je?
4. Wanneer is Anna jarig?
5. Hoeveel kinderen heb je?

Als je een van deze vragen niet kunt beantwoorden, ga dan naar het bestand met de naam Vlinder op je computer en volg de aanwijzingen die je daar vindt onmiddellijk op.

November
Cambridge
Harvard
September
Drie

december 2004

Dans proefschrift telde honderdtweeënveertig bladzijden, nog los van het notenapparaat en de bibliografie. Alice had al heel lang niet meer zo'n lap tekst gelezen. Ze ging op de bank zitten met Dans woorden op haar schoot, een rode balpen achter haar rechteroor en een roze markeerstift in haar rechterhand. Ze gebruikte de rode pen voor opmerkingen en correcties en de roze markeerstift om bij te houden wat ze al had gelezen. Ze markeerde alles wat haar belangrijk leek, zodat ze alleen de roze tekst hoefde te lezen wanneer ze terug moest bladeren.

Ze kwam hopeloos klem te zitten op bladzij 26, die verzadigd was van het roze. Haar overweldigde brein smeekte om rust. Ze stelde zich voor dat de roze woorden op het papier in haar hoofd veranderden in een kleverige roze suikerspin. Hoe meer ze las, hoe meer ze moest markeren om nog te kunnen volgen wat ze las en waar ze was gebleven. Hoe meer ze markeerde, hoe meer roze, wollige suiker er in haar hoofd werd gepropt. De verbindingen in haar brein die nodig waren om te begrijpen en onthouden wat ze las, slibden dicht en werden gesmoord. Toen ze bij bladzij 26 was, begreep ze er niets meer van.

Piep, piep.

Ze smakte Dans proefschrift op de salontafel en liep naar de computer in de werkkamer. Ze had één nieuw e-mailbericht, van Denise Daddario.

> Beste Alice,
> Ik heb je idee voor een lotgenotengroep van vroege-alzheimerpatiënten voorgelegd aan de vroege alzheimers hier op onze afdeling en in het Brigham and Women's Hospital. Er hebben drie mensen uit de omgeving gereageerd die veel belangstelling toonden voor het plan. Ze hebben me toestemming gegeven om je hun naam en adres te geven (zie bijlage).
> Je zou contact kunnen opnemen met de afdeling Massachusetts van de Alzheimer's Association. Misschien weten ze daar ook mensen die belangstelling hebben.
> Hou me op de hoogte van je vorderingen en laat het me weten als ik je met informatie of advies kan helpen. Het spijt me dat het hier niet mogelijk was meer langs de officiële weg voor je te doen.
> Veel succes!
> Denise Daddario

Ze maakte de bijlage open.

Mary Johnson (57), frontotemporale dementie
Cathy Roberts (48), vroege alzheimer
Dan Sullivan (53), vroege alzheimer

Daar waren ze dan, haar nieuwe collega's. Ze las de namen nog eens en nog eens. *Mary, Cathy en Dan. Mary, Cathy en Dan.* Ze kreeg dat gevoel van hevige opwinding vermengd met nauwelijks onderdrukte angst dat haar ook had aangegrepen in de weken voor de eerste dag op de basisschool, de middelbare school en de universiteit. Hoe zagen ze eruit? Werkten ze nog? Hoe lang leefden ze al met hun diagnose? Waren hun symptomen hetzelfde, ernstiger of lichter? Leken ze een beetje op haar? *Stel dat ik veel verder heen ben dan zij?*

Beste Mary, Cathy en Dan,

Mijn naam is Alice Howland. Ik ben eenenvijftig en heb vorig jaar te horen gekregen dat ik aan vroege alzheimer lijd. Ik ben vijfentwintig jaar professor in de psychologie geweest aan Harvard, maar vanwege mijn symptomen ben ik sinds afgelopen september niet meer in staat mijn functie te vervullen.

Ik zit nu thuis en voel me hier erg alleen in staan. Ik heb Denise Daddario van het MGH gebeld om te informeren naar een lotgenotengroep voor vroege-alzheimerpatiënten, maar ze hebben alleen een groep voor mantelzorgers, niet voor ons. Wel heeft ze me jullie namen gegeven.

Ik wil jullie alle drie bij me thuis uitnodigen voor thee, koffie en een gesprek, komende zondag 5 december om twee uur 's middags. Jullie mantelzorgers zijn ook welkom als jullie dat prettig vinden. In de bijlage vinden jullie mijn adres en een routebeschrijving.

Ik verheug me erop jullie te ontmoeten,
Alice

Mary, Cathy en Dan. Mary, Cathy en Dan. Dan. Dans proef-schrift. Hij zit op mijn opmerkingen te wachten. Ze ging weer op de bank in de woonkamer zitten en zocht bladzij 26 van Dans proefschrift op. Het roze steeg haar naar het hoofd. Het deed pijn. Ze vroeg zich af of er al iemand had geant-woord. Nog voordat de gedachte zich volledig had gevormd, legde ze Dans dinges al weg.

Ze klikte haar postvak aan. Geen nieuwe berichten.

Piep, piep.

Ze nam de telefoon op. 'Hallo?'

De kiestoon. Ze had gehoopt dat het Mary, Cathy of Dan was. *Dan. Dans proefschrift.*

Ze ging weer op de bank zitten, met haar markeerstift paraat, maar ze keek niet naar de letters op de bladzij. Ze droomde weg.

Konden Mary, Cathy en Dan nog zesentwintig bladzijden lezen en alles begrijpen en onthouden wat ze hadden gelezen? *Als ik nu eens de enige ben die het kleed in de gang voor een gat aanziet?* Als zij nu eens de enige was die aftakelde? Ze voelde hoe ze aftakelde. Ze voelde hoe ze in dat dementiegat gleed. Alleen.

'Ik ben alleen, alleen, alleen,' kreunde ze. Telkens wanneer ze haar eigen stem de woorden hoorde zeggen, zakte ze die-per in de waarheid van haar eenzame gat.

Piep, piep.

Ze schrok op van de bel van de voordeur. Waren ze er al? Had ze gevraagd of ze vandaag wilden komen?

'Ik kom al!'

Ze droogde haar tranen met haar mouwen, liep naar de hal, harkte met haar vingers door haar warrige haar, haalde diep adem en maakte de voordeur open. Er was niemand.

Ongeveer de helft van de mensen met alzheimer kreeg te maken met auditieve en visuele hallucinaties, maar tot nog toe had zij er geen last van gehad. Of misschien toch wel. Wanneer ze alleen was, kon ze niet weten of haar ervaringen de werkelijkheid waren of de werkelijkheid van haar leven met alzheimer. Haar verwarring, verzinsels, wanen en andere demente dingesen waren niet met fluorescerend roze gemarkeerd, ondubbelzinnig te onderscheiden van wat normaal, feitelijk en correct was. Vanuit haar gezichtspunt kon ze het onderscheid gewoon niet maken. Het kleed was een gat. Dat geluid was de bel van de voordeur.

Ze keek nog eens of ze e-mail had. Er was één nieuw bericht.

> Hoi mam,
> Alles goed? Ben je gisteren nog naar dat lunchseminar gegaan? Heb je hardgelopen? Mijn les was fantastisch, zoals gewoonlijk. Ik heb vandaag auditie gedaan voor een recla-mespotje van een bank. Afwachten maar.
> Hoe is het met pap? Is hij deze week thuis? Ik weet dat je het de afgelopen maand zwaar hebt gehad. Hou je taai. Ik kom binnenkort naar huis!
> Liefs,
> Lydia

Piep, piep.

Ze nam de telefoon op. 'Hallo?'

Kiestoon. Ze maakte de bovenste la van de archiefkast open, liet de telefoon erin vallen, hoorde hem onder de honderden nadrukken in mappen op de metalen bodem kletteren en schoof de la dicht. *Wacht eens, misschien is het mijn mobieltje.*

'Mobieltje, mobieltje, mobieltje,' zong ze monotoon terwijl ze door het huis dwaalde en probeerde te onthouden wat ze zocht.

Ze keek overal, maar kon het niet vinden. Toen bedacht ze dat ze haar blauwe tas moest zoeken en veranderde haar tekst.

'Blauwe tas, blauwe tas, blauwe tas.'

Ze vond hem op het aanrecht, met haar mobieltje erin, maar het stond niet aan. Misschien kwam dat gepiep van een autoalarm ergens buiten. Ze nam haar plek op de bank weer in en zocht bladzij 26 van Dans proefschrift op.

'Hallo?' zei een mannenstem.

Alice keek met grote ogen op en luisterde, alsof ze zojuist door een geest was aangeroepen.

'Alice?' zei de lichaamloze stem.

'Ja?'

'Alice, zullen we gaan?'

John dook op in de deuropening van de woonkamer. Hij keek haar verwachtingsvol aan. Ze was opgelucht, maar ze had meer informatie nodig.

'Ga je mee? We gaan uit eten met Bob en Sarah, en we zijn al aan de late kant.'

Eten. Nu drong het tot haar door dat ze uitgehongerd was. Ze kon zich niet herinneren dat ze die dag al iets had gegeten. Misschien kon ze Dans proefschrift daarom niet lezen. Misschien moest ze gewoon iets eten, maar bij het idee van een etentje met gesprekken in een restaurant vol geroezemoes voelde ze zich nog vermoeider dan ze al was.

'Ik wil niet uit eten. Ik heb een zware dag.'

'Ik heb ook een zware dag gehad. Laten we lekker samen uit eten gaan.'

'Ga jij maar. Ik wil gewoon thuisblijven.'

'Kom op, het wordt gezellig. We zijn ook al niet naar Erics feest gegaan. Het zal je goeddoen om er eens uit te gaan, en ik weet zeker dat ze je graag willen zien.'

Nee, dat willen ze niet. Het zal een opluchting voor ze zijn dat ik er niet ben. Ik ben de roze suikerspinolifant in de kamer. Ik breng iedereen in verlegenheid. Door mij wordt een etentje een krankzinnige circusvoorstelling waarbij iedereen met zijn nerveuze medelijden en gekunstelde glimlach moet jongleren tussen de cocktailglazen, vorken en messen.

'Ik heb geen zin. Zeg maar dat het me spijt, maar dat ik het niet kon opbrengen.'

Piep, piep.

Ze zag dat John het gepiep ook hoorde en liep met hem mee naar de keuken. Hij maakte de magnetron open en pakte er een mok uit.

'Dit is ijskoud. Zal ik het voor je opwarmen?'

Ze moest die ochtend thee hebben gezet en vergeten zijn het op te drinken. Vervolgens had ze de mok blijkbaar in de magnetron gezet om hem op te warmen, waarna ze hem daar had laten staan.

'Nee, dank je.'

'Goed, Bob en Sarah zitten vast al te wachten. Weet je zeker dat je niet mee wilt?'

'Heel zeker.'

'Ik blijf niet lang weg.'

Hij gaf haar een zoen en vertrok zonder haar. Ze bleef nog lang in de keuken staan, met de mok koude thee in haar handen.

Ze ging naar bed, maar John was nog steeds niet terug van het etentje. Toen ze zich omdraaide om naar boven te gaan, trok de blauwe gloed van het computerscherm in de werkkamer haar aandacht. Ze liep erheen en keek in haar postvak, meer uit gewoonte dan uit oprechte nieuwsgierigheid.

Daar waren ze.

> Beste Alice,
> Ik ben Mary Johnson. Ik ben zevenenvijftig en heb vijf jaar geleden de diagnose fronto-temporale dementie gekregen. Ik woon aan de North Shore, dus niet al te ver bij je vandaan. Ik vind het een geweldig idee en ik wil heel graag komen. Barry, mijn man, komt me brengen, maar ik weet niet of hij erbij wil blijven. We zijn allebei met vervroegd pensioen en de hele dag thuis. Ik denk dat hij wel even vrij van me wil.
> Tot gauw,
> Mary

> Ha Alice,
> Ik ben Dan Sullivan, drieënvijftig jaar oud, en ik weet sinds drie jaar dat ik vroege alzheimer heb. Het zit bij ons in de familie. Mijn moeder, twee ooms en een tante hadden het, en vier van mijn neven hebben het ook. Ik zag het dus aankomen en heb het van jongs af aan in de familie meegemaakt. Gek genoeg maakte het de diagnose of het leven met de ziekte nu er niet makkelijker op. Mijn vrouw weet waar je woont. Niet ver van het ziekenhuis. Bij Harvard. Mijn dochter heeft op Harvard gezeten. Ik bid elke dag

215

dat zij het niet krijgt.
Dan

Hoi Alice,
Bedankt voor je mailtje en de uitnodiging. Ik
heb een jaar geleden mijn diagnose gekregen, net als jij. Het was bijna een opluchting.
Ik dacht dat ik gek werd. Ik raakte de draad
van gesprekken kwijt, kon mijn eigen zinnen
niet afmaken, kon de weg naar huis niet vinden, kon geen overschrijvingsformulier meer
invullen en vergiste me in de schema's van
de kinderen (ik heb een dochter van vijftien
en een zoon van dertien). Ik was pas zesenveertig toen de symptomen begonnen, dus
niemand kwam op het idee dat het alzheimer was, natuurlijk.

Ik geloof dat de medicijnen goed helpen. Ik
slik Aricept en Namenda. Ik heb goede en
slechte dagen. De mensen, en zelfs mijn
eigen gezin, grijpen de goede dagen aan om
te denken dat het prima met me gaat, dat ik
het gewoon verzin! Zo wanhopig zit ik niet
om aandacht verlegen! Maar dan komt er
weer een slechte dag en kan ik niet op woorden komen, mijn aandacht nergens bij houden en geen twee dingen tegelijk doen. Ik
voel me ook eenzaam. Ik verheug me erop je
te zien.

Cathy Roberts

PS: Ken je het Dementia Advocacy and

Support Network International? Kijk maar
eens op hun website: www.dasninternatio-
nal.org. Het is een fantastische site voor
mensen zoals wij, in de beginstadia van
vroege alzheimer, om te praten, stoom af te
blazen, steun te krijgen en informatie uit te
wisselen.

Daar waren ze dan. En ze kwamen.

Mary, Cathy en Dan trokken hun jas uit en gingen in de
woonkamer zitten. Hun begeleiders hielden hun jas aan,
namen onwillig afscheid en gingen met John naar Jerri's om
koffie te drinken.

Mary had blond haar op kaaklengte en ronde, chocolade-
bruine ogen achter een bril met donker montuur. Cathy had
een prettig, intelligent gezicht en ogen die eerder glimlach-
ten dan haar mond. Alice mocht haar op het eerste gezicht.
Dan had een dikke snor, een kalend hoofd en een stevig
postuur. Als je hen zo bij elkaar zag, konden ze academici van
buiten de stad zijn, leden van een leesclubje of oude vrienden.

'Wil er iemand iets denken?' vroeg Alice.

Ze keken van haar naar elkaar, maar zeiden niets. Waren ze
allemaal te verlegen of te beleefd om als eerste hun mond
open te doen?

'Alice, bedoelde je "drinken"?' vroeg Cathy.

'Ja, wat zei ik dan?'

'Je zei "denken".'

Alice werd rood. Dat ze woorden door elkaar haalde, was
niet het eerste wat ze van zichzelf wilde laten zien.

'Ik lust eigenlijk wel een denkertje. Mijn kop is al dagen
vrijwel leeg, dus schenk maar bij,' zei Dan.

Ze lachten, en dat schiep meteen een band. Toen Alice met

217

koffie en thee binnenkwam, was Mary haar verhaal aan het vertellen.

'Ik ben tweeëntwintig jaar makelaar geweest. Opeens vergat ik afspraken, besprekingen, bezichtigingen. Ik kwam zonder sleutels bij huizen aanzetten. Ik ben met een klant bij me in de auto verdwaald op weg naar een huis in een buurt die ik al mijn hele leven ken. Ik heb drie kwartier rondgereden, terwijl ik er binnen tien minuten had moeten zijn. Ik wil niet weten wat die vrouw heeft gedacht.

Ik werd prikkelbaar en ging tekeer tegen de andere makelaars op kantoor. Ik was altijd heel relaxed en geliefd, maar opeens stond ik bekend om mijn korte lontje. Ik ruïneerde mijn eigen reputatie. Mijn reputatie was alles voor me. Mijn huisarts gaf me een antidepressivum. En toen dat niet werkte, gaf hij me een ander antidepressivum, en nog een.'

'Ik heb heel lang gedacht dat ik gewoon oververmoeid was en te veel tegelijk deed,' zei Cathy. 'Ik had een deeltijdbaan als apotheker, voedde twee kinderen op, deed het huishouden en rende als een kip zonder kop van hot naar her. Ik was pas zesenveertig, dus het kwam niet bij me op dat het dementie kon zijn. Toen wist ik op een dag op mijn werk de namen van de medicijnen niet meer, en ik wist niet hoe ik tien milliliter moest afmeten. Op dat moment besefte ik dat ik iemand de verkeerde dosis medicijnen of zelfs het verkeerde medicijn zou kunnen geven. Het kwam er feitelijk op neer dat ik per ongeluk iemand zou kunnen vermoorden. Ik trok dus mijn labjas uit, ging naar huis en ben nooit meer teruggegaan. Ik was er kapot van. Ik dacht dat ik gek werd.'

'En jij, Dan? Wat waren de eerste dingen die jij merkte?' vroeg Mary.

'Ik was heel handig in huis, maar op een dag begreep ik niet meer hoe ik dingen moest repareren die ik altijd had gerepareerd. Ik hield mijn werkplaats altijd netjes, met alles op zijn plaats, maar het werd een grote puinhoop. Als ik iets niet kon vinden, beschuldigde ik mijn vrienden ervan dat ze mijn gereedschap hadden geleend en er een janboel van hadden gemaakt, maar het was altijd mijn eigen schuld. Ik was brandweerman. Ik vergat de namen van de jongens in mijn ploeg. Ik kon mijn eigen zinnen niet meer afmaken. Ik vergat hoe je koffie moet zetten. Ik had hetzelfde met mijn moeder zien gebeuren toen ik een tiener was. Zij had ook vroege alzheimer.'

Ze wisselden verhalen uit over hun eerste symptomen, de strijd die ze hadden moeten voeren voordat de juiste diagnose werd gesteld en welke tactieken ze gebruikten om met hun dementie om te gaan en ermee te leven. Ze knikten, lachten en huilden om verhalen over verloren sleutels, verloren gedachten en verloren dromen. Alice had het gevoel dat ze vrijuit kon praten en echt werd gehoord. Ze voelde zich normaal.

'Alice, werkt jouw man nog?' vroeg Mary.

'Ja. Hij wordt dit semester helemaal opgeslokt door zijn onderzoek en het doceren. Hij reist veel. Het is zwaar, maar volgend jaar hebben we allebei een sabbatical. Ik hoef dus alleen maar het eind van het komende semester te halen, en dan kunnen we een heel jaar samen thuis zijn.'

'Je redt het wel, je bent er bijna,' zei Cathy.

Een paar maanden nog maar.

Anna stuurde Lydia naar de keuken om de broodpudding met witte chocola te maken. Anna, die nu zichtbaar in verwachting was en geen last meer had van misselijkheid, leek onophoudelijk te eten, alsof ze op een missie was om de calorieën die ze was kwijtgeraakt tijdens de ochtendmisselijkheid van de afgelopen maanden goed te maken.

'Ik heb nieuws,' zei John. 'Sloan-Kettering heeft me een aanstelling als hoofd van de vakgroep Kankerbiologie en Genetica aangeboden.'

'Waar is dat?' vroeg Anna met haar mond vol in chocola gedoopte veenbessen.

'New York.'

Niemand zei iets. Dean Martins 'Marshmallow World' schalde uit de stereo.

'Nou, maar je speelt toch niet echt met het idee het aanbod aan te nemen?' vroeg Anna.

'Toch wel. Ik ben er dit najaar een aantal keren geweest en die functie is geknipt voor mij.'

'En mam dan?' zei Anna.

'Die werkt niet meer en ze gaat nog maar zelden naar de campus.'

'Maar ze moet hier zijn,' zei Anna.

'Nee hoor. Ze heeft mij toch?'

'Hou op, zeg. Ik kom 's avonds langs zodat jij kunt overwerken en ik slaap hier als jij de stad uit bent en Tom komt als het enigszins kan in de weekends,' zei Anna. 'We zijn er niet altijd, maar...'

'Precies, jullie zijn er niet altijd. Jullie zien niet hoe erg het aan het worden is. Ze doet zich een stuk beter voor dan ze is. Denk je dat ze over een jaar nog weet dat ze in Cambridge is? Als we drie straten van huis zijn, weet ze al niet meer waar ze is. We kunnen net zo goed in New York wonen, en dan zeg ik tegen haar dat we op Harvard Square zijn en ze merkt het verschil niet eens.'

'Dat merkt ze heus wel, pap,' zei Tom. 'Dat mag je niet zeggen.'

'Tja, we zouden pas in september verhuizen. Dat duurt nog een tijd.'

'Het doet er niet toe wanneer je verhuist, ze moet hier blijven. Als je haar verpoot, gaat ze snel achteruit,' zei Anna.

'Dat denk ik ook,' zei Tom.

Ze praatten over haar alsof ze niet op een paar passen bij hen vandaan in de oorfauteuil zat. Ze praatten over haar waar ze bij zat, alsof ze doof was. Ze praatten over haar waar ze bij zat, zonder haar erbij te betrekken, alsof ze de ziekte van Alzheimer had.

'Ik denk niet dat ik ooit nog zo'n kans krijg, en ze hebben me gevraagd.'

'Ik wil dat ze de tweeling kan zien,' zei Anna.

'Zo ver is New York niet. En er is geen garantie dat jullie in Boston blijven.'

'Misschien ga ik ook wel naar New York,' zei Lydia.

Ze stond in de deuropening tussen de keuken en de woonkamer. Alice had haar niet gezien, en haar plotselinge verschijning in de periferie maakte haar aan het schrikken.

'Ik heb me aangemeld bij New York University, Brandeis, Brown en Yale. Als ik word aangenomen bij NYU en mam en jij gaan naar New York, kan ik bij jullie komen wonen om te helpen. En als jullie hier blijven en ik bij Brandeis of Brown word aangenomen, kan ik ook helpen,' zei Lydia.

Alice wilde tegen Lydia zeggen dat het uitstekende hogescholen waren. Ze wilde haar vragen welke vakken haar het meest aanspraken. Ze wilde tegen haar zeggen dat ze trots op haar was, maar haar gedachten reisden die dag te langzaam van haar hoofd naar haar mond, alsof ze kilometers door het zwarte rivierslib moesten zwemmen voordat ze zich aan de oppervlakte verstaanbaar konden maken, en de meeste verdronken ergens onderweg.

'Lydia, wat goed,' zei Tom.

'Dus zo gaat dat? Jij leeft gewoon door alsof mam geen alzheimer heeft en wij hebben er niets over te zeggen?' zei Anna.

'Ik offer me genoeg op,' zei John.

Hij had altijd van haar gehouden, maar ze had het hem makkelijk gemaakt. Ze zag de tijd die ze nog samen hadden als heel kostbaar. Ze wist niet hoe lang ze zichzelf nog kon vasthouden, maar ze had zichzelf ervan overtuigd dat ze het tot hun sabbatical wel zou redden. Een laatste sabbatical samen. Dat zou ze voor niets willen ruilen.

Hij wel, kennelijk. Hoe kon hij? De vraag raasde onbeantwoord door het zwarte rivierslib in haar hoofd. Het antwoord dat ze vond, schopte haar achter haar ogen en wurgde haar hart. Een van hen beiden zou alles moeten opgeven.

Alice, beantwoord de volgende vragen:
1. Welke maand is het?
2. Waar woon je?
3. Waar werk je?
4. Wanneer is Anna jarig?
5. Hoeveel kinderen heb je?

Als je een van deze vragen niet kunt beantwoorden, ga dan naar het bestand met de naam Vlinder op je computer en volg de aanwijzingen die je daar vindt onmiddellijk op.

December
Harvard Square
Harvard
April
Drie

januari 2005

'Mam, wakker worden. Hoe lang slaapt ze al?'

'Een uur of achttien.'

'Heeft ze dat al vaker gedaan?'

'Een paar keer.'

'Pap, ik maak me ongerust. Stel dat ze gisteren te veel pillen heeft genomen?'

'Nee, ik heb de verpakkingen en de weekdoos gecontroleerd.'

Alice hoorde ze praten en ze begreep wat ze zeiden, maar het boeide haar maar matig. Het was alsof ze een paar onbekenden afluisterde die het over een vrouw hadden die ze niet kende. Ze voelde niet de behoefte om wakker te worden. Ze was zich er niet van bewust dat ze sliep.

'Ali, hoor je me?'

'Mam, ik ben het, Lydia, kun je wakker worden?'

De vrouw die Lydia heette, had het erover dat ze een dokter wilde laten komen. De man die pap heette zei dat ze de vrouw die Ali heette moesten laten slapen. Ze hadden het over Mexicaans bestellen en thuis eten. Misschien zou de vrouw die Ali heette wakker worden van de geur van eten in huis. Toen verstomden de stemmen. Alles was weer donker en stil.

Ze liep over een zandpad dat een dicht bos in voerde. Ze klom zigzaggend omhoog, het bos uit en een steil, kaal klif op. Ze liep naar de rand en keek naar beneden. De zee onder haar was bevroren en de kust was bedekt met hoge sneeuwbanken. Het uitzicht leek levenloos, kleurloos, onmogelijk roerloos en stil. Ze gilde Johns naam, maar haar stem maakte geen geluid. Ze wilde terug en draaide zich om, maar het pad en het bos waren weg. Ze keek naar haar witte, knokige enkels en blote voeten. Aangezien er geen andere keus was, bereidde ze zich voor op de sprong van het klif.

Ze zat op een strandstoel, begroef haar voeten in het warme, fijne zand en tilde ze er weer uit. Ze keek naar Christina, haar beste vriendin van de kleuterschool en nog steeds maar vijf jaar oud, die een vlindervormige vlieger opliet. De roze en gele margrieten op Christina's badpak, de blauwe en paarse vleugels van de vlindervlieger, het blauw van de lucht, de gele zon, de rode lak op haar teennagels, ja, elke kleur die ze voor zich zag was feller en stralender dan ze ooit had gezien. Al kijkend naar Christina werd ze overmand door een vreugde en liefde die niet zozeer haar jeugdvriendinnetje golden, maar de gedurfde, adembenemende kleuren van haar badpak en de vlieger.

Haar zusje Anne en Lydia, die allebei een jaar of zestien waren, lagen naast elkaar op rood-wit-blauw gestreepte badlakens. Hun karamelkleurige lijven in kauwgomroze bikini's glommen in de zon. Zij waren ook glad, cartoonkleurig en fascinerend.

'Ben je zover?' vroeg John.

'Ik ben een beetje bang.'

'Het is nu of nooit.'

Ze stond op en hij gespte haar een harnas om dat vastzat aan een knaloranje parachute. Hij klikte gespen dicht en trok riemen aan tot ze zich knus ingepakt en veilig voelde. Hij hield haar schouders vast om tegenwicht te bieden aan de sterke, onzichtbare kracht die haar omhoogtrok.

'Klaar?' vroeg hij.

'Ja.'

Hij liet haar los en ze zeilde met een prikkelende snelheid het palet van de lucht in. De winden waarop ze zweefde waren duizelingwekkende wervelingen lichtblauw, maagdenpalmblauw, lavendelblauw en fuchsiaroze. De zee in de diepte was een draaiende caleidoscoop van turkoois, aquamarijn en violet.

Christina's vlindervlieger had zijn vrijheid gewonnen en fladderde vlakbij. Alice had nog nooit zoiets magnifieks gezien, en ze wilde hem zoals ze nog nooit naar iets had verlangd. Ze stak haar arm uit om het touw te pakken, maar een plotselinge, sterke luchtstroming liet haar tollen. Ze keek om, maar de vlieger ging schuil achter de oranje zonsondergangsgloed van haar parachute. Het drong nu pas tot haar door dat ze niet kon sturen. Ze keek naar de aarde beneden, de zinderende spikkels die haar familieleden waren. Ze vroeg zich af of de indrukwekkende, temperamentvolle winden haar ooit naar hen terug zouden voeren.

Lydia lag met opgetrokken knieën op haar zij op Alice' bed. De rolgordijnen waren dicht, zodat het daglicht zacht en getemperd de kamer binnenviel.

'Droom ik?' vroeg Alice.

'Nee, je bent wakker.'

'Hoe lang heb ik geslapen?'

'Een paar dagen nu.'

'O nee toch, het spijt me.'

'Het geeft niet, mam. Ik ben blij dat ik je stem hoor. Zou je te veel pillen hebben genomen, denk je?'

'Ik weet het niet meer. Het kan. Het was niet mijn bedoeling.'

'Ik maak me zorgen om je.'

Alice keek naar Lydia in fragmenten, van dichtbij genomen kiekjes van haar trekken. Ze herkende ze stuk voor stuk, zoals je ook het huis herkent waarin je bent opgegroeid, de stem van een ouder of de lijnen in je eigen hand, intuïtief, zonder moeite of bewust nadenken. Gek genoeg viel het haar wel moeilijk om Lydia als geheel thuis te brengen.

'Wat ben je mooi,' zei Alice. 'Ik ben zo bang dat ik op een dag naar je kijk en niet weet wie je bent.'

'Ik denk dat zelfs als je op een dag niet meer weet wie ik ben, je nog steeds weet dat ik van je hou.'

'Stel dat ik je zie en niet weet dat je mijn dochter bent en dat je van me houdt?'

'Dan zeg ik het wel tegen je, en je gelooft me.'

Alice vond het een prettig idee. *Maar zal ik ook altijd van haar houden? Zit mijn liefde voor haar in mijn hoofd of in mijn hart?* De wetenschapper in haar geloofde dat emoties het resultaat waren van de gecompliceerde bedrading van het limbisch systeem, die op dit moment verwikkeld waren in een loopgravenoorlog die geen overlevenden zou kennen. De moeder in haar geloofde dat de liefde voor haar dochter veilig was voor de slachting in haar geest, omdat ze die liefde in haar hart droeg.

'Hoe gaat het, mam?'

'Niet zo goed. Het was een zwaar semester zonder mijn werk, zonder Harvard, en de ziekte die steeds erger wordt, en je vader die bijna nooit thuis is. Het was bijna niet te doen.'

'Het spijt me. Kon ik hier maar vaker zijn. Van de herfst zit ik dichterbij. Ik wilde nu al hier komen wonen, maar ik heb net een rol gekregen in een geweldig stuk. Het is maar een bijrolletje, maar...'

'Het geeft niet. Ik zou jou ook graag vaker willen zien, maar ik zou nooit toestaan dat je je leven voor mij aan de kant zette.'

Ze dacht aan John.

'Je vader wil naar New York verhuizen. Hij kan een aanstelling bij Sloan-Kettering krijgen.'

'Ik weet het. Ik was erbij toen hij het vertelde.'

'Ik wil hier niet weg.'

'Nee, dat dacht ik wel.'

'Ik kan hier niet weg. De tweeling komt in april.'

'Ik verheug me zó op die baby's.'

'Ik ook.'

Alice stelde zich voor dat ze ze in haar armen hield, die warme lijfjes, die piepkleine, opgekrulde vingertjes en mollige, ongebruikte voetjes, hun gezwollen ronde ogen. Ze vroeg zich af of ze op John zouden lijken of op haar. En hun geur. Ze popelde om haar heerlijke kleinkindjes te ruiken.

De meeste grootouders genieten ervan zich het leven van hun kleinkinderen voor te stellen, met de belofte van opvoeringen en verjaardagspartijtjes, diploma-uitreikingen en trouwerijen. Ze wist dat zij de opvoeringen en verjaardagspartijtjes, de diploma-uitreikingen en de trouwerijen niet zou meemaken, maar ze zou haar kleinkinderen nog kunnen vasthouden en ruiken, en geen haar op haar hoofd die eraan dacht in plaats daarvan naar New York te gaan.

'Hoe is het met Malcolm?'

'Goed. We hebben pas samen de Memory Walk in Los Angeles gedaan.'

'Hoe is hij?'

Lydia's glimlach was haar antwoord een sprong voor.

'Hij is heel lang, een buitenmens, een tikje verlegen.'

'Hoe is hij bij jou?'

'Heel lief. Hij vindt het fantastisch dat ik zo intelligent ben, hij is apetrots op mijn acteerwerk, hij schept zoveel over me op dat het bijna gênant wordt. Je zou hem aardig vinden.'

'Hoe ben jij bij hem?'

Lydia dacht er even over na, alsof ze dat niet eerder had gedaan.

'Mezelf.'

'Mooi zo.'

Alice glimlachte en gaf een kneepje in Lydia's hand. Ze wilde Lydia vragen wat dat voor haar betekende, of ze zichzelf wilde beschrijven, als geheugensteuntje, maar de gedachte verdampte te snel om zich in woorden te laten vangen.

'Waar hadden we het nou over?' vroeg ze.

'Malcolm, de Memory Walk? New York?' friste Lydia haar geheugen op.

'Ik maak hier wandelingen, en ik voel me veilig. Ook al raak ik weleens een beetje verdwaald, uiteindelijk zie ik wel iets wat me bekend voorkomt, en er zijn genoeg mensen in de winkels die me kennen en me de weg wijzen. Het meisje bij Jerri's let altijd op waar mijn portemonnee en mijn sleutels zijn. En ik heb mijn lotgenotengroep hier. Ik heb die mensen nodig. Ik zou New York nu niet meer kunnen leren kennen. Ik zou mijn laatste restje zelfstandigheid verliezen. Je vader zou de hele tijd werken. Ik zou hem ook verliezen.'

'Mam, dat moet je allemaal tegen pap zeggen.'

Ze had gelijk, maar het was zoveel makkelijker om het tegen haar te zeggen.

'Lydia, ik ben heel trots op je.'

'Dank je.'

'Mocht ik het vergeten: ik hou van je.'

'Ik hou ook van jou, mam.'

'Ik wil niet naar New York verhuizen,' zei Alice.

'Het duurt nog een tijd, we hoeven nu nog niets te beslissen,' zei John.

'Ik wil nu beslissen. Ik heb al beslist. Ik wil hier duidelijk over zijn nu het nog kan. Ik wil niet naar New York.'

'En als Lydia meegaat?'

'En als ze niet meegaat? Je had het met mij moeten overleggen voordat je het aan de kinderen vertelde.'

'Dat heb ik gedaan.'

'Niet waar.'

'Jawel, heel vaak.'

'O, dus ik weet het niet meer? Komt dat even goed uit.'

Ze ademde in door haar neus en uit door haar mond, zichzelf de rust gunnend om zich uit de kinderachtige ruzie te trekken waarin ze werden gezogen.

'John, ik wist dat je gesprekken voerde met mensen van Sloan-Kettering, maar ik had niet begrepen dat ze je wilden overhalen een aanstelling voor het komende jaar aan te nemen. Als ik het had geweten, had ik er wel iets van gezegd.'

'Ik heb je verteld waarom ik erheen ging.'

'Ook goed. Zouden ze bereid zijn je na je sabbatical te laten beginnen, volgend jaar september?'

'Nee, ze hebben nu iemand nodig. Het was al lastig genoeg om het tot het komende jaar op te schuiven, maar ik moet een paar dingen hier in het lab afronden.'

'Kunnen ze dan niet tijdelijk iemand aanstellen, zodat jij je sabbatical met mij kunt doorbrengen en dan pas hoeft te beginnen?'

'Nee.'

'Heb je het wel gevraagd?'

'Hoor eens, de concurrentie is moordend momenteel, en alles gaat razendsnel. We staan op het punt grote ontdekkingen te doen, ik bedoel, we hebben bijna de sleutel tot de genezing van kanker. De farmaceutische bedrijven zijn geïnteresseerd. En al die colleges en dat administratieve gezeur op Harvard houden me gewoon op. Als ik dit niet doe, laat ik misschien mijn enige kans schieten om iets te ontdekken wat er echt toe doet.'

'Dit is niet je enige kans. Je bent briljant, en jij hebt geen alzheimer. Je krijgt nog kansen genoeg.'

Hij keek haar zwijgend aan.

'Het komende jaar is míjn enige kans, John, niet de jouwe.

Het komende jaar is mijn laatste kans om mijn leven te leiden in het besef wat het voor me betekent. Ik denk niet dat ik nog lang echt mezelf zal zijn, en die tijd wil ik met jou doorbrengen, en ik vind het ongelooflijk dat jij niet ook met mij samen wilt zijn.'

'Dat wil ik wel. We zouden toch samen zijn?'

'Dat is gelul en dat weet je zelf ook. Ons leven is hier. Tom en Anna en de kindjes, Mary, Cathy en Dan en misschien Lydia. Als je dit aanneemt, zul je dag en nacht werken, dat weet je best, en dan zit ik daar in mijn eentje. Dit besluit heeft niets te maken met samen met mij willen zijn, en het berooft me van alles wat ik nog heb. Ik ga niet mee.'

'Ik zweer je dat ik niet dag en nacht ga werken. En stel dat Lydia naar New York verhuist? Stel dat je elke maand een week bij Anna en Charlie kunt logeren? Er zijn wel manieren om het zo te regelen dat jij niet alleen hoeft te zijn.'

'Stel dat Lydia niet naar New York gaat? Als ze nu eens naar Brandeis gaat?'

'Daarom vind ik dat we de beslissing tot later moeten uitstellen, tot we meer informatie hebben.'

'Ik wil dat jij je sabbatical opneemt.'

'Alice, voor mij is het geen keuze tussen de aanstelling bij Sloan aannemen of een sabbatical opnemen. Voor mij is het een keuze tussen de aanstelling bij Sloan aannemen of op Harvard doormodderen. Ik kan het komende jaar gewoon niet vrij nemen.'

Ze beefde, en de woedende tranen die in haar ogen brandden maakten hem wazig.

'Ik kan dit niet meer! Alsjeblieft! Ik red het niet zonder jou. Je kunt best een jaar vrij nemen. Als je het echt zou willen, kon het best. Je moet het voor me doen.'

'Stel dat ik dit aanbod afwijs en het komende jaar vrij neem, en jij weet niet eens meer wie ik ben?'

'Stel dat ik je het komende jaar nog wel herken, maar het

jaar daarop niet meer? Hoe kun je zelfs maar op het idee komen de tijd die we nog hebben opgesloten in dat rotlab door te brengen? Dat zou ik jou nooit aandoen.'

'Ik zou het nooit van je vragen.'

'Dat zou ook niet hoeven.'

'Ik denk niet dat ik het kan, Alice. Het spijt me, maar ik denk gewoon niet dat ik een heel jaar kan zitten toekijken hoe die ziekte je van alles berooft. Ik kan het niet aan om te zien dat jij je niet meer kunt aankleden en niet meer weet hoe de tv werkt. Als ik in het lab zit, hoef ik niet te zien hoe jij Post-its op alle kastjes en deuren plakt. Ik kan niet thuis blijven toezien hoe jij aftakelt. Ik ga er kapot aan.'

'Nee, John, ik ga kapot, niet jij. Ik ga achteruit, of jij nu thuis zit toe te kijken of je in je lab verschuilt. Je raakt me kwijt. Ik raak mezelf kwijt. Maar als je het komende jaar niet de tijd voor me neemt, nou ja, dan zijn we jou het eerst kwijt. Ik heb alzheimer. Wat is jóúw kutsmoes?'

Ze trok blikken, dozen en flessen, glazen, borden en kommen, potten en pannen uit de kasten. Ze stapelde alles op de keukentafel en toen daar geen ruimte meer was, ging ze verder op de vloer.

Ze haalde alle jassen uit de garderobekast, ritste de zakken open en keerde ze binnenstebuiten. Ze vond geld, afgescheurde kaartjes, tissues en niets. Na elke visitatie liet ze de onschuldige jas op de vloer vallen.

Ze wipte de kussens van de banken en stoelen. Ze leegde haar bureaula en archiefkast. Ze keerde haar boekentas, haar laptopkoffertje en haar lichtblauwe tas om. Ze doorzocht de stapels, alle voorwerpen met haar vingers aanrakend om hun naam tot zich te laten doordringen. Niets.

Ze hoefde niet te onthouden wat ze zocht. De bergen opgediepte spullen gaven aan waar ze al had gespit. Zo te zien had ze de hele begane grond gehad. Ze zweette, ze was manisch, maar ze gaf het niet op. Ze rende naar boven.

Ze groef in de wasmand, de nachtkastjes, de ladekast, de kleerkast, haar bijouteriekistje, de linnenkast en het medicijnkastje. *De badkamer beneden.* Ze stormde de trap weer af, zwetend manisch.

John stond in de hal, tot aan zijn enkels in de jassen.

'Wat is hier in godsnaam gebeurd?' zei hij.

'Ik zoek iets.'

'Wat?'

Ze kon het niet benoemen, maar ze vertrouwde erop dat ze het ergens in haar hoofd nog wist.

'Dat weet ik pas weer als ik het heb gevonden.'

'Het is hier een compleet rampgebied. Het ziet eruit alsof we zijn beroofd.'

Daar had ze nog niet aan gedacht. Het zou verklaren waarom ze het niet kon vinden.

'O, god, misschien is het gestolen.'

'We zijn niet beroofd. Jij hebt het hele huis overhoopgehaald.'

Ze zag een nog intacte tijdschriftenmand naast de bank in de woonkamer, liet John met zijn diefstaltheorie in de hal staan, tilde de zware mand op, kieperde de tijdschriften op de vloer, spreidde ze uit en liep weg. John kwam achter haar aan.

'Alice, hou op, je weet niet eens wat je zoekt.'

'O, jawel.'

'Wat dan?'

'Ik heb het woord niet.'

'Hoe ziet het er dan uit, waar gebruik je het voor?'

'Weet ik niet, zeg ik toch? Ik weet het wel weer als ik het heb. Ik moet het vinden, anders ga ik dood.'

Ze hoorde het zichzelf zeggen. 'Waar zijn mijn medicijnen?'

Ze liepen naar de keuken, waar ze in de dozen ontbijtvlokken en blikken soep en tonijn op de vloer rommelden. John vond haar vele medicijnen en vitamines op de vloer en de weekdoos in een schaal op de keukentafel.

'Alsjeblieft,' zei hij.

De drang, de noodzaak op leven en dood, nam niet af.

'Nee, dat is het niet.'

'Dit is waanzin. Je moet hiermee ophouden. Het lijkt hier wel een afvalstortplaats.'

Afval.

Ze trok de vuilniszak uit de bak en keerde hem om.

'Alice!'

Ze woelde in avocadoschillen, slijmerig kipvet, opgepropte tissues en servetten, lege dozen en wikkels en andere afvaldingesen. Ze zag de dvd met het opschrift *Alice Howland*, pakte de natte doos en keek ernaar. *Hm, die wilde ik niet weggooien.*

'Kijk eens, dat moet het zijn,' zei John. 'Blij dat je het hebt gevonden.'

'Nee, dit is het niet.'

'Alsjeblieft zeg, de hele vloer ligt bezaaid met afval. Hou op, ga zitten en relax. Je bent door het dolle heen. Als je even tot rust komt, schiet het je misschien weer te binnen.'

'Goed.'

Al ze stilzat, herinnerde ze zich misschien wat het was en waar ze het had gelaten. Of misschien vergat ze dat ze iets had gezocht.

De sneeuw die sinds de vorige dag viel en in een groot deel van New England een halve meter hoog lag, viel niet meer. Het viel haar alleen op doordat de ruitenwissers piepend heen en weer gingen over de droge ruit. John zette ze uit. De straten waren sneeuwvrij gemaakt, maar hun auto was de enige op de weg. Alice had altijd gehouden van de serene verstilling na een hevige sneeuwstorm, maar nu werd ze er zenuwachtig van.

John reed het parkeerterrein van Mount Auburn Cemetery op. Daar was een bescheiden parkeerruimte vrijgemaakt, maar de paden en grafstenen van de begraafplaats zelf waren nog niet blootgelegd.

'Ik was er al bang voor,' zei John. 'We zullen een andere keer moeten terugkomen.'

'Nee, wacht. Ik wil even kijken.'

De stokoude, zwarte bomen met hun berijpte, knoestige takken als spataderen heersten over dit sprookjesachtige winterlandschap. Ze zag een paar grijze toppen, vermoedelijk van de hoge, barokke zerken van de ooit rijken en beroemden boven de sneeuw uit piepen, maar dat was het dan. Verder was alles bedolven. Vergane lichamen in kisten begraven onder aarde en steen, aarde en steen begraven onder sneeuw. Alles was zwart-wit, bevroren en dood.

'John?'

'Ja?'

Ze had zijn naam te luid uitgesproken, de stilte te plotseling verbroken, hem aan het schrikken gemaakt.

'Laat maar. We kunnen weg. Ik wil hier niet zijn.'

'We kunnen later in de week nog eens gaan kijken,' zei John.

'Waar?'

'Op de begraafplaats.'

'O.'

Ze zat aan de keukentafel. John schonk twee glazen rode wijn in en gaf haar er een. Ze liet de wijn uit gewoonte in het glas walsen. Ze vergat regelmatig de naam van haar dochter, die actrice, maar ze wist nog wel hoe ze de wijn in haar glas moest laten walsen, en dat ze dat leuk vond. Krankzinnige ziekte. Ze vond het prettig de draaiende beweging in het glas te zien, de bloedrode kleur van de wijn, de intense smaak van druiven, eikenhout en aarde, en de warmte die ze voelde als er een slok in haar buik landde.

John stond bij de open koelkast, waar hij een stuk kaas, een citroen, iets vloeibaars met een pikante smaak en een paar rode groenten uit pakte.

'Wat dacht je van enchilada's met kip?' vroeg hij.

'Goed.'

Hij trok de vriezer open en rommelde erin.

'Hebben we nog kip?' vroeg hij.

Ze gaf geen antwoord.

'O, Alice, nee toch?'

Hij draaide zich naar haar om en liet haar zien wat hij had gepakt. Het was geen kip.

'Je BlackBerry lag in de vriezer.'

Hij drukte op de toetsen, schudde eraan en wreef erover.

'Zo te zien is er water in gekomen, we kunnen wachten tot hij is ontdooid, maar ik ben bang dat hij het niet meer doet,' zei hij.

De tranen van een diep verdriet stroomden prompt.

'Het geeft niet. Als hij kapot is, kopen we een nieuwe voor je.'

Bespottelijk, waarom maak ik me zo druk om een kapotte pda? Misschien huilde ze eigenlijk om de dood van haar moeder, zusje en vader. Misschien waren er emoties losgekomen die ze eerder had voorzien, maar op de begraafplaats niet goed had kunnen uiten. Dat leek aannemelijk, maar dat was het niet. Misschien symboliseerde de dood van haar elektronische agenda de dood van haar positie op Harvard en rouwde ze om het recente verlies van haar carrière. Dat leek ook aannemelijk, maar wat ze voelde, was een ontroostbaar verdriet om het heengaan van de BlackBerry zelf.

februari 2005

Ze zakte in de stoel naast John, tegenover dokter Davis, emotioneel vermoeid en intellectueel leeggelopen. Ze had eindeloze neuropsychologische tests gedaan in dat kamertje bij die vrouw, die vrouw die de neuropsychologische tests afnam. De woorden, de informatie, de betekenis van de vragen van de vrouw en Alice' eigen antwoorden waren als zeepbellen, het soort dat kinderen met die plastic stokjes met een rondje aan het uiteinde maakten wanneer het buiten waaide. Ze zweefden snel van haar weg, alle kanten op, zodat het haar een enorme inspanning en concentratie kostte om hun duizelingwekkende banen te volgen. En zelfs als het haar lukte er een paar bemoedigend lang te blijven volgen, spatten ze nog te snel uit elkaar, *pop*, voorgoed weg waren ze, zonder aanwijsbare oorzaak, alsof ze er nooit waren geweest. En nu nam dokter Davis het stokje over.

'Goed, Alice, kun je "water" achterstevoren voor me spellen?' vroeg dokter Davis.

Nog geen halfjaar geleden had ze het een onbenullige vraag gevonden, beledigend zelfs, maar vandaag was het een serieuze vraag die serieuze inspanning van haar vergde. Ze vond het maar matig zorgwekkend en vernederend, niet half zo zorgwekkend en vernederend als een halfjaar geleden. Ze raakte steeds verder van zichzelf verwijderd. Haar besef van Alice – wat ze wist en begreep, wat ze wel en niet leuk vond, hoe ze zich voelde en hoe ze dingen waarnam – was ook een soort zeepbel, nog hoger in de lucht en moeilijk te vatten, met alleen een heel dun vliesje als bescherming tegen een *pop* in nog ijlere lucht.

Alice spelde 'water' eerst in gedachten, waarbij ze de vijf vingers van haar linkerhand opstak, een per letter.

'R.' Ze vouwde haar pink naar binnen. Ze spelde het woord weer in haar hoofd, stopte bij de ringvinger en vouwde hem naar binnen.

'E.' Ze herhaalde het proces.

'T.' Ze hield haar duim en wijsvinger uitgestoken als een pistool en fluisterde 'W, A' in zichzelf.

'W, A.'

Ze glimlachte, stak haar rechtervuist triomfantelijk in de lucht en keek naar John, die aan zijn trouwring draaide en mismoedig naar haar glimlachte.

'Goed gedaan,' zei dokter Davis. Zijn glimlach was breed, en hij leek onder de indruk te zijn. Alice vond hem aardig.

'Nu wil ik graag dat je met je linkerhand je rechterwang aanraakt en dan naar het raam wijst.'

Ze bracht haar linkerhand naar haar gezicht. *Pop!*

'Neem me niet kwalijk, kunt u het nog eens zeggen?' vroeg Alice met haar linkerhand nog bij haar gezicht.

'Ja, hoor,' zei dokter Davis toegeeflijk, als een vader die net doet alsof hij niet ziet dat zijn kind stiekem de bovenste kaart van een stapeltje even omdraait of al over de startlijn schuift voordat het sein is gegeven. 'Leg je linkerhand op je rechterwang en wijs dan naar het raam.'

Haar linkerhand raakte haar rechterwang voordat hij was uitgepraat. Ze zwiepte haar rechterarm zo snel mogelijk naar het raam en slaakte een diepe zucht.

'Goed zo, Alice,' zei dokter Davis. Hij glimlachte weer.

John zei niets lovends en toonde geen sprankje blijdschap of trots.

'Goed, kun je me nu de naam en het adres noemen die ik je eerder heb gevraagd te onthouden?'

De naam en het adres. Ze had er een vaag besef van, zoals wanneer je 's ochtends wakker wordt en weet dat je hebt gedroomd en misschien zelfs waarover, maar hoe hard je ook piekert, de details van de droom zijn je ontglipt. Voorgoed weg.

'John Huppeldepup. Weet u, u vraagt het elke keer, en ik heb nog nooit kunnen onthouden waar die vent woont.'

'Goed, dan gaan we raden. Was het John Black, John White, John Jones of John Smith?'

Ze had geen idee, maar wilde het spelletje best meespelen. 'Smith.'

'Woont hij in East, West, North of South Street?'

'South Street.'

'In Arlington, Cambridge, Brighton of Brookline?'

'Brookline.'

'Goed, Alice, laatste vraag, waar is mijn briefje van twintig?'

'In uw portemonnee?'

'Nee, ik heb een biljet van twintig dollar ergens in de kamer verstopt, weet je nog waar?'

'Hebt u dat gedaan waar ik bij was?'

'Ja. Schiet je al iets te binnen? Als je het vindt, mag je het houden.'

'Goh, als ik dat had geweten, had ik wel een manier verzonnen om het te onthouden.'

'Vast wel. Heb je enig idee?'

Ze zag zijn blik heel even naar rechts afwijken, vlak achter haar schouder, voordat hij weer naar haar keek. Ze draaide zich om. Achter haar hing een whiteboard aan de wand waarop met rode stift drie woorden waren geschreven:

Natriumzout. LTP. *Celdood.* De rode stift lag in het gootje langs de onderrand, naast een opgevouwen biljet van twintig dollar. Ze stapte er opgetogen op af en pakte haar prijs. Dokter Davis grinnikte.

'Als al mijn patiënten zo slim waren als jij, zou ik failliet gaan.'

'Alice, je mag het niet houden, je hebt hem ernaar zien kijken,' zei John.

'Ik heb het verdiend,' zei Alice.

'Het is goed, ze heeft het gevonden,' zei dokter Davis.

'Is dit wel goed? Ze is pas een jaar ziek en ze slikt medicijnen,' zei John.

'Tja, waarschijnlijk spelen er een paar dingen mee. Ze was vermoedelijk al veel langer ziek voordat de diagnose werd gesteld, vorig jaar januari. Jij, de familie, haar collega's en zijzelf zullen de eerste symptomen wel normaal hebben gevonden, toeval, of jullie hebben ze toegeschreven aan stress, slaapgebrek, te veel alcohol en ga zo maar door. Dat kan makkelijk een jaar of twee hebben geduurd. Daar komt nog bij dat ze ongelooflijk slim is. Als de gemiddelde persoon bijvoorbeeld, laten we het simpel houden, tien synapsen heeft die naar een stukje informatie leiden, zou Alice er met gemak vijftig kunnen hebben. Wanneer de gemiddelde persoon die tien synapsen kwijtraakt, is dat stukje informatie onbereikbaar, vergeten, maar als Alice er tien kwijtraakt, heeft ze nog veertig manieren over om haar doel te bereiken. Haar anatomische verlies was dus aanvankelijk niet zo groot of opvallend.'

'Maar inmiddels is ze veel meer dan tien synapsen kwijt,' zei John.

'Ja, jammer genoeg wel. Haar kortetermijngeheugen zit nu bij de laagste drie procent van de groep die de tests nog kan maken, haar taalverwerking is aanzienlijk achteruitgegaan en ze raakt haar bewustzijn van zichzelf kwijt, allemaal dingen die we helaas verwachtten te zien. Toch is ze ook ongelooflijk vindingrijk. Ze heeft vandaag een aantal vernuftige strategieën gebruikt om vragen goed te beantwoorden waarop ze zich het antwoord in feite niet herinnerde.'

'Desondanks wist ze het antwoord op veel vragen niet,' zei John.

'Dat is waar.'

'Het gaat gewoon zo hard achteruit. Kunnen we de dosis Aricept of Namenda niet verhogen?' opperde John.

'Nee, ze krijgt van allebei al de maximale dosis. Dit is helaas een voortschrijdende, degeneratieve ziekte die niet genezen kan worden. Het wordt erger, ondanks de medicijnen die we nu hebben.'

'En het is wel duidelijk dat ze de placebo krijgt, of anders werkt die Amylex niet,' zei John.

Dokter Davis leek na te denken of hij het met John eens moest zijn of niet.

'Ik weet dat je er moedeloos van wordt, maar ik heb vaak onverwachte plateaufases gezien, die een tijd kunnen aanhouden, waarin de ziekte stil lijkt te staan.'

Alice deed haar ogen dicht en stelde zich voor dat ze stevig op beide benen midden op een plateau stond. In een schitterend landschap met steile rotswanden. Ze zag het voor zich, en het was het hopen waard. Zag John het ook? Kon hij nog hoop voor haar hebben of had hij het al opgegeven? Of, nog erger, hoopte hij dat ze snel achteruit zou gaan, zodat hij haar, wezenloos en meegaand als ze dan was, in de herfst mee kon nemen naar New York? Zou hij ervoor kiezen naast haar op het plateau te komen staan of zou hij haar de berg af duwen?

Ze sloeg haar armen over elkaar, tilde het been dat ze over het andere had geslagen op en zette haar voeten plat op de vloer.

'Alice, loop je nog weleens hard?' vroeg dokter Davis.

'Nee, al een tijdje niet meer. John heeft het te druk en mijn coördinatievermogen is te slecht; ik zie de stoepranden en hobbels in de weg niet meer en ik schat afstanden verkeerd in. Ik ben een paar keer vreselijk gevallen. Zelfs thuis vergeet ik die verhoogde dingesen in de deuren en struikel ik telkens als ik een kamer in loop. Ik ben bont en blauw.'

'Goed, John, dan zou ik of die dingesen in de deuren weghalen of er felgekleurd plakband op plakken, zodat Alice ze ziet. Anders gaan ze naadloos in de vloer over.'

'Ik zal het doen.'

'Alice, hoe gaat het met de lotgenotengroep?' vroeg dokter Davis.

'We zijn met zijn vieren. We komen eens per week bij een van ons thuis bij elkaar en we mailen elkaar elke dag. Het is fantastisch, we kunnen over alles praten.'

Dokter Davis en die vrouw in dat kamertje hadden haar vandaag allerlei indringende vragen gesteld, vragen waarmee ze wilden meten hoe groot de verwoesting precies was die in haar hoofd was aangericht, maar niemand begreep beter wat er nog wél in haar hoofd leefde dan Mary, Cathy en Dan.

'Ik wil je bedanken voor je initiatief en het opvullen van de duidelijke leemte die we in ons hulpsysteem hier hadden. Als ik nieuwe vroege-alzheimerpatiënten of patiënten in het beginstadium krijg, mag ik ze dan naar jou doorverwijzen?'

'Ja, graag zelfs. Wilt u ze ook over DASNI vertellen? Dat staat voor Dementia Advocacy and Support Network International. Het is een internetforum voor mensen met dementie. Ik heb er al wel tien mensen leren kennen uit het hele land, Canada, het Verenigd Koninkrijk en Australië. Nou ja, ik heb ze nooit echt ontmoet, het gaat allemaal via internet, maar ik heb het gevoel dat ik ze ken en ze weten meer van me dan veel andere mensen die ik al mijn hele leven ken. We verspillen geen tijd, want daar hebben we niet genoeg meer van. We praten over de dingen die ertoe doen.'

John ging verzitten en wipte met zijn voet.

'Dank je, Alice, ik zal die site toevoegen aan ons pakket standaardinformatie. En jij, John? Heb je al met de maatschappelijk werker hier gepraat of een bijeenkomst van de lotgenotengroep bezocht?'

'Nee. Ik heb een paar keer koffiegedronken met de partners van de mensen van haar lotgenotengroep, maar dat is het wel.'

'Je zou kunnen overwegen zelf wat steun te vragen. Jij hebt de ziekte niet, maar je leeft er wel mee, door je leven met Alice, en de mantelzorgers hebben het zwaar. Ik zie elke dag aan de familieleden die hier komen hoeveel het van ze vergt. We hebben Denise Daddario hier, de maatschappelijk werker, en de praatgroep voor mantelzorgers, en ik weet dat de afdeling Massachusetts van de Alzheimer's Association veel plaatselijke praatgroepen heeft. De mogelijkheden zijn er, dus aarzel niet er gebruik van te maken.'

'Goed.'

'Nu we het toch over de Alzheimer's Association hebben, Alice, ik heb net het programma van de Dementia Care Conference gekregen, en ik zag dat jij de plenaire openingspresentatie geeft,' zei dokter Davis.

De Dementia Care Conference, een landelijk congres, was bedoeld voor mensen die beroepsmatig zorg verleenden aan mensen met dementie en hun naasten. Neurologen, huisartsen, geriaters, neuropsychologen, verpleegkundigen en maatschappelijk werkers kwamen bij elkaar om informatie uit te wisselen over benaderingen van de diagnose, behandelingen en patiëntenzorg. Het was vergelijkbaar met Alice' lotgenotengroep en DASNI, maar dan veel grootschaliger en voor mensen die zelf niet dementeerden. Het congres zou dit jaar in Boston worden gehouden.

'Ja,' zei Alice. 'Dat wilde ik nog vragen: komt u ook?'

'Nou en of, en ik zal op de eerste rij zitten. Weet je, ze hebben mij nog nooit voor een plenaire presentatie gevraagd,' zei dokter Davis. 'Je bent een moedige, bijzondere vrouw, Alice.'

Zijn welgemeende, niet neerbuigende compliment was precies de oppepper die haar ego nodig had na de genadeloze afranseling die het door al die tests had gekregen. John draaide aan zijn trouwring. Hij keek haar aan met tranen in zijn ogen en een verkrampte glimlach die ze niet begreep.

maart 2005

Alice stond met haar getypte toespraak in haar hand te kijken naar de mensen die in de voorname balzaal van het hotel
zaten. Ze had altijd met een bijna paranormale nauwkeurig-
heid kunnen schatten hoeveel mensen er in een zaal zaten,
maar die vaardigheid bezat ze niet meer. Het waren veel
mensen. De organisator van het congres – Alice kon niet op
haar naam komen – had haar verteld dat er meer dan zeven-
honderd mensen hadden ingetekend. Alice had vaak lezingen
gehouden voor een publiek van die omvang of nog groter.
Onder haar toehoorders in het verleden mocht ze vooraanstaande onderzoekers van Ivy League-universiteiten,
Nobelprijswinnaars en toonaangevende vernieuwers op het
gebied van de filosofie en linguïstiek rekenen.

Vandaag zat John op de voorste rij. Hij keek telkens over
zijn schouder en rolde zijn programmaboekje dan strak op.
Het viel haar nu pas op dat hij zijn grijze geluks-T-shirt aanhad. Dat bewaarde hij meestal voor de dagen van de meest
kritieke labuitslagen. Ze glimlachte om het bijgeloof dat het
verried.

Naast hem zaten Anna, Charlie en Tom te praten. Een paar
stoelen verderop zaten Mary, Cathy en Dan met hun partners. Dokter Davis zat midden op de eerste rij, met zijn pen

en notitieboekje in de aanslag. Achter hen zat een zee van mensen die zich beroepshalve wijdden aan de zorg voor mensen met dementie. Het was misschien niet haar grootste of meest prestigieuze publiek, maar ze hoopte dat dit de lezing was die de diepste indruk zou achterlaten.

Ze streek met haar vingers over de gladde, met glassteentjes bezette vleugels van de vlinder aan haar ketting, die neergestreken leek te zijn in de holte tussen haar sleutelbeenderen. Ze schraapte haar keel. Ze nam een slokje water. Ze raakte de vlindervleugels nog een keer aan, want dat bracht geluk. *Het is vandaag een speciale gelegenheid, mam.*

'Goedemorgen. Ik ben doctor Alice Howland, maar ik ben geen neuroloog of arts. Ik ben doctor in de psychologie. Ik ben vijfentwintig jaar hoogleraar psychologie geweest aan Harvard. Ik doceerde cognitieve psychologie, deed onderzoek op het gebied van de linguïstiek en hield lezingen over de hele wereld.

Ik ben hier vandaag echter niet om u toe te spreken als deskundige op het gebied van taal of psychologie. Ik ben hier om u toe te spreken als expert op het gebied van de ziekte van Alzheimer. Ik behandel geen patiënten, doe geen klinisch onderzoek, bestudeer geen DNA-mutaties en geef geen therapie aan patiënten en hun naasten. Ik ben een expert op dit gebied omdat ik iets langer dan een jaar geleden de diagnose vroege alzheimer heb gekregen.

Het is me een eer dat ik in de gelegenheid ben gesteld vandaag met u te praten en ik hoop enig inzicht te bieden in hoe het is om met dementie te leven. Binnenkort zal ik nog wel weten hoe het is, maar het u niet meer duidelijk kunnen maken. En veel te kort daarna zal ik niet eens meer weten dat ik dementeer. Mijn kans om dit te zeggen komt dus nog net op tijd.

Wij, de mensen in de eerste stadia van alzheimer, zijn nog

niet volslagen incompetent. We hoeven het nog niet te stellen zonder taal, meningen die ertoe doen en langere periodes van helderheid. Toch zijn we niet meer competent genoeg om te kunnen voldoen aan veel van de eisen en verplichtingen van ons vroegere leven. We voelen ons alsof we in een niemandsland leven, als rare personages uit de boeken van Dr. Seuss. Het is een eenzame, hoogst frustrerende omgeving.

Ik werk niet meer op Harvard. Ik lees en schrijf geen onderzoeksartikelen en boeken meer. Mijn werkelijkheid is totaal anders dan die van niet al te lang geleden. En het is een vervormde werkelijkheid. De neurale paden die ik gebruik om te begrijpen wat u zegt, wat ik denk en wat er om me heen gebeurt, zitten verstopt met amyloïde. Het is een worsteling om de woorden te vinden die ik wil zeggen, en vaak hoor ik mezelf de verkeerde woorden uitspreken. Ik kan afstanden niet meer goed inschatten, wat inhoudt dat ik dingen laat vallen, zelf vaak val en op twee straten van mijn huis verdwaald kan raken. En mijn kortetermijngeheugen hangt nog maar aan een paar gerafelde draadjes.

Ik raak mijn gisteren kwijt. Als u me vraagt wat ik gisteren heb gedaan, wat er is gebeurd, wat ik heb gezien, gevoeld en gehoord, kost het me veel moeite om u er iets over te vertellen. Misschien raad ik een paar dingen goed. Ik kan uitstekend raden. Maar ik wéét het niet echt. Ik herinner me niets van gisteren of eergisteren.

En ik heb niets te zeggen over welke dagen van gisteren ik bewaar en welke er worden gewist. Met deze ziekte valt niet te marchanderen. Ik kan de alzheimer niet de namen van de presidenten aanbieden in ruil voor de namen van mijn kinderen. Ik kan de hoofdsteden van onze staten niet inwisselen voor de herinneringen aan mijn man.

Ik ben vaak bang voor de dag van morgen. Stel dat ik bij het ontwaken mijn man niet meer herken? Stel dat ik niet meer weet waar ik ben of mijn gezicht in de spiegel niet kan thuisbrengen? Wanneer ben ik mezelf niet meer? Is het deel van mijn brein waarin mijn unieke 'ik-heid' huist vatbaar voor deze ziekte, of ontstijgt mijn identiteit de neuronen, eiwitten en defecte DNA-moleculen? Zijn mijn ziel en geest immuun voor de ravage die alzheimer aanricht? Ik geloof van wel.

De diagnose alzheimer krijgen is als gebrandmerkt worden. Dit is nu wie ik ben: iemand met dementie. Het was een tijdje hoe ik mezelf definieerde en hoe anderen me nog steeds definiëren, maar ik ben niet wat ik zeg of wat ik doe. Ik ben fundamenteel méér dan dat.

Ik ben echtgenote, moeder en vriendin en aankomend grootmoeder. Ik kan nog voelen en begrijpen en ik ben de liefde en vreugde van die betrekkingen waard. Ik neem nog steeds actief deel aan de maatschappij. Mijn brein werkt niet goed meer, maar ik gebruik mijn oren om onvoorwaardelijk te luisteren, mijn schouders om anderen op te laten uithuilen en mijn armen om medepatiënten mee te omhelzen. Via mijn lotgenotengroep, DASNI, en door vandaag met u te praten help ik anderen met dementie beter met hun ziekte te leven. Ik ben niet stervend, ik ben iemand die leeft met alzheimer. Dat wil ik zo goed mogelijk doen.

Ik pleit voor een tijdiger diagnose. Artsen moeten er niet van uitgaan dat mensen van in de veertig of vijftig die last hebben van vergeetachtigheid of cognitieve problemen hebben, depressief of gestrest zijn of in de overgang zitten. Hoe eerder we de juiste diagnose krijgen, hoe eerder we medicijnen kunnen gaan gebruiken, met de hoop het voortschrijden van de ziekte te vertragen en lang genoeg op een plateau te kunnen blijven om nog ons voordeel te kunnen doen met een betere behandeling of remedie die binnenkort ontdekt kan worden. Ik hoop nog op genezing voor mezelf, mijn dementerende vrienden en mijn dochter, die hetzelfde gemuteerde gen heeft als ik. Ik zal misschien nooit terugkrijgen wat ik al kwijt ben, maar ik kan vasthouden wat ik nog heb. Ik heb nog veel.

Kijk alstublieft niet naar ons brandmerk, schrijf ons niet af. Kijk ons recht aan, praat rechtstreeks met ons. Raak niet in paniek en vat het niet persoonlijk op als we fouten maken, want dat is onvermijdelijk. We herhalen onszelf, maken dingen zoek en verdwalen. We vergeten uw naam en wat u twee minuten geleden hebt gezegd. We doen ook onze uiterste best om ons cognitieve verlies te compenseren en te overwinnen.

Ik moedig u aan ons mondig te maken in plaats van ons beperkingen op te leggen. Als iemand een dwarslaesie heeft, als iemand een arm of been kwijt is of functieverlies heeft door een beroerte, doen familieleden en de zorg hun uiterste best om zo iemand te laten revalideren, om manieren te zoeken om hem zelfredzaam te maken, ondanks zijn verlies. Werk met ons mee. Help ons de instrumenten te ontwikkelen waarmee we om ons verlies aan geheugen, taal en cognitie heen kunnen functioneren. Moedig deelname aan lotgenotengroepen aan. We kunnen elkaar helpen, zowel de mensen met dementie als hun verzorgers, onze weg te vinden in dit niemandsland.

Mijn gisteren verdwijnt en mijn morgen is onzeker, dus waar leef ik nog voor? Ik leef voor elke dag. Ik leef in het heden. Binnenkort is het een keer morgen en ben ik vergeten dat ik deze toespraak voor u heb afgestoken, maar dat ik het ooit zal vergeten, wil niet zeggen dat ik er vandaag niet elke seconde van heb meegemaakt. Ik zal vandaag vergeten, maar dat wil niet zeggen dat vandaag van geen belang was.

Ik word niet meer uitgenodigd voor het geven van lezingen over taal aan universiteiten en op psychologiecongressen over de hele wereld, maar vandaag sta ik voor u en ik hoop dat dit de invloedrijkste lezing van mijn leven is geweest. En ik heb de ziekte van Alzheimer.

Dank u.'

Voor het eerst sinds ze het woord had genomen, keek ze op van haar toespraak. Ze had het oogcontact met de woorden op het papier niet durven verbreken voordat ze klaar was, uit angst dat ze niet meer zou weten waar ze was gebleven. Tot haar oprechte verbazing kreeg ze een staande ovatie. Het was meer dan ze had gehoopt. Ze had maar twee kleinigheden gehoopt: dat ze tijdens het praten niet het vermogen te lezen zou verliezen en dat ze erdoorheen zou komen zonder zichzelf voor schut te zetten.

Ze keek naar de vertrouwde gezichten op de eerste rij en wist dat ze die bescheiden verwachtingen beslist ver had overtroffen. Cathy, Dan en dokter Davis straalden. Mary bette haar ogen met een prop roze tissues. Anna glimlachte en onderbrak haar applaus niet één keer om de tranen weg te vegen die over haar wangen stroomden. Tom klapte, joelde en leek zich er amper van te kunnen weerhouden naar haar toe te rennen om haar te omhelzen en te feliciteren. Ze popelde om hem ook te omhelzen.

John stond fier rechtop in zijn grijze geluksshirt voor haar te applaudisseren, met een onmiskenbare liefde in zijn ogen en vreugde in zijn glimlach.

april 2005

Het zou zelfs voor iemand zonder de ziekte van Alzheimer een immense opgave zijn geweest om een toespraak te schrijven, die goed voor het voetlicht te brengen en handen te schudden en heldere gesprekken te voeren met de schijnbaar honderden enthousiaste toehoorders van het congres. Voor iemand met alzheimer was het een meer dan immense opgave. Alice kon nog een poosje functioneren op de adrenaline-kick, de herinnering aan het applaus en een hernieuwd vertrouwen in de toestand van haar innerlijk. Ze was Alice Howland, een moedige en bijzondere heldin.

De roes was echter niet blijvend, en de herinnering vervaagde. Ze boette iets aan zelfvertrouwen en status in toen ze haar tanden poetste met vochtinbrengende crème, en nog iets toen ze de hele ochtend probeerde John te bellen met de afstandsbediening van de tv. Ze raakte de laatste restjes kwijt toen haar onaangename lichaamsgeur haar duidelijk maakte dat ze zich in geen dagen had gewassen, maar het haar aan de nodige moed of vaardigheid ontbrak om in het bad te stappen. Ze was Alice Howland, slachtoffer van alzheimer.

Haar energie raakte uitgeput en er waren geen reserves meer om aan te boren, haar euforie zakte, en beroofd van de herinnering aan haar triomf en zelfvertrouwen ging ze gebukt onder een overweldigende, uitputtende zwaarte. Ze sliep lang uit en bleef dan nog uren wakker in bed liggen. Ze zat op de bank en huilde zonder aanwijsbare reden. Hoe ze ook sliep of huilde, haar energie werd niet aangevuld.

John maakte haar wakker uit een diepe slaap en hees haar in haar kleren. Ze liet hem begaan. Hij zei niet dat ze haar haar moest borstelen of haar tanden moest poetsen. Het kon haar niet schelen. Hij dreef haar de auto in. Ze drukte haar voorhoofd tegen de koude ruit. De wereld buiten was blauwgrijs. Ze wist niet waar ze naartoe gingen. Ze was te onverschillig om ernaar te vragen.

John reed een parkeergarage in. Ze stapten uit en liepen door een deur in de garage een gebouw in. Het felle tl-licht deed pijn aan haar ogen. Brede gangen, liften, borden – RADIOLOGIE, CHIRURGIE, VERLOSKUNDE, NEUROLOGIE. *Neurologie.*

Ze gingen een kamer in. In plaats van de wachtkamer die ze had verwacht, zag ze een vrouw die in een bed lag te slapen. Ze had gezwollen, dichte ogen en er zat een infuusslangetje aan haar hand geplakt.

'Wat heeft ze?' fluisterde Alice.

'Niets, ze is gewoon moe,' zei John.

'Ze ziet er verschrikkelijk uit.'

'Sst, straks hoort ze je nog.'

De kamer leek niet op een ziekenhuiskamer. Naast het bed waarin de vrouw lag te slapen stond nog een bed, kleiner en onopgemaakt. In de hoek stond een grote tv, op een tafel stond een mooie vaas met gele en roze bloemen en er lag parket op de vloer. Misschien was het geen ziekenhuis. Het zou een hotel kunnen zijn, maar waarom had die vrouw dan een slangetje in haar hand?

Er kwam een aantrekkelijke jongeman binnen met koffie op een dienblad. *Misschien is dat haar arts.* Hij had een spijkerbroek aan, een T-shirt van Yale, en een petje van de Red

Sox op. *Misschien is hij van de roomservice.*

'Gefeliciteerd,' fluisterde John.

'Dank je. Tom is net weg, maar hij komt vanmiddag terug. Hier, ik heb koffie voor ons en thee voor Alice. Ik ga de baby's halen.'

De jongeman wist hoe ze heette.

De jongeman kwam terug met een karretje waarop twee rechthoekige kuipjes van doorzichtig plastic stonden. In elk kuipje lag een piepklein baby'tje, helemaal in witte dekens gewikkeld en met een wit mutsje op, zodat je alleen het gezichtje kon zien.

'Ik ga haar wakker maken, ze zou jullie bezoek niet willen missen,' zei de jongeman. 'Lieverd, wakker worden, we hebben bezoek.'

De vrouw werd onwillig wakker, maar toen ze Alice en John zag, kregen haar vermoeide ogen een enthousiaste uitdrukking en leek ze op te leven. Toen ze glimlachte, vielen de puzzelstukjes van haar gezicht op hun plaats. *O hemel, het is Anna!*

'Gefeliciteerd, schattebout,' zei John. 'Het zijn wolken van kinderen.' Hij leunde naar haar over en drukte een zoen op haar voorhoofd.

'Dank je, pap.'

'Je ziet er fantastisch uit. Hoe voel je je, wel goed?' vroeg John.

'Dank je. Het gaat wel, ik ben gewoon uitgeput. Tada, daar gaan we dan. Dit is Allison Anne, en dat ventje is Charles Thomas.'

De jongeman gaf een van de baby's aan John. Toen pakte hij de andere, die met de roze strik op het mutsje, en liet haar aan Alice zien.

'Wil je haar even vasthouden?' vroeg hij.

Alice knikte.

Ze nam de minuscule, slapende baby aan met het hoofdje

in haar elleboog, de billetjes in haar hand, het lijfje aan haar borst en het oortje op haar hart. De minuscule, slapende baby liet minuscule, oppervlakkige zuchtjes ontsnappen door haar minuscule, ronde neusgaatjes. Alice zoende in een reflex haar vlekkerig roze, ronde wangetje.

'Anna, je baby's zijn geboren,' zei ze.

'Ja, mam, je hebt je kleindochter in je armen, Allison Anne,' zei Anna.

'Ze is volmaakt. Ik hou van haar.'

Mijn kleindochter. Ze keek naar de baby met de blauwe strik in Johns armen. *Mijn kleinzoon.*

'En ze krijgen geen alzheimer, zoals ik?' vroeg ze.

'Nee, mam, echt niet.'

Alice snoof de verrukkelijke geur van haar beeldschone kleindochter op, vervuld met een gevoel van opluchting en rust dat ze al heel lang niet meer had gekend.

'Mam, ik ben bij NYU en Brandeis aangenomen.'

'O, wat spannend. Ik weet nog dat ik ging studeren. Wat ga jij studeren?' vroeg Alice.

'Ik ga naar de toneelschool.'

'Wat leuk. Ik heb op Harvard gezeten. Ik vond het heerlijk. Naar welke school ga jij ook alweer?'

'Ik weet het nog niet. Ik ben bij NYU en Brandeis aangenomen.'

'Waar wil je naartoe?'

'Ik weet het nog niet. Ik heb met pap gepraat, en hij wil heel graag dat ik naar New York ga.'

'Wil je dat zelf ook?'

'Ik weet het niet. Die opleiding staat beter aangeschreven, maar Brandeis lijkt me geschikter voor mij. Ik zou dichter bij Anna en Charlie en de kindjes zijn, en bij Tom, en bij pap en jou, als je blijft.'

'Als ik waar blijf?' vroeg Alice.

'Hier, in Cambridge.'

'Waar zou ik anders naartoe moeten?'

'Naar New York.'

'Ik ga niet naar New York.'

Ze zaten naast elkaar op een bank babykleertjes te vouwen, roze bij roze en blauw bij blauw. Op het televisiescherm flakkerden geluidloos beelden voorbij.

'Alleen, als ik naar Brandeis ga en pap en jij verhuizen naar New York, heb ik het gevoel dat ik op de verkeerde plek ben, dat ik de verkeerde keus heb gemaakt.'

Alice hield op met vouwen en keek naar de vrouw, die jong, slank en knap was, maar ook moe en besluiteloos.

'Hoe oud ben je?' vroeg Alice.

'Vierentwintig.'

'Vierentwintig. Ik vond het heerlijk om vierentwintig te zijn. Je hebt je hele leven nog voor je. Alles kan nog. Ben je getrouwd?'

De knappe, besluiteloze vrouw hield op met vouwen en keek Alice recht aan. Haar ogen hielden die van Alice vast. De knappe, besluiteloze vrouw had onderzoekende, oprechte, pindakaasbruine ogen.

'Nee, ik ben niet getrouwd.'

'Kinderen?'

'Nee.'

'Dan moet je precies doen wat je zelf wilt.'

'Maar als pap die baan in New York nu eens aanneemt?'

'Je kunt zo'n beslissing niet laten afhangen van wat andere mensen al of niet kunnen doen. Het is jóúw beslissing, jouw opleiding. Je bent een volwassen vrouw, je hoeft niet te doen wat je vader wil. Beslis op basis van wat goed is voor jouw leven.'

'Goed, dat zal ik doen. Dank je wel.'

De knappe vrouw met de mooie, pindakaasbruine ogen lachte geamuseerd, zuchtte en ging verder met vouwen.

'We hebben een lange weg afgelegd, mam.'

Alice begreep haar niet. 'Weet je, je doet me aan mijn studenten denken. Ik was vroeger studentendecaan. Ik deed het best goed.'

'Ja, dat klopt. Nog steeds.'

'Hoe heet die school waar je naartoe wilt?'

'Brandeis.'

'Waar staat hij?'

'In Waltham, hier vlakbij.'

'En wat ga je studeren?'

'Ik ga naar de toneelschool.'

'Wat leuk. Ga je in toneelstukken acteren?'

'Ja.'

'Shakespeare?'

'Ja.'

'Ik ben dol op Shakespeare, vooral de tragedies.'

'Ik ook.'

De knappe vrouw schoof naar Alice toe en omhelsde haar. Ze rook schoon en fris, naar zeep. Haar omhelzing drong net zo diep tot Alice door als haar pindakaasbruine ogen. Ze voelde zich blij en verbonden met de vrouw.

'Mam, ga alsjeblieft niet naar New York.'

'New York? Hoe kom je erbij? Ik woon hier. Waarom zou ik naar New York gaan?'

'Ik snap niet hoe je het voor elkaar krijgt,' zei de actrice. 'Ik ben zowat de hele nacht met haar op geweest, en ik loop te ijlen. Vannacht om drie uur heb ik een geroosterde boterham met roerei en thee voor haar gemaakt.'

'Toen was ik ook op. Als we jouw melkklieren aan het werk kunnen krijgen, kun je me helpen die kleintjes te voeden,' zei de moeder van de baby's.

De moeder zat naast de actrice op de bank de baby in het blauw de borst te geven. Alice had de baby in het roze in haar armen. John kwam binnen, gedoucht en aangekleed, met een mok koffie in zijn ene hand en een krant in de andere. De vrouwen waren in pyjama.

'Lyd, bedankt dat je er vannacht uit bent gegaan. Ik had mijn slaap echt nodig,' zei John.

'Pap, hoe denk je dit in godsnaam zonder hulp in New York te gaan doen?' vroeg de moeder.

'Ik wil thuisverpleging nemen. Ik ben nu al naar iemand op zoek.'

'Ik wil niet dat ze door vreemden wordt verzorgd. Die kunnen haar niet knuffelen en van haar houden zoals wij,' zei de actrice.

'En een buitenstaander kent haar verleden en herinneringen niet, zoals wij. Wij kunnen de gaten soms voor haar invullen en haar lichaamstaal lezen, want wij kennen haar,' zei de moeder.

'Ik zeg niet dat wij niet ook voor haar blijven zorgen, ik ben gewoon realistisch en praktisch. We hoeven dit niet alleen te torsen. Over een paar maanden ga jij weer aan het werk en dan kom je elke dag thuis bij twee baby's die je de hele dag niet hebt gezien.

En jij gaat straks naar school. Je zegt steeds dat je zo'n vol studieprogramma hebt. Tom is op dit moment in de operatiekamer. Jullie krijgen het allemaal drukker dan ooit, en je moeder is wel de laatste die zou willen dat jullie de kwaliteit van je eigen leven onder haar laten lijden. Ze zou jullie nooit tot last willen zijn.'

'Ze is ons niet tot last, ze is onze moeder,' zei de moeder.

Ze praatten te snel, en met te veel voornaamwoorden. En ze werd afgeleid door de baby in het roze, die draaide en huilde. Alice begreep niet over wat of wie ze het hadden, maar ze maakte uit de toon van het gesprek en de gezichtsuitdrukkingen op dat ze het niet eens waren. En de vrouwen in pyjama stonden aan dezelfde kant.

'Misschien kan ik mijn zwangerschapsverlof beter verlengen. Ik voel me een beetje opgejaagd, en Charlie vindt het goed dat ik meer tijd neem, en dan kan ik ook vaker bij mam zijn.'

'Pap, dit is onze laatste kans om bij haar te zijn. Je kunt niet naar New York gaan, je mag ons dit niet afnemen.'

'Hoor eens, als jij naar NYU ging in plaats van naar Brandeis, kon je zo vaak bij haar zijn als je wilde. Jij hebt jouw keus gemaakt, ik de mijne.'

'Waarom krijgt mam geen inspraak?' vroeg de moeder.

'Ze wil niet naar New York,' zei de actrice.

'Je weet niet wat ze wil,' zei John.

'Ze heeft gezegd dat ze niet wil verhuizen. Vraag het haar zelf maar. Dat ze alzheimer heeft, wil niet zeggen dat ze niet meer weet wat ze wel en niet wil. Vannacht om drie uur wilde ze een geroosterde boterham met roerei, en geen cornflakes of bacon. En ze wilde al helemaal niet terug naar bed. Jij veegt haar wensen van tafel omdat ze alzheimer heeft,' zei de actrice.

O, ze hebben het over mij.

'Ik veeg haar wensen niet van tafel. Ik doe mijn uiterste best om te doen wat goed is voor ons allebei. Als ze in alles haar zin kreeg, zouden we dit gesprek nu niet eens voeren.'

'Wat bedoel je daar in godsnaam mee?' vroeg de moeder.

'Niks.'

'Het is net alsof je niet snapt dat ze nog niet weg is, alsof je denkt dat de tijd die ze nog heeft niets meer voorstelt. Je gedraagt je als een egoïstisch kind,' zei de moeder.

De moeder huilde nu, maar ze leek boos te zijn. Ze zag eruit en klonk als Anne, Alice' zusje, maar ze kon Anne niet zijn. Dat bestond niet. Anne had geen kinderen.

'Hoe weet je of zij vindt dat het nog iets voorstelt? Hoor eens, het gaat niet alleen om mij. Als ze nog dezelfde was van voordat dit begon, zou ze niet willen dat ik deze kans liet schieten. Ze zou er niet zo bij willen zitten,' zei John.

'Wat bedoel je daarmee?' vroeg de huilende vrouw die eruitzag en klonk als Anne.

'Niets. Hoor eens, ik begrijp alles wat jullie zeggen en ik waardeer het, maar ik probeer me door mijn verstand te laten leiden, niet door mijn gevoel.'

'Waarom? Waarom zou je je gevoel niet laten spreken? Wat is daar mis mee? Waarom zou een beslissing vanuit je gevoel niet goed kunnen zijn?' vroeg de vrouw die niet huilde.

'Ik heb nog niets definitief besloten, en jullie kunnen me niet tot een besluit dwingen. Jullie weten niet alles.'

'Vertel dan maar eens, pap, wat weten we niet?' zei de huilende vrouw met beverige, dreigende stem.

Hij was er even stil van en zei toen: 'Ik heb hier nu geen tijd voor, ik heb werkoverleg.'

Hij stond op en liet de vrouwen met de baby's zitten. Toen hij wegging, sloeg hij de voordeur zo hard achter zich dicht dat de baby in het blauw, die net in de armen van de moeder in slaap was gevallen, wakker schrok en het op een brullen zette. Alsof het aanstekelijk was, begon de andere vrouw ook te huilen. Misschien voelde ze zich gewoon buitengesloten. Nu huilden ze allemaal: de baby in het roze, die in het blauw, de moeder en de vrouw naast de moeder. Iedereen, behalve Alice. Zij voelde zich niet verdrietig, boos, verslagen of bang. Ze had honger.

'Wat eten we vanavond?'

mei 2005

Ze moesten een hele tijd in een lange rij wachten voordat ze aan de beurt waren.

'Goed, Alice, wat wil je?' vroeg John.

'Ik neem hetzelfde als jij.'

'Ik neem vanille.'

'Goed, dan neem ik dat ook.'

'Je wilt liever iets met chocola.'

'Goed, dan neem ik iets met chocola.'

Het leek haar simpel genoeg, geen enkel probleem, maar het gesprekje maakte hem zichtbaar gestrest.

'Geef mij maar een hoorntje met vanille-ijs, en voor haar een hoorntje met Chunky Monkey, allebei groot.'

Ze lieten de winkels en dichte drommen mensen achter zich en gingen op een met graffiti bekladde bank aan de oever van de rivier hun ijsje zitten opeten. Een paar passen bij hen vandaan stonden wat ganzen te eten in het gras. Ze hielden hun kop gebogen en gingen helemaal op in hun gehap, zonder zich iets aan te trekken van Alice en John. Alice vroeg zich af of de ganzen hetzelfde van hen dachten en giechelde.

'Alice, weet je welke maand het is?'

Het had geregend, maar de lucht was nu helder, en de

warmte van de zon en de droge bank trok in haar botten. Het was zo lekker om het warm te hebben. De roze en witte bloesems van de wilde appelboom naast de bank lagen als confetti over de grond verstrooid.

'Het is lente.'

'Welke maand van de lente?'

Alice likte aan haar ijsje met de moeilijke naam en dacht eens goed over de vraag na. Ze kon zich niet heugen wanneer ze voor het laatst een agenda had gezien. Ze leek al heel lang niet meer op een bepaalde tijd op een bepaalde plek te hoeven zijn, en áls ze ergens op een bepaalde dag om een bepaalde tijd moest zijn, onthield John het voor haar en zorgde hij ervoor dat ze er op de afgesproken tijd was. Ze had geen afsprakenapparaat meer, en ook geen klok meer om haar pols.

Goed, even denken. De maanden van het jaar.

'Ik weet het niet, zeg het maar.'

'Mei.'

'O.'

'Weet je wanneer Anna jarig is?'

'In mei?'

'Nee.'

'Ik dacht dat Anne in de lente jarig was.'

'Nee, niet Anne, Anna.'

Alice schrok van een gele vrachtwagen die luid kreunend over de brug reed. Een van de ganzen spreidde zijn vleugels en snaterde afwerend naar de vrachtauto. Alice vroeg zich af of hij dapper was, of een heethoofd die ruzie zocht. Ze giechelde bij de gedachte aan de lichtgeraakte gans.

Ze nam een lik van haar chocolade-ijsje met de moeilijke naam en keek naar de architectuur van het roodstenen gebouw aan de andere kant van de rivier. Het had veel ramen en een gouden koepel met een klok met ouderwetse cijfers erop. Het zag er belangrijk en bekend uit.

'Wat is dat voor gebouw?' vroeg Alice.

'Dat is het gebouw van bedrijfskunde. Het hoort bij Harvard.'

'O. Heb ik daar lesgegeven?'

'Nee, jij zat in een ander gebouw, aan deze kant van de rivier.'

'O.'

'Alice, waar werk je?'

'Waar ik werk? Aan Harvard.'

'Ja, maar wáár?'

'In een gebouw aan deze kant van de rivier.'

'Welk gebouw?'

'Een instituut, geloof ik. Maar ik kom er niet meer, hoor.'

'Ik weet het.'

'Dan maakt het toch niet uit waar het is? Waarom hebben we het niet over de dingen die er echt toe doen?'

'Ik doe mijn best.'

Hij pakte haar hand. De zijne was warmer dan de hare. Haar hand voelde heel prettig in de zijne. Twee ganzen waggelden de rimpelloze rivier in. Er zwommen geen mensen. Waarschijnlijk was het water nog te koud voor mensen.

'Alice, wil je nog steeds hier blijven?'

Hij fronste ernstig zijn wenkbrauwen en de rimpeltjes bij zijn ogen werden dieper. Hij vond het een belangrijke vraag. Ze glimlachte, trots op zichzelf dat ze hem eindelijk met zekerheid kon antwoorden.

'Ja, ik vind het fijn om hier met jou te zitten. En ik ben nog niet klaar.'

Ze liet hem haar chocolade-ijsje met de moeilijke naam zien. Het ijs begon te smelten en druppelde langs het hoorntje op haar hand. 'Hoezo, moeten we nu al weg?' vroeg ze.

'Nee, doe maar kalm aan.'

juni 2005

Alice zat aan haar computer te wachten tot het scherm tot leven kwam. Ze had Cathy aan de lijn gehad, die ongerust vroeg of ze nog leefde. Alice had haar e-mails al een tijdje niet meer beantwoord, zei ze, ze was al weken niet meer in de dementiechatroom geweest en ze was gisteren weer niet naar de lotgenotengroep gekomen. Pas toen Cathy over de lotgenotengroep begon, begreep Alice wie die ongeruste Cathy aan de telefoon was. Cathy zei dat de groep twee nieuwe leden had, en dat de groep hun was aangeraden door mensen die op het dementiecongres waren geweest en Alice' toespraak hadden gehoord. Alice zei dat het fantastisch nieuws was. Ze had Cathy haar verontschuldigingen aangeboden omdat ze haar ongerust had gemaakt en gezegd dat ze aan iedereen moest doorgeven dat het goed met haar ging.

Als ze eerlijk was, moest ze bekennen dat het verre van goed met haar ging. Ze kon nog lezen en korte stukjes tekst volgen, maar het toetsenbord van de computer was een onontwarbaar kluwen letters geworden. Eerlijk gezegd kon ze geen woorden meer vormen met de letters van het alfabet op de toetsen. Haar taalvermogen, het belangrijkste onderscheid tussen mens en dier, liet haar in de steek, en naarmate het erger werd, ging ze zich steeds minder menselijk voelen. Ze had een tijdje terug al verdrietig afscheid genomen van 'goed'.

Ze klikte haar postvak aan. Drieënzeventig nieuwe mails. Overweldigd en niet bij machte de berichten te beantwoorden sloot ze het postvak zonder iets te openen. Ze staarde naar het scherm waar ze een groot deel van haar werkende leven naar had gekeken. Drie mappen stonden in een verticale rij op het bureaublad: Harddisk, Alice, Vlinder. Ze klikte de map Alice aan.

Er zaten meer mappen in met verschillende namen: Samenvattingen, Administratie, Colleges, Congressen, Cijfers, Onderzoeksvoorstellen, Huis, John, Kinderen, Lunchseminars, Van moleculen tot geest, Papers, Presentaties, Studenten. Haar hele leven, geordend in keurige icoontjes. Ze durfde het niet aan een map te openen, bang dat ze zich haar hele leven niet meer zou herinneren of er niets van zou begrijpen. In plaats daarvan klikte ze Vlinder aan.

Lieve Alice,

Je hebt deze brief aan jezelf geschreven toen je bij je volle verstand was. Als je dit leest en een of meer van de volgende vragen niet kunt beantwoorden, ben je niet meer bij je volle verstand:

Welke maand is het?
Waar woon je?
Waar werk je?'
Wanneer is Anna jarig?
Hoeveel kinderen heb je?

Je hebt de ziekte van Alzheimer. Je bent te veel van jezelf kwijt, te veel van wat je lief is, en je leidt niet het leven dat je wilt leiden. Deze ziekte kan niet goed aflopen, maar jij hebt de afloop

*gekozen die het waardigst en eerlijkst is en van
het meeste respect voor jezelf en je familie getuigt.
Je kunt niet meer op je eigen oordeel vertrouwen,
maar wel op dat van mij, je vroegere zelf, voordat de alzheimer je te veel afnam.*

*Je hebt een bijzonder, waardevol leven geleid. Jij
en je man, John, hebben drie gezonde, fantastische kinderen die alle drie geliefd zijn en het
goed doen in het leven, en je hebt een opmerke-
lijke carrière aan Harvard gehad, vol uitdagingen, creativiteit, passie en prestaties.*

*Dit laatste deel van je leven, het deel met alzhei-
mer, en dit eind waarvoor je hebt gekozen zijn tragisch, maar je leven zelf was niet tragisch. Ik hou
van je en ik ben trots op je, op hoe je hebt geleefd
en op alles wat je hebt gedaan toen het nog kon.*

*Ga nu naar je slaapkamer. Ga naar het zwarte
kastje bij het bed, dat met de blauwe lamp erop.
Maak de la van het kastje open. Achterin vind je
een potje pillen. Op het potje zit een wit etiket
waarop in zwarte letters* VOOR ALICE *staat. Er
zitten veel pillen in het potje. Neem ze allemaal
in met een groot glas water. Denk erom dat je ze
allemaal inneemt. Ga dan naar bed en ga slapen.*

*Ga nu meteen, voordat je het vergeet. En zeg het
tegen niemand. Vertrouw me, alsjeblieft.*

*Liefs,
Alice Howland*

Ze las de brief nog eens. Ze herinnerde zich niet dat ze hem had geschreven. Ze wist het antwoord op geen van de vragen, behalve die over het aantal kinderen dat ze had, maar dat wist ze waarschijnlijk doordat het antwoord in de brief stond. Ze wist niet precies hoe ze heetten. Anna en Charlie, misschien. De derde naam kon ze zich niet herinneren.

Ze las de brief nog eens, zo mogelijk nog langzamer. Lezen van een computerscherm was moeilijk, veel moeilijker dan van papier, want dan kon ze er een pen en een markeerstift bij gebruiken. En papier kon ze meenemen naar de slaapkamer om het daar te lezen. Ze wilde de brief printen, maar wist niet hoe. Ze vond het jammer dat haar vroegere zelf, degene die ze was geweest voordat de alzheimer haar te veel had afgenomen, er niet aan had gedacht haar uit te leggen hoe ze de brief kon printen.

Ze las de brief nog eens. Het was fascinerend en onwezenlijk, als het lezen van een dagboek dat ze als tiener had bijgehouden, geheime, oprechte woorden, geschreven door een meisje dat ze zich slechts vaag herinnerde. Had ze maar meer geschreven. Haar woorden maakten haar verdrietig en trots, machtig en opgelucht. Ze haalde diep adem, blies uit en ging naar boven.

Op de bovenste traptree vergat ze waarom ze naar boven onderweg was. Ze voelde nog dat het belangrijk en dringend was geweest, maar de rest was weg. Ze ging weer naar beneden en zocht naar sporen van waar ze net was geweest. Ze vond de ingeschakelde computer met een brief aan haarzelf op het scherm. Ze las hem en ging weer naar boven.

Ze maakte de la van het kastje bij het bed open. Ze haalde er een pakje tissues, pennen, een blokje Post-its, een flacon lotion, een paar keeltabletten, floss en wat kleingeld uit. Ze spreidde het allemaal uit op het bed en raakte de dingen een voor een aan. Tissues, pen, pen, Post-its, munten, snoep, snoep, floss, lotion.

'Alice?'

'Wat?'

Ze draaide zich als door een wesp gestoken om. John stond in de deuropening.

'Wat doe je hierboven?' vroeg hij.

Ze keek naar de voorwerpen op het bed. 'Ik zoek iets.'

'Ik moet even snel terug naar kantoor om een artikel te pakken dat ik ben vergeten. Ik ga met de auto, dus ik ben over een paar minuten terug.'

'Goed.'

'Hier, het is tijd, neem deze in, voor ik het vergeet.'

Hij reikte haar een glas water en een handjevol pillen aan. Ze nam ze allemaal in.

'Dank je,' zei ze.

'Geen dank. Ik kom zo terug.'

Hij nam het lege glas van haar aan en liep de kamer uit. Ze ging op het bed liggen, naast de voormalige inhoud van de la, en deed haar ogen dicht. Ze wachtte, verdrietig en trots, machtig en opgelucht.

'Alice, trek alsjeblieft je toga aan en zet je baret op, we moeten weg.'

'Waar gaan we heen?' vroeg Alice.

'De promotie- en afstudeerdag van Harvard.'

Ze inspecteerde het kostuum nog eens. Ze vatte het nog steeds niet.

'Wat is een promotie?'

'De afsluiting van je academische opleiding. Een nieuw begin.'

Promotie. Harvard. Een nieuw begin. Ze proefde het woord 'promotie'. Promotie aan Harvard betekende een begin, het begin van de volwassenheid, het begin van je werkende leven, het begin van een leven na Harvard. Begin. Het was een mooi woord, en ze wilde het onthouden.

Ze liepen in hun donkerroze kostuum en zwartfluwelen baret over een drukke stoep. De eerste minuten van de wandeling had ze het gevoel dat ze opvallend voor gek liep en twijfelde ze sterk aan Johns kledingkeuze, maar toen waren ze opeens overal. Massa's mensen met hetzelfde kostuum en een baret, maar in verschillende kleuren, voegden zich vanuit alle richtingen bij hen, en al snel liepen ze allemaal in een gekostumeerde optocht in alle kleuren van de regenboog.

Ze kwamen op een groot gazon in de schaduw van hoge, oude bomen met grote, oude gebouwen eromheen. Er klonk trage, plechtige doedelzakmuziek. Alice kreeg kippenvel en huiverde. *Ik heb dit vaker gedaan.* De stoet voerde naar een rij stoelen en ze gingen zitten.

'Dit is de promotiedag van Harvard,' zei Alice.

'Ja,' zei John.

'Een nieuw begin.'

'Ja.'

Na een tijdje kwamen de sprekers. In het verleden hadden er veel beroemde en invloedrijke mensen bij deze plechtigheid gesproken, voornamelijk politieke leiders.

'De koning van Spanje heeft hier een keer gesproken,' zei Alice.

'Ja,' zei John met een geamuseerd lachje.

'Wie is die man?' vroeg Alice. Ze bedoelde de man op het podium.

'Een acteur,' zei John.

Nu was het Alice' beurt om te lachen. 'Ze konden dit jaar zeker geen koning krijgen,' zei ze.

'Weet je, je dochter is ook actrice. Misschien komt zij nog eens op dat podium te staan,' zei John.

Alice luisterde naar de acteur, die vlot en levendig sprak. Hij had het de hele tijd over een schelmenroman.

'Wat is een schelmenroman?' vroeg Alice.

'Een lang avontuur dat de held lessen leert.'

De acteur vertelde over het avontuur van zijn eigen leven. Hij zei dat hij vandaag was gekomen om de afgestudeerden, de mensen die aan het begin van hun eigen schelmenroman stonden, de lessen door te geven die hij tijdens zijn levensreis had geleerd. Hij noemde er vijf: wees creatief, maak je nuttig, wees praktisch, wees vrijgevig en sluit groots af.

Dat heb ik allemaal gedaan, denk ik. Alleen heb ik nog niet afgesloten. Ik heb nog niet groots afgesloten.

'Goede raad,' zei Alice.

'Jazeker,' zei John.

Ze luisterden, klapten, luisterden en klapten langer dan Alice lief was. Toen stond iedereen op en liep langzaam weg in een minder ordelijke stoet. Alice, John en een paar anderen liepen een gebouw in. Alice keek vol ontzag naar de schitterende entree, het duizelingwekkend hoge plafond van donker hout en de hoog oprijzende wand van zonverlichte glas-in-loodramen. Boven hen hingen immense, oude en zwaar uitziende kroonluchters.

'Waar zijn we?' vroeg Alice.

'In Memorial Hall, een deel van Harvard.'

Tot haar teleurstelling liepen ze van de schitterende entree meteen door naar een kleinere, naar verhouding niet indrukwekkende toneelzaal, waar ze gingen zitten.

'En nu?' vroeg Alice.

'De promovendi van de faculteit Gedrags- en Maatschappijwetenschappen krijgen hun titel. We zijn gekomen voor de promotie van Dan. Jij hebt hem begeleid.'

Ze keek om zich heen naar de gezichten van de mensen in de donkerroze kostuums. Ze wist niet wie Dan was. Eigenlijk herkende ze niet één gezicht, maar ze was zich bewust van de emotie en de sfeer in de zaal. De mensen waren blij en hoopvol, trots en opgelucht. Ze waren klaar voor en belust op nieuwe uitdagingen, ze wilden ontdekken, scheppen en doceren, de held zijn in hun eigen avontuur.

Wat ze in hen zag, herkende ze in zichzelf. Dit was iets bekends, deze plek, die opwinding en gretigheid, dit begin. Dit was ook het begin van haar avontuur geweest, en hoewel ze er het fijne niet meer van wist, voelde ze zonder woorden aan dat het een kostelijk, waardevol avontuur was geweest.

'Daar is hij, op het podium,' zei John.

'Wie?'

'Dan, je promovendus.'

'Welke is het?'

'Die blonde.'

'Daniel Maloney,' kondigde iemand aan.

Daniel stapte naar voren, gaf de man op het podium een hand en kreeg in ruil daarvoor een rode map. Hij hief de rode map hoog boven zijn hoofd en glimlachte om zijn grootse overwinning. Vanwege zijn blijdschap, alles wat hij moest hebben volbracht om hier te komen en het avontuur waaraan hij ging beginnen, klapte Alice voor hem, die promovendus van haar van wie ze zich niets herinnerde.

Alice en John stonden buiten in een grote witte feesttent tussen de studenten in donkerroze kostuums en de mensen die blij op hen wachtten. Een jonge, blonde man kwam breed glimlachend op Alice af. Zonder te aarzelen sloeg hij zijn armen om haar heen en zoende haar op haar wang.

'Ik ben Dan Maloney, uw promovendus.'

'Gefeliciteerd, Dan, ik ben heel blij voor je,' zei Alice.

'Dank u wel. Ik ben heel blij dat u bij mijn promotie kon zijn. Ik bof maar dat ik bij u mocht promoveren. Weet u, ik heb vanwege u voor de linguïstiek gekozen. Uw passie voor het verwerven van inzicht in de werking van taal, uw rigoureuze, projectmatige aanpak van het onderzoek, uw liefde voor het doceren... U hebt me op allerlei manieren geïnspireerd. Dank u wel voor al uw begeleiding en wijsheid, bedankt dat u de lat veel hoger legde dan ik dacht te kunnen halen en voor alle vrijheid die u me hebt gegund om mijn eigen ideeën uit te werken. U bent de beste docent die ik ooit heb gehad. Als ik ook maar een fractie bereik van wat u in uw leven hebt bereikt, kan ik mijn leven als een succes beschouwen.'

'Graag gedaan. Fijn dat je dat zegt. Weet je, mijn geheugen is niet meer zo goed. Ik ben blij dat jij je zulke dingen over me herinnert.'

Hij gaf haar een witte envelop.

'Kijk, ik heb het allemaal voor u opgeschreven, alles wat ik daarnet heb gezegd, dan kunt u het lezen wanneer u maar wilt en dan weet u wat u voor me hebt gedaan, ook al herinnert u het zich zelf niet meer.'

'Dank je.'

Ze hielden allebei trots en eerbiedig hun envelop vast, zij de witte en hij de rode.

Een oudere, gezettere versie van Dan en twee vrouwen, de ene een stuk ouder dan de andere, kwamen naar hen toe. De oudere, gezettere versie van Dan had een dienblad met witte bubbelwijn in hoge, smalle glazen bij zich. De jongste vrouw gaf iedereen een glas.

'Op Dan,' zei de oudere, gezettere versie van Dan, en hij hief zijn glas.

'Op Dan,' zeiden ze allemaal. Ze klonken met de hoge, smalle glazen en nipten ervan.

'Op een voorspoedig begin,' voegde Alice eraan toe, 'en een groots besluit.'

Ze liepen van de feesttenten, de oude, bakstenen gebouwen en de mensen met kostuums en baretten naar een minder drukke en rumoerige plek. Iemand in een zwart kostuum slaakte een kreet en rende naar John. John bleef staan en liet Alice' hand los om degene die had geroepen een hand te geven. Alice' voeten liepen als vanzelf door.

In een seconde die een eeuwigheid leek te duren maakte Alice oogcontact met een vrouw. Ze wist zeker dat ze de vrouw niet kende, maar haar blik was betekenisvol. De vrouw had blond haar, een mobieltje aan haar oor en een bril voor haar grote, blauwe, geschrokken ogen. De vrouw reed in een auto.

Toen werd Alice' met een ruk naar achteren getrokken aan haar toga, die strak om haar keel spande. Ze viel hard en nietsvermoedend op haar rug en stootte haar hoofd. Haar kostuum en fluwelen baret boden weinig bescherming tegen het asfalt.

'Het spijt me, Ali, gaat het?' vroeg een man in een donker-roze toga die naast haar knielde.

'Nee,' zei ze terwijl ze ging zitten en over haar achterhoofd wreef. Ze verwachtte bloed aan haar hand te zien, maar het viel mee.

'Het spijt me, maar je liep zó de weg op. Die auto had je bijna geraakt.'

'Heeft ze niets?' Het was de vrouw uit de auto. Ze had nog steeds grote, geschrokken ogen.

'Ik denk het niet,' zei de man.

'O mijn god, ik had haar wel dood kunnen rijden. Als u haar niet weg had getrokken, had ik haar dood kunnen rijden.'

'Rustig maar, je hebt haar niet doodgereden, volgens mij mankeert ze niets.'

De man hielp Alice overeind. Hij keek naar haar hoofd en voelde eraan.

'Ik denk dat het niets is, maar je zult wel een tijdje pijn houden. Kun je lopen?' vroeg hij.

'Ja.'

'Kan ik u een lift geven?' vroeg de vrouw.

'Nee hoor, we komen er wel,' zei de man.

Hij sloeg zijn arm om Alice' middel en hield zijn hand

onder haar elleboog, en zo liep ze naar huis met die vriendelijke onbekende die haar leven had gered.

zomer 2005

Alice zat in een grote, gerieflijke witte stoel naar de klok aan de wand te kijken. Het was er zo eentje met wijzers en cijfers, die veel moeilijker is af te lezen dan een klok met alleen cijfers. *Vijf uur, misschien?*

'Hoe laat is het?' vroeg ze aan de man in de andere grote witte stoel.

Hij keek op zijn pols. 'Bijna halfvier.'

'Ik geloof dat het tijd is om naar huis te gaan.'

'Je bent thuis. Dit is je huis op de Cape.'

Ze keek om zich heen in de kamer – witte meubelen, prenten van vuurtorens en stranden aan de muren, enorme ramen, spichtige boompjes achter de ramen.

'Nee, dit is mijn huis niet. Ik woon hier niet. Ik wil nu naar huis.'

'We gaan over een paar weken terug naar Cambridge. We zijn hier met vakantie. Je vindt het hier fijn.'

De man in de stoel ging verder met het lezen van zijn boek en het drinken van zijn drankje. Het boek was dik en het drankje was gelig bruin, zoals de kleur van haar ogen, met ijsblokjes erin. Hij ging genietend op in zowel het boek als het drankje.

De witte meubelen, de prenten van vuurtorens en stranden

aan de muren, de enorme ramen en de spichtige boompjes achter de ramen kwamen haar totaal niet bekend voor. De geluiden hier ook niet. Ze hoorde vogels van het soort dat aan zee leeft, het geluid van de ijsblokjes die draaiden en tinkelden in het glas wanneer de man een slok nam, het geluid van de man die door zijn neus ademde terwijl hij zijn boek las, en het tikken van de klok.

'Ik vind dat ik hier nu wel lang genoeg ben geweest. Ik wil naar huis.'

'Je bent thuis. Dit is je vakantiehuis. Hier komen we om ons te ontspannen en tot rust te komen.'

Het leek niet op haar huis en het klonk anders, en ze voelde zich niet ontspannen. De man die in de grote witte stoel zat te lezen en te drinken wist niet waar hij het over had. Misschien was hij dronken.

De man ademde, las en dronk, en de klok tikte. Alice zat in de grote witte stoel te luisteren hoe de tijd verstreek. Kwam er maar iemand om haar naar huis te brengen.

Ze zat op een van de grote houten stoelen op het terras ijsthee te drinken en luisterde naar het schrille heen en weer gepraat van ongeziene kikkers en insecten in de avondschemering.

'Hé, Alice, ik heb je vlinderketting gevonden,' zei de man van wie het huis was.

Hij liet een vlinder met glassteentjes aan een zilveren ketting voor haar gezicht bungelen.

'Dat is mijn ketting niet, die is van mijn moeder. En hij is bijzonder, dus je kunt hem maar beter weer opbergen, we mogen er niet mee spelen.'

'Ik heb met je moeder gepraat, en ze zei dat jij hem mocht hebben. Ze geeft hem aan jou.'

Ze keek aandachtig naar zijn ogen, mond en lichaamstaal, zoekend naar iets wat zijn motieven kon verraden, maar voordat ze zijn oprechtheid kon beoordelen, werd ze verleid door de schoonheid van de sprankelende blauwe vlinder, die sterker was dan haar angst ongehoorzaam te zijn.

'Heeft ze gezegd dat ik hem mocht hebben?'

'Hm-hm.'

Hij ging achter haar staan en maakte de ketting vast om haar hals. Ze streek met haar vingers over de blauwe steentjes op de vleugels, het zilveren lijf en de met diamantjes bezette voelsprieten. Ze voelde zich opgewonden en zelfvoldaan. *O, wat zal Anne jaloers zijn.*

Ze zat op de vloer voor de passpiegel in de kamer waarin ze sliep en keek naar haar spiegelbeeld. De vrouw in de spiegel had ingevallen, donkere kringen onder haar ogen. Haar huid was helemaal slap en vlekkerig, met rimpels in haar ooghoeken en over haar voorhoofd. Haar dikke, borstelige wenkbrauwen moesten eens geplukt worden. Haar krullende haar was voornamelijk zwart, maar ook opvallend wit. De vrouw in de spiegel was oud en lelijk.

Ze gleed met haar vingers over haar wangen en voorhoofd. Ze voelde haar gezicht onder haar vingers en haar vingers op haar gezicht. *Dat kan ik niet zijn. Wat is er met mijn gezicht gebeurd?* De vrouw in de spiegel stond haar tegen.

Ze vond de badkamer en knipte het licht aan. Ze ontdekte hetzelfde gezicht in de spiegel boven de wastafel. Daar waren haar goudbruine ogen, haar ernstige neus en hartvormige mond, maar de rest, de compositie rond haar trekken, was grotesk verkeerd. Ze liet haar vingers over het koele, gladde glas glijden. *Wat is er toch met die spiegels?*

De geur in de badkamer klopte ook niet. Op de vloer achter haar stonden twee glimmend witte krukjes en een blik met een kwast ernaast op vellen krantenpapier. Ze hurkte en snoof de geur op door haar ernstige neus. Ze wrikte het deksel van het blik, doopte de kwast erin en zag roomwitte verf naar beneden druppelen.

Ze begon met die waarvan ze wist dat ze het niet goed deden, die in de badkamer en die in de kamer waar ze sliep. Ze vond er nog vier voordat ze klaar was en verfde ze allemaal wit.

Zij zat op de ene grote witte stoel, en de man van wie het huis was zat in de andere. De man van wie het huis was las een boek en dronk een drankje. Het boek was dik en het drankje was gelig bruin met ijsklontjes erin.

Ze pakte een nog dikker boek dan dat van de man van de salontafel en bladerde erin. Haar ogen bleven hangen bij schema's met woorden en letters die met pijlen, strepen en lolly'tjes verbonden waren met andere woorden en letters. Al bladerend stuitte ze op losse woorden: ontremming, fosforylering, genen, acetylcholine, preparatie, vluchtigheid, demonen, morfemen en fonologisch.

'Ik geloof dat ik dit boek al eens heb gelezen,' zei Alice.

De man keek van het boek in haar handen naar haar. 'Sterker nog, je hebt het geschreven,' zei hij. 'Jij en ik hebben dat boek samen geschreven.'

Omdat ze ervoor terugschrok hem op zijn woord te geloven, sloeg ze het boek dicht en las het glanzende blauwe omslag. *Van moleculen tot geest*, door dr. John Howland en dr. Alice Howland. Ze keek naar de man op de stoel. *Dat is John.* Ze sloeg het boek weer open. Inhoudsopgave. Stemming en emotie, Motivatie, Prikkeling en aandacht, Geheugen, Taal. *Taal.*

Ze bladerde door naar het eind. *Een oneindige uitdrukkingsmogelijkheid, aangeleerd maar toch aangeboren, met betekenis, zinsbouw, naamvallen, onregelmatige werkwoorden, moeiteloos en automatisch, universeel.* De woorden die ze las, leken zich een weg door het verstikkende onkruid en slijk in haar geest heen te banen naar een plek die maagdelijk en nog intact was, die het niet opgaf.

'John?' zei ze.

'Ja?'

Hij legde zijn boek neer en ging rechtop op het puntje van zijn grote witte stoel zitten.

'Ik heb dit boek met jou geschreven,' zei ze.

'Ja.'

'Ik weet het weer. Ik herinner me je nog. Ik weet nog dat ik heel slim was.'

'Ja, dat klopt, je was de slimste die ik ooit had gekend.'

Dit dikke boek met het glimmende blauwe omslag stond voor heel veel van wat ze vroeger was geweest. *Ik wist hoe de geest met taal omging, en ik kon mijn kennis overdragen. Ik was iemand die veel wist. Niemand vraagt me nog naar mijn mening of advies. Ik mis het. Ik was leergierig, onafhankelijk en zelfbewust. Ik mis mijn zekerheid. Altijd onzeker zijn geeft geen rust. Ik mis het gemak waarmee ik alles deed. Ik mis het deel uitmaken van de wereld om me heen. Ik mis het gevoel nodig te zijn. Ik mis mijn leven en mijn familie. Ik hield van mijn leven en mijn familie.*

Ze wilde hem alles vertellen wat ze nog wist en dacht, maar ze kon al die herinneringen en gedachten, samengesteld uit al die woorden, zinsdelen en zinnen, niet door het verstikkende onkruid en het slijk heen omzetten in verstaanbaar geluid. Ze beperkte zich tot de essentie en stopte daar al haar energie in. De rest zou het op die maagdelijke plek moeten blijven volhouden.

'Ik mis mezelf.'

'Ik mis jou ook, Ali, heel erg.'

'Ik heb nooit zo willen worden.'

'Ik weet het.'

september 2005

John, die aan het eind van een lange tafel zat, nam een grote slok van zijn zwarte koffie, die uitgesproken sterk en bitter was, maar dat kon hem niet schelen. Hij dronk het niet voor de smaak. Als hij kon, zou hij nog sneller drinken, maar de koffie was gloeiend heet. Hij zou nog twee of drie grote koppen moeten hebben voordat hij echt klaarwakker was en goed kon functioneren.

De meeste mensen die binnenkwamen, kochten koffie om mee te nemen en haastten zich weer weg, maar John had pas over een uur een bespreking in het lab en voelde zich niet echt geroepen vroeg op kantoor te komen. Hij nam net zo lief de tijd om zijn scone met kaneel te eten, zijn koffie te drinken en de *New York Times* te lezen.

Hij zocht eerst het gezondheidskatern op, zoals hij al meer dan een jaar deed bij elke krant die hij las, een gewoonte die lang geleden de plaats had ingenomen van de hoop die hem oorspronkelijk tot het gedrag had aangezet. Hij las het eerste artikel op de bladzij en huilde ongegeneerd terwijl zijn koffie koud werd.

Uit de resultaten van de derde fase van het onderzoek van Syneron is gebleken dat patiënten met een lichte tot matige vorm van de ziekte van Alzheimer die gedurende het vijftien maanden durende onderzoek Amylex hebben gebruikt, geen significante stabilisatie van symptomen van dementie hadden in vergelijking met de controlegroep, die een placebo kreeg.

Het experimentele medicijn Amylex is een selectieve bèta-amyloïdeverlager. Het bindt het oplosbare Abeta42 met als doel de voortschrijding van de ziekte tegen te gaan. Het is anders dan de tot nog toe verkrijgbare medicijnen voor alzheimerpatiënten, die in het gunstigste geval het ziekteverloop kunnen vertragen.

Het medicijn, dat goed werd verdragen en met vlag en wimpel door de eerste en tweede testfase kwam, was klinisch veelbelovend en wekte hoge verwachtingen op de beurs, maar na iets meer dan een jaar gebruik bleek het cognitieve functioneren van zelfs die patiënten die de hoogste dosering van het middel kregen, niet verbeterd of gestabiliseerd te zijn, zoals werd aangetoond door metingen met behulp van de Alzheimer's Disease Assessment Scale (ADAScog) en scores op de vragenlijst Dagelijkse Bezigheden, maar in significante mate achteruitgegaan, zoals te verwachten voor patiënten die geen medicijnen gebruiken.

epiloog

Alice zat op een bank met de vrouw die meestal bij haar zat en keek naar de langslopende kinderen. Niet echt kinderen. Niet van die kleine kinderen die thuis bij hun moeder wonen. Wat dan? Tusseninkinderen.

Ze keek naar de gezichten van de lopende tusseninkinderen. Ernstig, druk. Zwaarhoofdig. Op weg ergens naartoe. Er stonden meer banken, maar niet één van de tusseninkinderen ging even zitten. Ze liepen allemaal, druk op weg naar waar ze naartoe moesten.

Zij hoefde nergens naartoe. Ze vond het een gelukje. Ze luisterde met de vrouw die bij haar zat naar het meisje met het heel lange haar dat muziek maakte en zong. Het meisje had een mooie stem en grote, blije tanden en veel rok met overal bloemetjes waar Alice vol bewondering naar keek.

Alice neuriede met de muziek mee. Ze vond dat haar geneurie goed samenklonk met de stem van het zingende meisje.

'Oké, Alice, Lydia kan elk moment thuiskomen. Wil je Sarah geld geven voordat we weggaan?' vroeg de vrouw.

Ze stond glimlachend op, met geld in haar hand. Alice dacht dat ze was uitgenodigd om ook te gaan staan. Ze stond op en de vrouw gaf haar het geld. Alice gooide het in de zwarte hoed op de stenen aan de voeten van het zingende meisje. Het zingende meisje bleef muziek maken, maar ze hield even op met zingen om hen te bedanken.

'Dank je, Alice, dank je wel, Carole! Tot gauw!'

Toen Alice met de vrouw tussen de tusseninkinderen door liep, werd de muziek achter hen zachter. Alice wilde eigenlijk niet weg, maar de vrouw ging en Alice wist dat ze bij haar moest blijven. De vrouw was vrolijk en vriendelijk en wist altijd wat er moest gebeuren, wat Alice fijn vond, want zelf wist ze het vaak niet.

Toen ze een tijdje hadden gelopen, zag Alice de rode clownsauto en de grote nagellakauto op de inrit staan.

'Ze zijn er allebei,' zei de vrouw, die de auto's ook had gezien.

Alice haastte zich enthousiast naar het huis. De moeder stond in de hal.

'Mijn vergadering was eerder afgelopen dan ik dacht, dus ben ik teruggekomen. Bedankt voor het inspringen,' zei de moeder.

'Geen probleem. Ik heb haar bed afgehaald, maar nog niet de kans gehad het te verschonen. Alles zit nog in de droger,' zei de vrouw.

'Oké, dank je, ik haal het er wel uit.'

'Ze heeft weer een goede dag.'

'Geen gedool?'

'Nee. Ze is mijn trouwe schaduw. Mijn zuster in het kwaad, hè, Alice?'

De vrouw glimlachte en knikte enthousiast. Alice glimlachte en knikte terug. Ze had geen idee wat ze beaamde, maar als de vrouw iets vond, was zij het er vast wel mee eens.

De vrouw pakte boeken en tassen van de vloer bij de voordeur. 'Komt John morgen?' vroeg ze.

Een baby die ze niet konden zien begon te huilen, en de moeder liep weg.

'Nee, dit weekend niet, maar morgen zitten we goed!' riep de moeder.

Ze kwam terug met een in het blauw geklede baby die ze kusjes in zijn nek gaf. De baby huilde nog wel, maar niet meer van harte. De snelle zoentjes van de moeder werkten. Ze duwde iets om op te sabbelen in de mond van de baby.

'Stil maar, gansje. Heel erg bedankt, Carole. Je bent een godsgeschenk. Fijn weekend en tot maandag!'

'Tot maandag. Dag Lydia!' riep de vrouw.

'Dag Carole, bedankt!' riep een stem van ergens in het huis terug.

De grote ronde ogen van de baby vonden die van Alice, en hij glimlachte met het sabbelding in zijn mond alsof hij haar herkende. Alice glimlachte terug en de baby reageerde door breed te lachen. Het sabbelding viel op de vloer. De moeder bukte zich om het op te rapen.

'Mam, hou jij hem even voor me vast?'

De moeder gaf de baby aan Alice. Hij gleed makkelijk in haar armen en op haar heup en begon met een nat handje naar haar gezicht te tasten. Hij vond het leuk, en Alice vond het leuk om hem te laten begaan. Hij greep haar onderlip. Ze deed alsof ze beet en zijn handje opat en maakte er woeste dierengeluiden bij. Hij lachte en pakte haar neus. Ze snufte en snoof en deed alsof ze niesde. Hij reikte naar haar ogen. Ze kneep ze dicht om niet geprikt te worden en knipperde in een poging zijn handje met haar wimpers te kietelen. Hij bewoog zijn handje omhoog, over haar voorhoofd naar haar krullen, balde zijn vuistje en trok. Ze maakte het knuistje voorzichtig los en streek het haar met haar wijsvinger uit haar gezicht. Hij vond haar ketting.

'Zie je die mooie vlinder?'

'Die mag hij niet in zijn mond stoppen, mam!' riep de moeder, die in een andere kamer was, maar haar wel kon zien.

Alice, die niet van plan was de baby haar ketting in zijn mond te laten stoppen, voelde zich valselijk beschuldigd. Ze liep naar de kamer waar de moeder was. Die stond vol met allerlei verjaardagspartijtjeskleurige babyzitgevallen die piepten en zoemden en praatten als de baby's erop sloegen. Alice was vergeten dat dit de kamer met de lawaaiige zitjes was. Ze wilde weglopen voordat de moeder kon voorstellen de baby in zo'n geval te zetten, maar de actrice was er ook, en Alice wilde bij hen zijn.

'Komt pap dit weekend?' vroeg de actrice.

'Nee, volgend weekend. Wil jij even op mam en de baby's letten? Ik moet boodschappen doen. Allison zou nog een uur moeten slapen.'

'Ja, natuurlijk.'

'Ik zal voortmaken. Moet jij nog iets hebben?' vroeg de moeder, die de kamer uit liep.

'Meer ijs, iets met chocola!' riep de actrice haar na.

Alice vond een knuffel zonder lawaaiknoppen en ging zitten. De baby bestudeerde de knuffel op haar schoot. Ze rook aan zijn bijna kale koppetje en keek naar de actrice, die zat te lezen. De actrice keek naar haar op.

'Hé, mam, wil je naar de monoloog luisteren die ik aan het voorbereiden ben en me vertellen waar het volgens jou over gaat? Niet het verhaal, dat is vrij lang. Je hoeft de woorden niet te onthouden, als je me maar gewoon vertelt waar het volgens jou gevoelsmatig over gaat. Als ik klaar ben, zeg jij wat voor gevoel je erbij kreeg, goed?'

Alice knikte en de actrice begon. Alice keek en luisterde en richtte haar aandacht voorbij de woorden die de actrice zei. Ze zag dat haar ogen radeloos zochten, smekend om de waarheid. Ze zag hoe ze er zacht en dankbaar op landden. Haar stem klonk eerst aarzelend en bang. Langzaamaan klonk er meer vertrouwen in door, zonder dat de stem harder werd, en toen werd hij blij, soms bijna als een lied. De wenkbrauwen, schouders en handen van de actrice werden zacht en openden zich, vragend om aanvaarding en vergeving biedend. De sfeer die ze met haar stem en lichaam opriep, vulde Alice en ontroerde haar tot tranen toe. Ze drukte de mooie baby op haar schoot tegen zich aan en kuste zijn lekker ruikende bolletje.

De actrice zweeg en werd weer zichzelf. Ze keek Alice verwachtingsvol aan.

'Oké, wat voel je?'

'Ik voel liefde. Het gaat over liefde.'

De actrice slaakte een vreugdekreet, rende naar Alice toe, zoende haar op haar wang en glimlachte. Elke plooi van haar gezicht straalde verrukking uit.

'Heb ik het goed?' vroeg Alice.

'Ja, mam. Helemaal goed.'

postscript

Het medicijn Amylex, dat in dit boek ten tonele wordt gevoerd, is fictief. Het lijkt echter wel op echte verbindingen
die momenteel klinisch getest worden op hun vermogen het
bèta-amyloideniveau selectief te verlagen. In tegenstelling tot
de tot nog toe verkrijgbare medicijnen die het uiteindelijke
ziekteverloop slechts kunnen vertragen, hoopt men dat de
nieuwe middelen de voortschrijding van de ziekte zullen
kunnen stoppen.

Alle andere medicijnen die in dit boek worden genoemd
bestaan wel. Hun toepassing en werking bij de behandeling
van alzheimer komt overeen met wat ten tijde van het schrijven van dit boek bekend was.

dankwoord

Ik ben de mensen die ik heb leren kennen dankzij het Dementia Advocacy and Support Network International en Dementia USA zeer dankbaar, in het bijzonder Peter Ashley, Alan Benson, Christine Bryden, Bill Carey, Lynne Culipher, Morris Friedell, Shirley Garnett, Candy Harrison, Chuck Jackson, Lynn Jackson, Sylvia Johnston, Jenny Knauss, Jaye Lander, Jeanne Lee, Mary Lockhart, Mary McKinlay, Tracey Mobley, Don Moyer, Carole Mulliken, Jean Opalka, Charley Schneider, James Smith, Jay Smith, Ben Stevens, Richard Taylor, Diane Thornton en John Willis. Jullie intelligentie, moed, humor, mededogen en bereidheid al die kwetsbare, enge, hoopvolle en nuttige dingen te delen, heeft me zoveel geleerd. Mijn weergave van Alice is rijker en menselijker dankzij jullie verhalen.

Ik wil James en Jay nog eens extra bedanken, omdat ze me zoveel meer gegeven hebben dan binnen de grenzen van alzheimer en dit boek lag. Mijn leven is beter omdat ik jullie ken.

Ik wil ook de volgende medici bedanken voor het delen van hun tijd, kennis en verbeeldingskracht, en die me zo hebben geholpen een gevoel te krijgen voor hoe het gelopen zou kunnen zijn in de voortschrijding van Alices dementie.

Dank aan: Dr. Rudi Tanzi en dr. Dennis Selkoe, voor een gedetailleerd begrip van de moleculaire biologie van deze ziekte; Dr. Alireza Atri, voor zijn bereidheid mij twee dagen mee te laten lopen in de Memory Disorders Unit van Massachusetts General Hospital, en voor zijn wijsheid en compassie; Dr. Doug Cole en dr. Martin Samuels voor alle aanvullende informatie over het diagnoseproces en de behandeling van alzheimer; Sara Smith die me mee liet kijken bij een neuropsychologische test; Barbara Hawley Maxam die me alles vertelde over de rol van de sociaal werker en Massachusetts General Caregiver's Support Group; Erin Linnenbringer die ermee akkoord ging Alices genetisch consulent te zijn; Dr. Joe Maloney en dr. Jessica Wieselquist die Alices huisarts wilden zijn.

Dank aan dr. Steven Pinker die me een inkijkje in zijn leven als professor in de psychologie aan Harvard gaf en aan dr. Ned Sahin en dr. Elizabeth Chua voor een inkijkje in het leven van een student. Ook dank aan dr. Steve Hyman, dr. John Kelsey en dr. Todd Kahan die mijn vragen over Harvard en het leven van een professor beantwoordden.

Een woord van dank aan Doug Coupe die mij deelgenoot maakte van een aantal bijzonderheden over acteren en het leven in Los Angeles. Hartelijk dank aan Martha Brown, Anne Carey, Laurel Daly, Kim Howland, Mary MacGregor en Chris O'Connor voor het lezen van elk hoofdstuk, voor jullie commentaar, aanmoediging en enthousiasme. Diane Bartoli, Lyralen Kaye, Rose O'Donnell en Richard Pepp: dank voor jullie redactionele feedback. Jocelyn Kelley van Kelley&Hall, dank omdat je zo'n fantastische pr-persoon bent.

Een enorme hoeveelheid dank aan Beverly Beckham die de beste recensie schreef die een auteur zich kan wensen. En omdat je me de weg wees naar Julia Fox Garrison. Julia, jou kan ik niet genoeg bedanken. Je gulheid heeft mijn leven veranderd. Een bedankje voor Vicky Bijur die erop stond dat ik het einde zou veranderen. Je bent briljant. John Hardy, Louise Burke, Anthony Ziccardi en Kathy Sagan: bedankt dat jullie in dit verhaal geloofden.

Ik ben de zeer omvangrijke en zeer luidruchtige familie Genova dank verschuldigd omdat jullie onvermoeibaar iedereen die jullie kennen, hebben verteld dat zij het boek van jullie dochter/nicht/zus moesten kopen. Jullie zijn de beste guerrillamarketeers van de wereld! Eenzelfde dank gaat naar de minder omvangrijke maar misschien wel net zo luidruchtige familie Seufert.

Tot slot wil ik Christopher Seufert bedanken voor alle IT-support, voor het originele omslagontwerp, voor alle hulp het abstracte tastbaar te maken, en voor zo heel veel meer, maar vooral voor de vlinders die hij me bezorgt.